安徽省高等学校"十二五"规划教材
高职高专护理专业规划教材

总主编 王维利

社区护理学

SHEQU HULIXUE

主 编 姜新峰
副主编 张 利 钱云龙 储彬林
编 者 （以姓氏笔画为序）
　　　　刘耀辉（安徽中医药高等专科学校）
　　　　刘丽娜（淮南职业技术学院）
　　　　张 利（蚌埠医学院）
　　　　苏 英（皖北卫生职业学院）
　　　　宋晓敏（常州市第三人民医院）
　　　　林 波（皖西卫生职业学院）
　　　　姜新峰（皖北卫生职业学院）
　　　　钱云龙（安徽人口职业学院）
　　　　储彬林（安庆医药高等专科学校）
秘 书 苏 英（皖北卫生职业学院）

图书在版编目(CIP)数据

社区护理学/姜新峰主编. —合肥:安徽大学出版社,2015.4
ISBN 978-7-5664-0101-4

Ⅰ.①社… Ⅱ.①姜… Ⅲ.①社区—护理学 Ⅳ.①R473.2

中国版本图书馆 CIP 数据核字(2011)第 076321 号

社区护理学

姜新峰 主编

出版发行:	北京师范大学出版集团 安 徽 大 学 出 版 社 (安徽省合肥市肥西路 3 号 邮编 230039) www.bnupg.com.cn www.ahupress.com.cn
印　　刷:	安徽省人民印刷有限公司
经　　销:	全国新华书店
开　　本:	184mm×260mm
印　　张:	18.25
字　　数:	442 千字
版　　次:	2015 年 4 月第 1 版
印　　次:	2015 年 4 月第 1 次印刷
定　　价:	33.00 元

ISBN 978-7-5664-0101-4

策划编辑:李 梅　武溪溪　　　　　　　装帧设计:李 军
责任编辑:武溪溪　李 栎　　　　　　　美术编辑:李 军
责任校对:程中业　　　　　　　　　　　责任印制:赵明炎

版权所有　侵权必究

反盗版、侵权举报电话:0551—65106311
外埠邮购电话:0551—65107716
本书如有印装质量问题,请与印制管理部联系调换。
印制管理部电话:0551—65106311

编写说明

受安徽大学出版社之邀,安徽医科大学护理学院携手全省高校护理学院(系)、医学专科院校护理系的教师和部分医院临床高级护理人员,共同编写了这套护理学专科专业教材。编写这套教材的目的很明确:一是为安徽省护理专业的教材建设打下基础;二是为安徽省护理专业教师提供一个教学交流的平台;三是为安徽省护理学科"十二五"规划的完成与发展做出贡献。编写全程都做了精心的设计。本套教材的编写思路和要求如下:

● 态度知识技能并重 学做人——是教育的基本要求,也是职业教育的重点;尊重他人与自己、认知社会与职业,提高学生的情商,反映在教学的每一个环节;教师有责任以课堂教学为平台、以教材为媒介,帮助学生提高情商,帮助学生认知护理专业的职业价值,这在每册教材的每一章学习目标和内容中都有所体现。学知识——是学生的主要任务,能提高学生获取知识的积极性是优秀教材的特性之一,本套教材期望通过新颖活泼的编写方式来予以体现。学技能——是学生应用知识从事护理职业的关键。技能按其性质和表现特点,可区分为动(操)作技能和智力技能(如归纳、演绎、分析、写作之类)两种。护理专业学生的操作技能培养与教材中操作原则、流程的编写密切相关,而智力技能涉及教材内容编写的方方面面。我们强调在教材编写中,注意各种技能之间的相互影响,努力以学生已形成的技能来促进其新技能的形成,即技能正迁移;在教材内容编写中做到明确、准确、精确、有意义、有逻辑、有系统,前后呼应,融会贯通,避免学生已形成的技能阻碍了新技能的形成,即技能负迁移,这是本教材所努力追求的。

● 编写体例新颖活泼 学习和借鉴优秀教材特别是国外精品教材的写作思路、写作方法以及章节安排;摒弃传统护理专业教材中知识点表述按部就班、理论讲解抽象和枯燥无味的弊端;学习和借鉴优秀人文学科教材的写作模式,风格清新活泼。抓住学生的兴趣点，让教材为学生所用，便于学生自学，尤其是避免学生面对教材、面对专业课程产生畏难情绪。

● **注重人文知识与专业知识的结合** 教材中适当穿插一些有趣的历史和现实事例；注重教材的可读性，改变专业教材艰深古板的固有面貌，以利于学生在学习护理专业知识的同时，提高其人文素质素养，起到教书育人的作用。

● **以学生及职业特征为本** 现代教育观和职业教育规范要求我们教师在编写这套教材时，努力做到以学生为中心，以学生未来从事的护理职业特征为本，并且考虑到医疗卫生改革的现状和临床护理发展变化的趋势。在教材编写中多设置提问、回答等互动环节，为学生参与教学提供必要条件；教材发挥的作用是在学生听教师授课的同时，还要自己动手、动脑；强调锻炼学生的思维能力以及运用知识解决问题的能力。

● **与时俱进更新教材内容** 将最新的知识吸收到教材中。教材中用到的示意图、实物图、实景图、流程图、表格、思考题等都要注重其前沿性，让学生开拓知识视野。

目前，我国护理学已由原来医学一级学科下设的二级学科增列为国家一级学科，这为我国护理专业的发展提供了很好的契机。在这套教材出版后，我们期望全体参加编写教师仍然能保持团队合作的精神，安徽医科大学护理学院愿意继续携手安徽省医学院校护理专业各学科教师，以校际学科教研组的形式开展学科学术研究和教学合作与交流，共同讨论使用本套教材时发现的问题与解决问题的方法，为这套教材再版做好准备。

王维利

2011 年于合肥

前　言

《社区护理学》是经北京师范大学出版集团安徽大学出版社组织，由皖北卫生职业学院携手蚌埠医学院、皖西卫生职业学院、安徽人口职业学院、安庆医药高等专科学校、安徽中医药高等专科学校、淮南职业技术学院、常州市第三人民医院等单位的护理专业教师与临床护理工作者共同打造的安徽省质量工程项目（编号 2013ghjc483），是安徽省高等学校"十二五"规划教材。

本教材根据教育部、卫生部高职高专人才培养目标与安徽省护理学科"十二五"规划要求编写而成，力求做到"态度知识并重、编写体例活泼新颖、注重人文知识与专业知识的结合、以学生及职业特征为本、与时俱进更新教材内容"，把培养学生的职业道德、职业能力及护理技能融入教材之中。

社区护理学是社区护士运用护理学、公共卫生学、健康教育学、康复医学等相关学科理论与方法为社区居民健康服务的综合性学科。因此，本教材的编写体现了"社区"的空间属性与"护理"的专业特征，以社区为导向，从社区工作的实际出发，以社区护理、家庭护理、临终护理为特色，论述以预防保健、健康教育、健康管理与传染病防治为主要内容的具有广泛性、综合性、连续性、可及性与协调性的社区卫生服务。

全教材共分十五章，分别是社区护理概述、家庭健康护理、社区护理模式与程序、社区健康管理、健康教育与健康促进、社区卫生统计方法、社区疾病预防与控制、社区儿童保健、社区妇女保健、社区老年人保健、社区传染病预防与控制、社区常见慢性病管理、社区康复护理、环境与健康以及社区灾害与紧急救护。

本教材在编写过程中,博采众长,参考了大量相关教材与资料。同时,本书还得到了各位老师和编辑的大力支持和帮助,苏英老师同时负责部分书稿的编写和初稿的统稿,工作卓有成效,在此一并感谢。此外,感谢皖北卫生职业学院、安徽人口职业学院、蚌埠医学院、皖西卫生职业学院、安徽中医药高等专科学校、安庆医药高等专科学校、淮南职业技术学院以及常州市第三人民医院的领导给予的大力支持与帮助。

鉴于社区护理学是一门新兴的学科,尚处于发展和完善阶段,再加上时间仓促、编者水平有限,本书难免有疏漏或错误之处,诚恳希望使用本教材的各位老师、学生和护理界同仁不吝指正,以便进一步完善。

姜新峰

2015 年 2 月

目录

1 第一章 社区护理概述

第一节 社区卫生服务概述 …… 2
- 一、社区 …… 2
- 二、社区卫生服务机构与体系 …… 3
- 三、基本公共卫生服务均等化及服务项目 …… 5

第二节 社区护理 …… 6
- 一、护理与社区护理 …… 6
- 二、社区护理的目标与原则 …… 12

第三节 社区护士 …… 13
- 一、"社区护士"的定义及任职条件 …… 13
- 二、社区护士所扮演的角色 …… 13
- 三、社区护士的能力 …… 14

16 第二章 家庭访视与护理

第一节 概述 …… 16
- 一、"家庭"的基本概念 …… 16
- 二、家庭结构 …… 17
- 三、家庭的功能 …… 18
- 四、家庭生活周期 …… 18
- 五、家庭对健康和疾病的影响 …… 20

第二节 家庭护理的程序 …… 20
- 一、家庭护理的目的与原则 …… 20
- 二、社区护士在家庭护理中的职责 …… 21

三、家庭护理的程序 …………………………………………………… 21

第三节 家庭访视 …………………………………………………………… 23
　　一、家庭访视概述 …………………………………………………… 23
　　二、家庭访视的程序 ………………………………………………… 23
　　三、家庭访视的优缺点 ……………………………………………… 25
　　四、家庭访视的注意事项 …………………………………………… 26

第四节 居家护理 …………………………………………………………… 26
　　一、"居家护理"的概念 ……………………………………………… 26
　　二、居家护理的目的 ………………………………………………… 26
　　三、居家护理的服务对象 …………………………………………… 27
　　四、居家护理的程序 ………………………………………………… 27

第三章 社区护理模式与程序　30

第一节 社区护理模式 ……………………………………………………… 30
　　一、"社区护理模式"的概念 ………………………………………… 30
　　二、常用社区护理模式 ……………………………………………… 30

第二节 社区护理程序 ……………………………………………………… 33
　　一、社区护理评估 …………………………………………………… 33
　　二、社区护理诊断 …………………………………………………… 38
　　三、社区护理计划 …………………………………………………… 41
　　四、社区护理计划的实施 …………………………………………… 42
　　五、社区护理评价 …………………………………………………… 43

第四章 社区健康管理　46

第一节 健康管理 …………………………………………………………… 46
　　一、"健康管理"的概念 ……………………………………………… 46
　　二、健康管理的基本步骤 …………………………………………… 47
　　三、发展社区健康管理的意义 ……………………………………… 48
　　四、健康管理的措施 ………………………………………………… 48

第二节 社区居民健康档案的种类和内容 ………………………………… 49
　　一、个人健康档案 …………………………………………………… 49
　　二、家庭健康档案 …………………………………………………… 62
　　三、社区健康档案 …………………………………………………… 63

第三节　社区居民健康档案的管理 …………………………………… 63
　　一、居民健康档案的建立 ………………………………………… 64
　　二、居民健康档案的使用 ………………………………………… 64
　　三、居民健康档案的保管 ………………………………………… 64
　　四、居民健康档案的服务流程 …………………………………… 65

68　第五章　健康教育与健康促进

第一节　健康与健康教育 ……………………………………………… 68
　　一、健康及其影响因素 …………………………………………… 68
　　二、社区健康教育概述 …………………………………………… 69
第二节　健康教育理论与方法 ………………………………………… 70
　　一、健康教育的理论 ……………………………………………… 70
　　二、健康教育的程序 ……………………………………………… 74
　　三、健康教育的内容和形式 ……………………………………… 77
第三节　健康促进的计划与实施 ……………………………………… 78
　　一、"健康促进"的概念 ………………………………………… 78
　　二、"社区健康促进"的概念 …………………………………… 78
　　三、健康促进的计划与实施 ……………………………………… 79

80　第六章　社区卫生统计方法

第一节　概述 …………………………………………………………… 81
　　一、基本概念 ……………………………………………………… 81
　　二、资料分类 ……………………………………………………… 82
　　三、统计工作的步骤 ……………………………………………… 82
第二节　计量资料统计分析 …………………………………………… 84
　　一、频数表的编制 ………………………………………………… 84
　　二、集中趋势指标 ………………………………………………… 87
　　三、离散趋势指标 ………………………………………………… 90
　　四、正态分布及应用 ……………………………………………… 92
　　五、均数的抽样误差与标准误 …………………………………… 93
　　六、t 检验与 u 检验 …………………………………………… 95
第三节　计数资料统计分析 …………………………………………… 99
　　一、相对数 ………………………………………………………… 99

二、率的抽样误差 …………………………………………………… 101

三、卡方检验 ………………………………………………………… 101

第四节　统计表与统计图 ………………………………………………… 106

一、统计表 …………………………………………………………… 106

二、统计图 …………………………………………………………… 108

第五节　社区卫生统计常用的统计指标 ………………………………… 111

一、人口统计指标 …………………………………………………… 111

二、疾病统计指标 …………………………………………………… 112

114　第七章　社区疾病预防与控制

第一节　疾病的三级预防 ………………………………………………… 114

一、第一级预防 ……………………………………………………… 114

二、第二级预防 ……………………………………………………… 115

三、第三级预防 ……………………………………………………… 115

第二节　社区疾病监测 …………………………………………………… 116

一、社区流行病学监测 ……………………………………………… 116

二、流行病学研究方法 ……………………………………………… 117

第三节　突发公共卫生事件的报告及处理 ……………………………… 122

一、突发公共卫生事件概述 ………………………………………… 122

二、应急措施 ………………………………………………………… 123

三、应急预案 ………………………………………………………… 123

126　第八章　社区儿童保健

第一节　儿童各年龄分期的保健重点 …………………………………… 127

一、"社区儿童保健"的概念及意义 ……………………………… 127

二、儿童各年龄分期的保健重点 …………………………………… 127

第二节　儿童保健的常见策略 …………………………………………… 129

一、护理 ……………………………………………………………… 129

二、营养与饮食 ……………………………………………………… 130

三、定期健康检查 …………………………………………………… 131

四、体格锻炼 ………………………………………………………… 132

五、计划免疫 ………………………………………………………… 134

六、习惯的培养 ……………………………………………………… 134

　　　　七、适应能力的培养 ………………………………………… 135

　　　　八、安全防护 …………………………………………………… 135

　　　　九、儿童教育 …………………………………………………… 136

　　　　十、儿童常见健康问题 ………………………………………… 137

　　第三节　托幼机构与学校保健 ……………………………………… 140

　　　　一、托幼机构保健 ……………………………………………… 140

　　　　二、学校保健 …………………………………………………… 141

144　第九章　社区妇女保健

　　第一节　孕前保健 …………………………………………………… 144

　　　　一、优生优育 …………………………………………………… 145

　　　　二、计划生育 …………………………………………………… 145

　　第二节　围产期保健 ………………………………………………… 146

　　　　一、建立孕妇健康手册 ………………………………………… 147

　　　　二、产前检查 …………………………………………………… 147

　　　　三、不同孕期的保健内容 ……………………………………… 147

　　　　四、保健及护理措施 …………………………………………… 147

　　第三节　围绝经期妇女保健 ………………………………………… 151

　　　　一、生理特点 …………………………………………………… 151

　　　　二、心理特点 …………………………………………………… 151

　　　　三、社区保健 …………………………………………………… 152

　　第四节　老年期保健 ………………………………………………… 152

　　　　一、压迫性尿失禁 ……………………………………………… 152

　　　　二、老年性阴道炎 ……………………………………………… 153

154　第十章　社区老年人保健

　　第一节　老年人的生理和心理特点 ………………………………… 155

　　　　一、基本概念 …………………………………………………… 155

　　　　二、老年人的生理、心理及患病特点 ………………………… 155

　　第二节　社区老年人的健康保健 …………………………………… 158

　　　　一、老年人保健的基本原则 …………………………………… 158

　　　　二、社区老年人保健的重点人群 ……………………………… 159

　　　　三、社区老年人的保健措施 …………………………………… 160

第三节　老年人常见健康问题的护理 ……………………… 164
　　一、老年人常见生理健康问题的护理 ………………… 164
　　二、老年人常见心理健康问题的护理 ………………… 166
第四节　临终关怀 ……………………………………………… 168
　　一、概述 …………………………………………………… 168
　　二、临终患者的生理和心理变化 ……………………… 170
　　三、临终患者家属的心理变化 ………………………… 171
　　四、临终患者及家属的护理 …………………………… 172

176　第十一章　社区传染病的预防与控制

第一节　传染病概述 …………………………………………… 176
　　一、流行过程的3个基本环节 …………………………… 176
　　二、传染病的预防措施 ………………………………… 177
第二节　免疫预防 ……………………………………………… 178
　　一、"计划免疫"的概念 ………………………………… 178
　　二、计划免疫的内容 …………………………………… 178
　　三、预防接种的实施 …………………………………… 178
　　四、预防接种常见的反应及处理原则 ………………… 179
第三节　传染病的管理 ………………………………………… 180
　　一、掌握信息 …………………………………………… 180
　　二、传染病访视管理的内容与要求 …………………… 181
第四节　常见传染病的社区管理 ……………………………… 181
　　一、艾滋病的护理与管理 ……………………………… 181
　　二、病毒性肝炎的护理与管理 ………………………… 183
　　三、肺结核的护理与管理 ……………………………… 185

188　第十二章　社区常见慢性病的管理

第一节　概述 …………………………………………………… 189
　　一、"慢性病"的概念及特点 …………………………… 189
　　二、慢性病的分类 ……………………………………… 189
　　三、慢性病的危险因素 ………………………………… 190
　　四、慢性病的社区管理 ………………………………… 191
第二节　高血压病人的保健护理 ……………………………… 191

一、社区管理 …………………………………… 192
　　二、家庭治疗 …………………………………… 192
　　三、高血压病人的健康指导 …………………… 193
　第三节　冠心病病人的保健护理 ………………… 193
　　一、社区管理 …………………………………… 194
　　二、家庭治疗 …………………………………… 194
　　三、冠心病病人的健康指导 …………………… 195
　第四节　糖尿病病人的保健护理 ………………… 195
　　一、社区管理 …………………………………… 196
　　二、家庭治疗 …………………………………… 196
　　三、糖尿病病人的健康指导 …………………… 197
　第五节　重性精神疾病病人的保健护理 ………… 198
　　一、社区管理 …………………………………… 199
　　二、家庭护理 …………………………………… 199

202　第十三章　社区康复护理

　第一节　康复护理概述 …………………………… 203
　　一、基本概念 …………………………………… 203
　　二、社区康复护理的对象及任务 ……………… 204
　　三、社区康复护理的程序 ……………………… 204
　第二节　社区残疾人康复护理 …………………… 205
　　一、"残疾"的定义 …………………………… 206
　　二、残疾的原因 ………………………………… 206
　　三、残疾的分类 ………………………………… 206
　　四、康复护理原则 ……………………………… 206
　第三节　社区残疾病人康复护理技术 …………… 207
　　一、心理支持与沟通技术 ……………………… 207
　　二、日常生活能力训练 ………………………… 208
　　三、转移技术训练 ……………………………… 210
　　四、关节活动训练 ……………………………… 211
　　五、常用康复器材的应用 ……………………… 212

第十四章　环境与健康 — 215

第一节　人与环境的统一 …… 215
一、"环境"的概念与分类 …… 215
二、生态系统与生态平衡 …… 216
三、人类与环境的关系 …… 218

第二节　环境污染的危害 …… 219
一、环境的组成要素 …… 219
二、环境污染 …… 220

第三节　生活环境与健康 …… 224
一、水与健康 …… 224
二、空气与健康 …… 229
三、地质环境与健康 …… 232
四、食品与健康 …… 235

第四节　生产环境与健康 …… 245
一、职业性有害因素与职业损伤 …… 246
二、生产性毒物与职业中毒 …… 246
三、常见职业病 …… 250

第五节　社会环境与健康 …… 253
一、社会因素与健康 …… 253
二、社会心理因素与健康 …… 254
三、行为和生活方式与健康 …… 256
四、医疗卫生服务与健康 …… 258

第十五章　社区灾害与紧急救护 — 261

第一节　社区灾害护理与管理 …… 261
一、灾害概述 …… 261
二、社区灾害的预防与管理 …… 262

第二节　社区灾害的应对护理与管理 …… 264
一、现场医疗护理与服务管理 …… 264
二、现场预检分诊 …… 264
三、封闭空间与健康管理 …… 267
四、转运工作 …… 267

第三节 社区灾害重建期的健康管理 …………………… 269
　　一、灾害重建期的健康管理内容 …………………… 269
　　二、灾害修复期居民的健康管理 …………………… 269

272　附　录

　　附录一　t 界值表 …………………………………… 272
　　附录二　χ^2 界值表 ………………………………… 274

276　参考文献

第一章 社区护理概述

案例

护士张某从事临床护理工作已经3年,因个人家庭原因,想就近从事社区护理工作,于是到住址所在的社区卫生服务中心进行应聘前的咨询。

她来到该社区卫生服务中心,看到一则通知,得知该社区卫生服务中心定于第二天上午8点在健康教育室举办"交通事故的成因与预防"讲座,且该社区经常有计划地开展类似的讲座。

问题:
1. 假如你是社区服务中心管理者,应如何应对护士张某的咨询?
2. 通知要求居民来社区卫生服务中心听取预防交通事故的讲座,体现了社区的哪些功能?

本章学习目标

1. 掌握"社区"的概念与基本要素,"社区卫生服务"的概念、内容与特点,"社区护理"的概念、特点与内容以及"卫生服务均等化"的概念。
2. 熟悉社区的主要功能、社区护士的角色和能力要求、社区护理的目标、社区护士的基本条件以及我国现阶段基本公共卫生服务项目。
3. 了解我国社区卫生服务体系的构成和社区护理的发展简史。

随着我国社会经济的不断发展,居民对健康的要求不断提高,现有的社区卫生服务体系已经不能满足社区人群对防病保健的需求。因此,合理配置卫生资源、发展社区卫生服务势在必行。社区护理工作作为社区卫生服务中的重要组成部分,应相应地开展和完善起来。护理专业学生必须掌握社区卫生服务的基本知识以及社区护理的基本理论、基本方法和基本技能,从而更好地为社区居民提供预防保健、健康教育、社区护理、康复等综合性卫生服务。

第一节 社区卫生服务概述

一、社　区

(一)"社区"的定义

"社区"的概念最早由德国社会学家在1887年出版的《社区与社会》一书中提出,他们认为,社区是以家庭为基础的血缘共同体和地域共同体的结合。美国学者将"社区"译成英文community,意指以地域为基础的实体,由正式的和非正式的组织、机构和群体等组成,彼此依赖,行使社会功能。20世纪30年代,费孝通教授首次将英文community翻译成"社区",并对"社区"定义如下:"社区是由若干社会群体,包括家庭、氏族或机关、团体等社会组织聚集在某一地域里所形成的一个生活上相互关联的大集体。"由此可见,不同的学者对"社区"有不同的解释。世界卫生组织(WHO)认为:社区是以某种社会组织或团体形式结合在一起的人群,一个有代表性的社区,其人口在10万~30万之间,面积为0.5万~5万平方千米。而我国民政部认为:社区是聚居在一定地域范围内的人们所组成的社会生活共同体。

(二)社区的要素

在我国,社区一般在城市指街道,在农村则指乡镇或规模较大而功能完善的行政村。但无论是城市还是农村的社区,都至少包括以下几个方面的基本要素。

1. 区域性　一个社区存在和发展的基本条件是一定范围的地域空间,它是社区居民生产、生活与社会交往的依托和基本前提,没有一定的区域空间也就无所谓"社区"。社区不仅有自然地理区域的含义,同时,还有社会人文因素在其中。因此,社区是社会空间和地理空间相结合的综合区域,不同的区域有不同的功能,如高教社区、商业社区和工业社区等。

2. 人口要素　一定数量的人口是构成社区的先决条件,没有一定人口的地方不能成为社区。人口要素包括社区的人口数量、构成和分布。社区人口即社区居民,是社区的主体,也是社区生活及其物质基础的创造者,是社区里社会关系的主体。

3. 生活服务设施　生活服务设施是社区成员生活所必需的物质条件,如住房、托儿所、幼儿园、学校、养老院、卫生服务设施、居民生活服务设施、交通与通讯服务设施、文化娱乐设施等。生活服务设施的完善程度及运行质量是一个社区发达程度的重要指标。

4. 文化背景、生活方式及认同感　文化背景、生活方式及认同感是社区得以发展和存在的重要因素,是人们在社区这个特定环境中长期从事物质与精神活动的结晶。它深入到社区生活的各个方面,深刻地反映在人们的精神生活领域中。社区居民的生活方式、风俗习惯、心理特征、行为方式、价值观等体现着社区文化,是人们对社区产生认同感与归属感的重要基础。

5. 管理机构与管理制度　建立必要的生活制度与管理制度、规范社会道德等是为了满足居民生活所必需,因为社区居民衣、食、住、行、教育与文化娱乐等方面的需要的满足都需要与他人共同完成。每个社区都必须建立相应的社区管理机构与制度,明确规定本社区群体、组织和成员必须遵守的规范和准则,以保障社区的正常运行。我国城市社区的基层组织为街道办事处(居委会)与派出所,两者联合负责管理户籍、治安以及计划生育等工作。

(三)社区的功能

为满足社区成员的需要,社区应具有以下5种功能:

1. 生产、分配、消费、协调和利用资源的功能　社区居民生产、分配、消费某些物资,以满足自身的需要;同时,社区应具有协调和利用资源的功能,以满足社区居民的需要。如新建的社区交通不便,社区与公共交通部门通过协调,延长公交线路,使之通达社区,解决居民的通行问题。

2. 社会化功能　"十里改规矩,百里不同俗"——反映了社区的社会化功能,它是指在长期的生活过程中,社区形成的风土人情、风俗习惯;社区居民学习社会价值观、文化、知识以及与人相处的技巧等。社区不仅为个体身心的生长发育提供了场所,同时,也为每个个体成为一个社会人提供了舞台,社会化正是将个体由生物人变成社会人的过程。

3. 社会管理功能　社会管理功能是指我国城市的街道和居民委员会、农村的乡镇,是人民群众直接管理自己事务的组织形式,社区管理者制定各种行为规范,以保护社区居民权益。例如,街道制定文明公民公约以规范居民的行为方式,社区通过居民物业委员会维护居民的利益等。

4. 社会参与功能　在社区应设立居民文体活动场所,包括阅览室、棋牌室、乒乓球室等,并成立相应的组织,定期举办活动,使居民之间形成互动,凝聚社区力量,使居民获得社区归属感,以实现社区的社会参与功能。

5. 互相支援功能　互相支援功能是指当社区居民遇到困难时,尤其是社区的老、弱、妇、幼、残等弱势群体处于疾病或经济困难时,社区能提供帮助与支援。社区可根据具体情况与当地民政部门和医疗机构联系,提供帮助,以满足社区居民的需要。

二、社区卫生服务机构与体系

(一)社区卫生服务体系及主要功能

1. 社区卫生服务组织机构　根据《城市社区卫生服务机构设置和编制标准指导意见》,社区卫生服务组织机构由社区卫生服务中心和社区卫生服务站组成。政府原则上按照街道办事处范围或3万~10万居民规划设置社区卫生服务中心,根据需要可设置若干个社区卫生服务站。前者主要通过对现有一级医院、部分二级医院和国有企事业单位所属医疗机构等进行转型或改造设立,也可由综合性医院创办;后者可由社区卫生服务中心创办,或由综合性医院、专科医院创办,也可按照平等、竞争、择优的原则,根据国家有关标准,通过招标选择社会力量创办。社区卫生服务站、社区卫生服务中心以及由二级甲等及以上医院承担的社区卫生服务指导中心,三者共同构成我国社区卫生服务体系。

2. 社区卫生服务体系的主要功能

(1)社区卫生服务站的主要功能:社区卫生服务站是社区卫生服务最基层的单位,以家庭和居民为服务对象,主要承担疾病预防等公共卫生服务和一般常见病、多发病的基本医疗服务;对危急重病、疑难病症诊治应及时转入上一级社区卫生服务机构。

(2)社区卫生服务中心的主要功能:社区卫生服务中心一般与城市街道办事处所管辖的范围一致,提供社区基本公共卫生服务和社区基本医疗服务。根据当地医疗机构设置规划,可设置以护理康复为主要功能的病床,但不超过50张,日间观察床不少于5张。

(3)社区卫生服务指导中心的主要功能:承担社区卫生服务人员的业务进修、医学院校学生毕业后教育,接收社区卫生服务中心的转诊病人,完成社区卫生服务的科研与教学工作等任务。

(二)"社区卫生服务"的定义

卫生部等十部委于1999年1月共同签发了《关于发展城市社区卫生服务的若干意见》,该纲领性文件指出:社区卫生服务是社区建设的重要组成部分,是在政府领导、社区参与、上级卫生机构指导下,以基层卫生机构为主体,全科医师为骨干,合理使用社区资源和适宜技术,以人的健康为中心、家庭为单位、社区为范围、需求为导向,以妇女、儿童、老年人、慢性病病人、残疾人等为重点,以解决社区主要卫生问题、满足基本卫生服务需求为目的,融预防、医疗、保健、康复、健康教育、计划生育技术服务等为一体的,有效、经济、方便、综合、连续的基层卫生服务。

(三)社区卫生服务的特点

1.广泛性　社区卫生服务的性质决定了社区卫生服务的场所在社区,目的是服务社区、家庭和各种群体,包括健康人群、亚健康人群、患病人群等,其中以老、弱、病、残为重点人群。

2.综合性　社区卫生服务是卫生服务体系中最基础的服务系统,针对各类不同人群的需要,是预防、医疗、保健、康复、健康教育、计划生育技术指导"六位一体"的服务,并涉及生物、心理及社会各个层面,因而是全方位、立体性的综合性服务。

3.连续性　社区卫生服务的目标是以社区居民需求为导向,并且贯穿生命周期的各个过程,其服务不因某一健康问题的解决而终止,而是根据生命各周期及疾病各阶段的特点和居民的需要,提供针对性和终身的连续性服务。

4.可及性　社区卫生服务的性质决定了社区卫生服务在时间、地点、价格、服务内容、服务水平等诸多方面要满足服务对象的需要,即社区居民在任何情况下都能及时得到社区卫生服务,包括便捷的预约系统、节假日服务、有效的医疗、经济上可接受等。

5.协调性　社区卫生服务是在政府领导、社区参与、上级卫生机构指导下解决社区主要健康问题,因此,各部门之间相互协调、各类人员之间密切合作,以满足社区居民基本卫生服务需要,也是社区卫生服务的特点之一。

(四)社区卫生服务组织机构的主要工作内容

根据社区卫生服务"六位一体"的综合卫生服务精神,社区卫生服务功能的定位原则为:医疗任务以治疗一般常见病、多发病及诊断明确的慢性病为主;床位由供应一般性治疗病人向供应老年护理及康复病人转化;社区卫生服务站以提供健康咨询及慢性病管理为主;规范家庭病床工作,办好并合理使用老年家庭病床,提高老年护理质量。同时,探索社区卫生服务新形式,开展以家庭健康档案为基础的户籍制家庭保健服务,以及家庭健康保健合同制、家庭医疗、家庭护理,与区域内大医院建立双向转诊关系,实行双向转诊制度,开展家庭康复工作。

1.社区预防 社区预防是从个体、家庭和社区三个层次,并根据人们不同的需要,提供全方位、有针对性的三级预防服务。

(1)传染病的预防与控制。

(2)慢性非传染病的管理。

(3)学校预防保健。

(4)营养与食品卫生。

(5)环境与职业卫生。

(6)生命统计。

(7)精神病、眼病和牙病防治。

2.社区医疗与社区护理 社区医疗和相应的护理是目前社区卫生服务中工作量最大的部分,但却不是社区卫生服务的工作重点内容。社区卫生服务以门诊和出诊为主要形式,为社区居民提供高质量和便捷的服务,达到社区医疗护理服务的要求。它与传统的医疗服务相比,其特点是以社区为范围、家庭为单位进行连续性、个体化的医疗卫生服务。主要服务内容包括:提供出诊、巡诊、转诊及家庭病床服务;开展姑息疗法,为临终病人及其家庭成员提供心理支持。同时,在社区治疗护理中特别强调使用适宜技术,并充分利用家庭资源,因地制宜地提供慢性病护理、心理护理、母婴护理、临终护理服务以及护理咨询指导。

3.社区保健 社区保健是以优生优育、提高人口素质和生活质量为目标,对社区内重点保健人群提供综合性、连续性的保健服务,包括提供社区妇女保健、围生期保健、社区儿童保健、老年保健、社区精神卫生保健服务等。

4.社区康复 社区康复的内容包括以社区卫生服务为中心,结合初级卫生保健进行康复工作。例如,在社区进行残疾人普查、康复训练,由康复人员或医务人员在居民家中或康复中心进行生活自理、步行、家务、语言、心理等训练,还可以进行教育康复、职业康复等。

5.社区健康教育 健康教育是通过有组织、有计划、有系统的社会和教育活动,促进人们采取有益于健康的行为和生活方式,消除和减轻影响健康的危险因素,预防疾病,促进健康,提高居民生活质量。

6.社区计划生育技术指导 社区卫生服务机构应开展和落实计划生育措施,包括为晚婚晚育、优生优育、计划生育者提供有效的技术指导和进行宣传教育。例如,对育龄妇女进行系统管理,提供服用避孕药、放置宫内节育器及节育手术的咨询指导服务,以及对放置宫内节育器者定期随访。

三、基本公共卫生服务均等化及服务项目

(一)基本公共卫生服务均等化

基本公共服务包括:基本民生性服务、公共事业性服务、公益基础性服务、公共安全性服务。基本公共卫生服务属于公共事业性服务的内容之一。基本公共卫生服务均等化是指每

个中华人民共和国公民,无论其性别、年龄、种族、居住地、职业、收入水平,都能平等地获得基本公共卫生服务,主要包括逐步在全国统一建立居民健康档案,并实施规范管理;定期为65岁以上的老年人做健康检查,为3岁以下婴幼儿做生长发育检查,为孕产妇做产前检查和产后访视;为高血压、糖尿病、精神疾病、艾滋病、结核病等人群提供防治指导服务。实现基本公共卫生服务均等化,目的是保障城乡居民获得最基本、最有效的基本公共卫生服务,缩小城乡居民基本公共卫生服务水平的差距,使每个居民都能享受到基本公共卫生服务,最终减少患病机会,提高健康水平。

(二)基本公共卫生服务项目

实施国家基本公共卫生服务项目是促进基本公共卫生服务逐步均等化的重要内容,也是我国公共卫生制度建设的重要组成部分。实施国家基本公共卫生服务项目是深化医药卫生体制改革的重要工作,是我国政府针对当前城乡居民存在的主要健康问题,以儿童、孕产妇、老年人、慢性病病人为重点人群,面向全体居民免费提供的最基本的公共卫生服务。开展服务项目所需资金主要由政府承担,城乡居民可直接受益。基本公共卫生服务主要由乡镇卫生院、村卫生室、社区卫生服务中心(站)负责具体实施。村卫生室、社区卫生服务站分别接受乡镇卫生院和社区卫生服务中心的业务管理,合理承担基本公共卫生服务任务,其他基层医疗卫生机构也可按照政府部门的部署来提供相应的服务。

国家基本公共卫生服务项目自2009年启动以来,在城乡基层医疗卫生机构普遍开展,取得了一定的成效。2011年,人均基本公共卫生服务经费补助标准由每年15元提高到25元。2013年,该标准又被提高到了30元。2011年版的《国家基本公共卫生服务规范》规定了11项内容:城乡居民健康档案管理、健康教育、预防接种、0~6岁儿童健康管理、孕产妇健康管理、老年人健康管理、高血压病人健康管理、2型糖尿病病人健康管理、重性精神疾病病人管理、传染病及突发公共卫生事件报告和处理,以及卫生监督协管服务规范。2012年版的《国家基本公共卫生服务规范》新增了中医药技术规范。

第二节　社区护理

一、护理与社区护理

(一)"社区护理"的定义

美国护士学会对"社区护理"的定义为:社区护理是公共卫生学和护理学理论的结合,是以促进和维护社区人群的健康为目的的一门综合性学科。现阶段我国学者将"社区护理学"定义为:社区护理学是公共卫生学与护理学理论相结合,是以人的健康为中心、需求为导向,服务对象为个人、家庭和整个社区,以妇女、儿童、老人、慢性病病人、残疾人等为重点,融预防、保健、医疗、护理、康复、健康教育和计划生育技术指导为一体,有效、经济、方便、综合、连续的基层护理服务。简而言之,社区护理是公共卫生学与护理学理论和技能的结合,是社区卫生服务的重要组成部分,是以促进和维护社区人群的健康为目的的一门综合性学科。

(二)社区护理的发展

社区护理起源于英国,其发生、发展与社会政治、经济、文化的发展密切相关。回顾历史并从中总结经验,有助于开展社区护理工作,把握社区护理的发展趋势,更好地为社区居民提供服务。

1. 国外社区护理的发展　根据国外社区护理的发展历程,可将其划分为 4 个阶段,即家庭护理阶段、地段访视护理阶段、公共卫生护理阶段和社区护理阶段。

(1)家庭护理阶段(1859 年以前):早期社区护理的发展与宗教和慈善事业有着密切的关系。《新约·罗马书》记载,公元 1 世纪教堂女执事圣菲比(St. Phoebe)开始到贫病者家中进行访视,提供帮助,这是有记载的第一个访视护士。中世纪欧洲瘟疫流行时,病人多被集中隔离在修道院,修道院的女修道士出于宗教信仰照顾患病的人。文艺复兴时期,圣文生·保罗(St. Vincent de Paul)在巴黎成立了"慈善姐妹社",组织志愿者到贫病者家中访视,给病人基本的生活照顾并传播卫生知识。正是这些简单、基础的家庭护理为早期的地段访视护理奠定了基础。

(2)地段访视护理阶段(1859—1900 年):1859 年,英国利物浦的企业家威廉·勒斯朋(William Rathbone)的妻子患有慢性病,需要长期护理,他便请护士罗宾逊夫人到家中提供护理。罗宾逊夫人良好的专业护理使勒斯朋深感这种护理方式的重要性和必要性。于是,他与罗宾逊夫人合作,于 1859 年在利物浦成立了第一个地段访视护理机构,将有文化的妇女组织起来进行护理专业知识培训,为地段贫病者提供家庭访视护理。后来,在南丁格尔女士的支持和帮助下,他又在利物浦皇家医院开设了访视护士学校,专门培训地段保健护士。1874 年,伦敦成立了英国访视护士协会,并在各地设立了分会。1887 年,法兰西斯·鲁特(Frances Root)在美国纽约开展家庭访视护理活动。随后,波士顿、费城等地也相继成立了地段访视组织,并统一命名为"访视护士协会"。该阶段的地段护理主要是对居家贫困病人的护理,从事地段护理的人员主要是志愿者,少数是专业护士。

(3)公共卫生护理阶段(1900—1970 年):20 世纪初,美国护士丽莲·沃德(Lillian Wald)在原来的"卫生护理"前加上"公共"一词,表明这是为社区所有居民提供的服务,由此拉开了公共卫生护理的序幕。公共卫生护理服务的对象从贫病者扩大至有需求的居民,其服务内容也从疾病照顾扩展至环境监测、学校卫生、疾病预防和妇幼保健等。丽莲·沃德还提出了公共卫生护士可以独立开展工作。1912 年,在丽莲·沃德的努力下,美国成立了公共卫生护理学会,并制定了学会服务原则和标准。从此,公共卫生护理进入了快速发展阶段,其服务范围从个人、家庭拓展至社区,护士这一角色的含义也在不断扩展。

(4)社区护理阶段(1970 年至今):1970 年,美国护士露丝·依思曼提出了"社区护理"一词,并对公共卫生护理和社区护理进行了区分:公共卫生护理是政府为贫病者提供的免费服务,而社区护理则是以促进整个社区居民的健康为目的,由各种卫生机构提供的多项卫生服务。但在实际工作中,很难将两者完全区分开来。公共卫生护理界的先驱们便把两者整合在一起,统称为"社区护理"。1978 年,社区护理得到了世界卫生组织的肯定和补充,要求其成为社区居民可接受的基层卫生服务。至此,社区护理在世界各国蓬勃发展,尤其是在发达国家或地区,社区护理已经成为整个国家或地区卫生保健的重要组成部分,并形成了完善的社区护理组织与管理体系。同时,社区护理人才培养体系也在逐步完善,一般大学的护理系或护理学院开始设立社区护理专业,学历层次分为专科、本科、硕士和博士研究生。社区护理人员的专业方向呈现多元化趋势,分工越来越细。在西方国家,除了普通的社区护士,还有单独开业的社区临床护理专家、家庭开业护士、社区开业护士、社区治疗护士和社区保健护士等。

2. 国内社区护理的发展　我国的社区护理随着社区卫生服务的开展而发展起来。我国从1983年恢复高等护理教育,尤其是在1990年以后,高等护理教育迅速发展,并在专业课程设置中相继开设护理理论课程和实践课程。1997年,首都医科大学首先设立社区护理专业并开始招生。2007年,卫生部科教司制定了《社区护士培训大纲》,全国各地的社区护士岗位培训工作正式开展。

(1)开始阶段(1925—1949年):我国公共卫生护理起源于北京,始于1925年。北京协和医学院在护理专业课程设置中增加了"预防医学"这一课程,同时,在格兰特教授(Mr. Grant)的倡导下,与北京市卫生科联合创办了第一公共卫生事务所;1932年,我国政府成立了中央卫生实验处,负责培训公共卫生护士;1945年,协和医学院成立了公共卫生护理系,由王秀瑛担任主任,开设了公共卫生概论、健康教育、心理卫生、家庭访视与护理技术指导等课程。

(2)建国初期阶段(1949—1978年):新中国成立以后,北京市第一公共卫生事务所改制为城区卫生局,内设防疫站、妇幼保健站、结核病防治所等公共卫生服务机构,医院设立地段保健科,部分医院提供家庭病床服务。1950年,国家取消护理高等教育,大力发展护理中专教育,并取消了公共卫生相关课程。医疗卫生服务体系在农村是建立在合作医疗的基础之上的,在城市主要是公费医疗,倡导防治结合,医疗与护理相结合,以传染病和寄生虫病的防治为主。从事预防保健服务工作的人以防疫站、妇幼保健站、地方病防治机构的公共卫生专业人员和基层医院的医护人员为主。

(3)改革开放后初期阶段(1979—1996年):20世纪70年代后期,起源于20世纪50年代的家庭病床服务逐步得到恢复和发展。1984年11月,卫生部颁发了《关于进一步加强家庭病床工作的通知》。同年12月,卫生部又颁发了《家庭病床暂行工作条例》,进一步推动了家庭病床服务模式在全国的普及,并恢复了护理专业高等教育,陆续有院校在课程设置中增加与预防保健知识和技能有关的课程。此后,相继有学者撰文介绍英国、美国、德国、日本、泰国的卫生保健制度和高等护理教育现状,引入"家庭保健护理"、"卫生保健护理"、"公共卫生护理"、"家庭护理"以及"社区护理"等概念,倡导护士走出医院、进入社区、开展家庭护理服务。

1994年,中美联合在中国部分城市开展了老年慢性病人的家庭护理情况调查。同年,卫生部所属的8所高等医学院校与泰国清迈大学合作开办护理师资硕士班,课程设置中正式纳入了社区护理和家庭护理课程。

1996年5月,全国首届社区护理学术会议在北京召开,会议倡导发展与完善我国的社区护理,重点是老年人护理、母婴护理、慢性病护理及家庭护理等。

(4)现代阶段(1997年至今):1997年1月,中共中央、国务院在《关于卫生改革与发展的决定》中指出,城镇医疗卫生体制改革的重要内容是发展社区卫生服务,伴随着社区卫生服务的发展,社区护理在全国各地迅速发展。同年,"社区护理"成为高等教育护理专业的必修课,卫生部在《关于进一步加强护理管理的通知》中强调了大力发展社区护理的重要性。

1999年,卫生部等十部委联合下发《关于发展城市社区卫生服务的若干意见》,提出了发展社区卫生服务的总体目标、基本原则、基本组织框架以及配套政策。

2002年,卫生部印发了《社区护理管理指导意见》,规定了社区护理的服务项目,包括常见病与多发病健康教育计划、家庭访视和护理规程、家庭访视护理常用基础护理技术以及专科护理技术等4个方面。

2004年,高等护理院校启动社区护理硕士研究生教育。

2005年,《中国护理事业发展纲要(2005—2010)》提出,要发展社区护理以及拓展护理在社区卫生工作中的服务功能。

2006年,国务院颁布了《关于发展城市社区卫生服务的指导意见》提出,到2010年居民可以在社区享受到疾病预防等公共卫生服务和一般常见病、多发病的基本医疗服务。

2007年3月,卫生部印发了《社区护士岗位培训大纲》,明确了社区护士应掌握的基本理论、基础知识和基本技能,对提升在岗护士的综合素质具有重要的意义。

2009年3月公布的《中共中央、国务院关于深化医药卫生体制改革的意见》和《国务院关于印发医药卫生体制改革近期重点实施方案(2009-2011)的通知》提出,加快农村三级医疗卫生服务网络和城市社区卫生服务机构建设,发挥县级医院的龙头作用,用3年时间建成比较完善的基层医疗卫生服务体系。有关社区卫生服务发展的一系列文件,为规范、加强社区护理教育和社区护理实践提供了政策支持,促进了我国社区护理的可持续发展。

目前,社区护理已在全国逐步展开,服务的对象和范围也随之扩大。但从发展情况来看,我国的社区护理尚处于发展的初级阶段,影响与制约社区护理发展的因素有很多,主要有以下几个方面:

①缺乏相应的护理法规及质量控制标准。由于我国的社区护理尚处于初级阶段,再加上我国幅员辽阔,各地发展极不平衡,所以社区护理的服务标准及质量控制标准尚不完善,也没有正规的法律条文来保障社区服务对象和护士双方的权益。

②社区护理人员整体素质尚待提高。目前的社区护理人员虽然经过护理专业的学习,但多数没有经过在《社区护士培训大纲》指导下的系统培训,她们尽管有良好的工作热情,但没有全面、系统的社区护理知识与技能,往往是心有余而力不足。

③医院与社区服务中心及社区服务站缺少横向联系。由于医院与社区服务中心缺少横向联系,造成医院护理与社区护理两者的脱节,表现为:一方面,进入康复期的病人仍然滞留在医院占用病床,造成医疗资源的浪费;另一方面,病人虽然出院,但却得不到相应的社区康复、护理服务,甚至出现并发症或旧病复发的情况。

④社区护理服务内容不适应社区卫生保健的需求。目前,我国大多数医院尚没有开展系统化整体护理服务。因此,社区护理同医院临床护理一样,其服务内容仍然停留在以疾病为中心的护理范畴,而真正的社区护理的服务内容与医院临床护理的不同之处在于,其服务内容中保健与预防占很大的比例。如果仍以医院临床护理模式开展社区护理工作,不仅不能满足社区居民日益增长的保健需求,也难以体现社区护理的健康促进和健康维护工作的重点。

⑤缺乏宏观调控及有效的管理机制。在我国,社区护理的组织及管理工作,在城市主要是由社区卫生服务中心及社区卫生服务站承担,在乡村主要由乡镇医院及村卫生室承担。国家卫生和计划性生育委员会(简称"卫计委")对此还没有统一的规划,也没有成立一个明确的组织及管理机构,没有组建一支强有力的社区护理服务队伍,且现有服务机构之间的联系与协调能力较差,而乡村的社区护理服务人员较为缺乏,绝大多数的村卫生室缺乏社区护士,多数是由乡村医生替代,而且所服务的人群主要是社区的老年人及慢性病病人,受益的人数非常有限。

(三)社区护理的特点

1. 以健康为中心　社区护理的核心是促进和维护人群健康。因此,预防保健工作与医疗护理服务同等重要。社区护理主要通过三级预防措施,达到维护人群健康、预防疾病、减少并发症和残障、延长寿命,以及提高生活质量的目的。以健康为中心的护理具体体现在促进健康、保护健康、预防疾病和恢复健康4个方面。

(1)促进健康:全民动员,依靠社会力量以及政府的参与,增进健康和预防疾病,帮助社区居民养成良好的生活习惯。

(2)保护健康:保护社区居民免受有害物质及有害因素的侵袭,保证食品与饮水安全,预防环境污染等。

(3)预防疾病:防止疾病或伤害的发生,如普查多发病及地方病、管理传染病以及预防交通事故等。

(4)恢复健康:阻止或延缓慢性病的进展,预防并发症,使病人身体功能逐渐恢复,减少残障的发生。

2. 以人群为对象　社区护理的服务对象不仅仅是单个的病人及其家庭,而应该是社区的整个人群,包括健康人群、高危人群、患病人群以及人群所处的环境,应针对不同人群的需求提供相应的服务。

3. 综合性　社区护理以健康为中心,针对影响健康的各种因素,对个体、家庭和社区在预防保健、疾病治疗、康复护理、健康管理和社区支持等方面提供综合性服务。

4. 自主性　社区护理工作的内容十分广泛,因经常需要社区护士深入社区和家庭进行单独工作,故要求社区护士具备一定的自主性和独立性,善于认识、分析和处理各种健康问题。

5. 协作性　社区护理工作的顺利开展有赖于社区各部门和个人的广泛参与和密切协作,充分开发和利用社区的人、财、物资源,使有限的资源产生最大的效益。

6. 连续性和可及性　连续性体现在"从生到死"的生命全过程护理服务;可及性体现在能及时满足社区居民需要的基本医疗照顾。

7. 促进服务对象的自我照顾　社区护士应鼓励服务对象积极参与健康促进活动,提高其自我保健和自我照顾的能力,增强其对自我健康和社区健康的责任感。

(四)社区护理工作的主要内容

作为社区卫生服务的重要组成部分,我国社区护理工作主要围绕社区卫生"六位一体"的

内容展开。社区护理工作的主要内容按照服务对象及工作重点不同,可概括为以下几个方面:

1. 社区保健服务 社区护士应为各类人群提供不同年龄阶段的预防保健服务,以妇女、儿童和老年人作为重点人群。

2. 社区慢性病、传染病和精神疾病病人的护理与管理 社区护士应为慢性病、传染病和精神疾病病人提供护理及管理服务。

3. 社区急、重症病人的急救与转诊服务 在急救的前提下,社区护士应帮助那些在社区无法进行妥善抢救和管理的急、重症病人安全转入适当的医疗机构,使他们得到及时、必要的救治。

4. 社区康复服务 社区护士应为社区残障者提供康复护理服务,帮助他们改善健康状况、恢复功能、回归社会。

5. 社区临终关怀 社区护士应为社区的临终病人及其家属提供综合护理服务,帮助病人走完人生的最后一步,同时,尽量减少死亡对家庭其他成员的影响。

6. 社区健康教育 社区护士应针对慢性病、传染病和精神疾病开展健康教育,使社区居民改变不良的行为和生活方式,延缓慢性病的发展,减少并发症的发生,控制传染病的流行,维护居民的心理健康。

7. 社区环境卫生 社区环境卫生对人的影响因素主要有空气、水、食品、土壤、噪音、放射线、粪便与垃圾等,因此,社区工作者要做好饮用水卫生、食品卫生、家庭环境卫生以及污水、垃圾和粪便的无害化处理工作,工作重点是食品污染、空气污染和水污染的预防与管理。

(五)医院护理与社区护理的联系

人们一般所说的"护理"通常是指在医院中开展的护理,而社区护理工作与医院护理工作有很大的不同,不论是护士自身条件与服务对象,还是工作内容与特点,两者都有很大的区别。

1. 护士自身条件 医院护士的任职条件为:具有国家护士执业资格并经过注册。而社区护士的任职条件则有显著的不同,除具备医院护士的基本任职条件之外,还要经过社区护士岗位培训,如要成为独立从事家庭访视护理工作的社区护士,还要求具有在医疗机构从事临床护理工作5年以上的工作经历。可见,社区护理对护士具有更高的要求,它不同于临床护理对护士的要求。

2. 服务场所 医院护士服务的场所在医院内部的某一个科室,现代医学按病种或按治疗手段分科,如肿瘤科、内科、外科等,而社区护士服务的场所在社区服务中心、社区服务站或社区居民家庭,有明显的不同。

3. 服务对象 医院护士与社区护士的对象差别更大:医院护士的服务对象是医院中的每一个病人,在不同的科室其服务内容有一定的差别;而社区护士则截然不同,社区护士对个人、家庭乃至整个社区提供服务,其服务对象是整个社区的全体居民,包括正常人群、患病人群和残疾人群等。

4. 护士具备的知识体系 医院护士具备的知识体系是以服务于个体健康为中心的,以所在科室相关疾病为主体的人体某一系统疾病相关护理知识体系,其涉及的知识面相对狭窄;而社区护理则显著不同,它不是相对单纯的护理知识体系,而是集预防、保健、医疗、康复、健康教育、计划生育技术"六位一体"的综合性知识体系。

5.护士角色　医院护士主要是单纯的护理者或照顾者,而社区护士不仅是照顾者,为社区患者提供护理服务,更为重要的是,还要担当组织者、管理者、教导者、咨询者、观察者、研究者、健康意识的唤醒者、社区健康代言者、协调者与合作者等多种角色。

二、社区护理的目标与原则

(一)社区护理的目标

1.发现和评估健康问题　每一个人、家庭、团体或社区,其健康需求和问题不尽相同,社区护士必须先行判断,确定其问题,然后再研究解决其问题的方法。依据问题的不同根源、解决问题的不同思路,现阶段慢性病是影响社区居民健康的最大问题,而问题的根源就是不良行为和生活方式,因此,社区护士要大力开展健康教育,唤醒居民的健康意识,使他们懂得如何改变不良生活方式,养成良好的习惯,预防疾病,提高自己的生活质量,以提高全民的健康水平。对个体而言,每个居民的健康需求都有其自身的特殊性,如孕妇缺乏养育经验,必须让其尽快了解有关养育知识。

2.协助家庭成员了解卫生知识　社区护士不仅要发现及评估个人、家庭及社区的卫生问题,而且要让社区所有居民都认识到问题的存在及其危害性,并采取行动以解决问题。如不少人对癌症认识不清,对待癌症病人就像对待传染病病人一样,采取远离的态度,由于这种错误的认识会给病人造成更大的心理压力,所以影响其康复。

3.提供各类人群所需要的护理服务　社区护士依照个人的特殊情况,提供适当的护理、转诊服务或社会资源。如对长期卧床的心脑血管病人的家属给予擦浴、翻身、测血压等基本护理知识指导,以期给病人提供舒适、安全的护理服务。

4.控制威胁健康或降低生活兴趣的社会环境　社区护士应协助有关部门做好环境安全工作,去除威胁健康的因素,如意外事件、传染源、药物成瘾、水源污染、噪声、空气及土壤污染、居民生活垃圾等。

5.协助居民早期发现健康问题　社区护士可借助各种健康筛检对居民的健康进行评估,以早期发现疾病、早期治疗,并劝导居民戒除不良习惯,养成良好的行为和生活方式。

(二)社区护理的原则

世界卫生组织曾经提出,社区护理工作必须遵循下列三大原则:

1.社区护士必须要有满足社区内卫生服务需求的责任感　社区护士应运用社区内可利用的资源,发挥护理功能,以满足社区内居民的健康需求,如学校护士应协调并整合学校、家庭、社区组织、政府机构等相关资源,共同努力推进学校卫生工作计划,维护及促进师生及学校其他员工的健康,并将卫生服务延伸到社区中。

2.社区内的敏感人群应列为优先服务对象　社区护理关心全人类的幸福,其对象是不分种族、宗教信仰、年龄、性别或其他任何特征的。但是,妇幼健康应得到特别注意和照顾,其原因是妇女的健康直接影响到孩子,一旦遭到永久性伤害,不仅造成母子双方健康的损害,而且影响到整个家庭生活,间接造成社会经济损失,甚至影响到整个国家的强盛。我国已进入老龄化社会,老年人在健康、心理、社会、经济等方面都存在许多问题,他们将逐渐从社区生活中退出,自理能力也会随着年龄的增长而减退,因此,老年人的健康照顾非常重要,在社区护理中应重点维护妇幼及老年人的健康。

3. 社区护理的服务对象必须参与卫生服务的计划与评估　评估是指对个体及其家属在心理、生理、社会和环境方面的评价。了解每个个体、家庭、团体以及社区整体健康需求,可以保证社区护理计划的落实。

第三节　社区护士

一、"社区护士"的定义及任职条件

根据2002年卫生部发布的《社区护理管理的指导意见》,"社区护士"的定义和任职条件如下:

1. 定义　社区护士是指在社区卫生服务机构及其他有关医疗机构从事社区护理工作的社区护理专业人员。

2. 社区护士的任职条件

(1)具有国家护士执业资格并经注册。

(2)通过地(市)级以上卫生行政部门规定的社区护士岗位培训。

(3)独立从事家庭访视护理工作的社区护士,应具有在医疗机构从事临床护理工作5年以上的工作经历。

二、社区护士所扮演的角色

根据社区卫生服务和社区护理的内容及特点,社区护士将扮演以下多种角色:

1. 照顾者　社区护士负责向社区居民提供各种照顾,包括生活照顾及医疗照顾。

2. 教导者　社区护士负责向社区居民提供各种教育、指导服务,包括对病人、健康人群及病人家属的指导。教育与指导贯穿于社区护理服务的始终。

3. 咨询者　社区护士负责向社区居民提供有关卫生保健及疾病防治咨询服务,解答居民的疑问和难题,成为社区居民的健康顾问。

4. 管理者　社区护士负责根据社区的具体情况及居民的需求,设计、组织各种有关促进和维护健康的活动。

5. 协调者　社区护理服务的特点之一是鼓励各类相关人员参与其中,因此,社区护士需协调社区内各类人群的关系,包括社区卫生服务机构内各类卫生服务人员的关系、卫生服务人员与居民或社区管理者的关系等。

6. 研究者　社区护士不仅要向社区居民提供各种卫生保健服务,而且还要注意、观察、探讨、研究与护理及社区护理相关的问题,为护理学科的发展及社区护理的不断完善提供依据。

7. 社区资源的开发者　社区护士需努力开发社区健康资源,为居民提供健康服务。

8. 社区居民的健康代言者　社区护士需要了解国内外有关的卫生政策和法规,并对危

害社区居民健康的环境污染等问题,采取措施予以解决或向有关部门报告,以维护社区居民的健康权益。

三、社区护士的能力

根据社区护理工作的特点与社区护士的角色要求,社区护士必须注重培养以下几个方面的能力:

1. 人际交往能力　良好的护患关系对于社区护士了解社区护理对象和服务能起到积极作用,同时也能提高社区服务的顺从性和居民的满意度。因此,社区护士必须具有社会学知识、心理学知识以及人际沟通等方面的能力,以便更好地开展工作。

2. 综合护理能力　根据社区护理工作的特点和社区护士的角色,社区护士必须具备各专科中、西医护理技术,才能满足社区居民的需求。

3. 独立解决问题的能力　独立解决和处理问题的能力以及应变能力对于社区护士非常重要,这是因为社区护士在很多情况下需要独立进行各种操作以及健康教育、咨询、家庭访视等活动。

4. 预见能力　做好预防保健工作是社区护士的主要职责之一。要想做好预防保健工作,社区护士应具有一定的预见能力,需要在问题发生之前找出其潜在因素和危险因素,有针对性地制定护理干预计划,组织开展各种预防性服务工作。

5. 组织管理能力　社区护士必须具有自信心、自控力和决断力,敢于并善于承担责任、控制局面、协调各种工作关系,以保证服务质量。

6. 调研和科研能力　社区护士还肩负着发展社区护理、探索适合我国的社区护理模式、完善护理学科的重任。因此,社区护士要充实理论知识,做好社区护理调查,善于发现问题、总结经验、提出新的观点,进行与社区护理有关的科研活动。

7. 自我防护能力　社区护士不同于医院护士,前者常在非医疗机构提供有风险的护理服务,因此,要有依法保护自身合法权益的能力,包括:在提供有风险的护理服务前,与病人或家属签订有关协议书,作为法律依据;在提供服务时,要完整、准确地记录病人的病情及护理内容;从事家庭护理时,应避免携带贵重物品,并注意自身的防护。

本章小结

社区护理是社区卫生服务的重要组成部分,大力发展社区卫生服务,就应加强社区护理服务。学习本章,不仅要熟悉"社区"的概念、基本要素及功能,"社区卫生服务"的概念与特点,社区卫生服务体系的构成,社区护理围绕社区卫生"六位一体"的内容开展工作,而且要掌握"社区护理"的概念与特点、内容及要求,充分理解有任职资格和能力的社区护理专业人员从事该项工作所担负的重任,另外,还需要了解社区护理的发展历史与现状,以便更好地开展社区护理工作。

课后思考

1. "社区"的概念及功能是什么?
2. 我国社区卫生服务体系的构成要素有哪些?
3. 社区卫生服务的特点有哪些?
4. 社区护理工作的内容是什么?
5. 社区护士的任职条件是什么?
6. 社区护士应具备哪些能力?

(姜新峰,宋晓敏)

第二章
家庭访视与护理

案例

王某,女,75岁,一年前因脑梗塞而瘫痪,不得不长期卧床,生活不能自理。因儿子和儿媳均在外地工作,无法对其照顾,故王某主要由其丈夫来服侍。近日,其丈夫因过于疲劳,经常感觉胸闷,自测血压升高,无法再照顾王某。基于以上情况,病人的弟弟来到社区卫生服务中心,请求社区护士提供帮助。

问题:
1. 社区护士进行家庭访视前应做哪些准备?
2. 第一次访视时,社区护士需要收集哪些资料?

本章学习目标

1. 掌握"家庭"的基本概念和结构,家庭护理的程序,"家庭访视"的概念、程序和注意事项,"居家护理"的概念和程序。
2. 熟悉家庭生活周期、家庭护理的目的和原则、家庭访视的优缺点、居家护理的目的和服务对象。
3. 了解家庭的功能、家庭对健康和疾病的影响、社区护士在家庭护理中的职责。

第一节 概 述

一、"家庭"的基本概念

传统的观念认为,家庭是以婚姻、血缘或收养关系联系在一起的,由家庭成员所组成的亲属团体。婚姻是家庭的起点和基础,夫妻关系是家庭中首要的关系,是家庭关系的核心,也是维系家庭的纽带;父母与子女的关系是家庭中的第二种关系,父亲、母亲与子女三方组成了家庭最稳定的"三角";家庭中还可以包括父亲、母亲和子女以外的其他直系和旁系亲属。组成家庭的成员间以共同生活和密切的经济交往为特征。和其他社会团体相比,家庭成员间更重视关心、爱护等感情关系。

二、家庭结构

家庭结构是指家庭成员的组成、类型和关系,分外在结构和内在结构。

(一)外在结构

家庭成员的数量和组成决定了外在结构,一般分为3种类型,即核心家庭、扩展家庭和其他类型家庭。

1. 核心家庭　核心家庭是指由父母及其未婚子女组成的家庭,也包括无子女夫妇和养子女组成的家庭。核心家庭的共同特点是人数少、规模小、结构简单、关系单纯、家庭内部只有一个权力和活动中心,属于通常意义上比较稳定的家庭形式。

2. 扩展家庭　扩展家庭是指由2对或2对以上的夫妇及其未婚子女组成的家庭,是由核心家庭及夫妇单、双方的父母和(或)已婚子女共同构成的,又可分为主干家庭和联合家庭。

(1)主干家庭:主干家庭是由1对已婚子女同其父母、未婚子女或未婚兄弟姐妹组成的家庭,包括父和(或)母和1对已婚子女及其孩子所组成的家庭,以及1对夫妻同其未婚兄弟姐妹组成的家庭。

(2)联合家庭:联合家庭又称"复式家庭",是由2对或2对以上已婚夫妇及其未婚子女组成的家庭,包括由年长父母同几对已婚子女及孙子女构成的家庭,或2对以上已婚兄弟姐妹组成的家庭。

3. 其他类型家庭　其他类型家庭包括单身家庭、单亲家庭、同居家庭、群居家庭及同性恋家庭等,这些家庭不具备传统的家庭形式,却行使着类似的功能,表现出家庭的主要特征。

(二)内在结构

家庭的内在结构由家庭成员间的相互关系决定。

1. 家庭角色　家庭角色是指家庭成员在家庭中所占的地位。具体地说,角色是一种职能,一种每个处在这个地位的人所期盼的、符合规范的行为模式。如"父亲"是一个家庭角色,在传统观念中应该负责挣钱、养家糊口等。家庭成员往往也同时扮演几种角色,如除了母亲的角色外,还是妻子、女儿等。

2. 沟通过程　沟通是情感、愿望、需要以及信息和意见的交换过程,可以通过语言和非语言的方式进行。家庭关系的好坏,关键在于沟通。

3. 权力结构　权力指的是一个家庭成员控制、影响和支配其他成员的能力。权力影响家庭的决策。社区护士了解家庭中谁的权力最大且影响着家庭健康决策是非常重要的。

4. 家庭价值观　家庭价值观是指家庭成员在共同的文化背景下一起形成的意识或潜意识的思想、态度和信念。它不仅影响家庭角色的分配方式及各家庭成员怎样执行自己的角色,还影响各成员对自身健康状况或疾病的评估。家庭对预防疾病的重要性的认识也会影响家庭成员的健康行为。

三、家庭的功能

1. 满足感情的需要　家庭是建立在感情基础之上并以血缘、婚姻等结成的纽带相联系，借助家庭成员之间相互的理解、支持和关怀，使他们享受着爱与被爱的亲情，来满足情感的需要，以利于身心健康。

2. 满足生殖与性需要　家庭是生育子女、繁衍后代的基本单位，借助家庭的生育功能，人类社会才能得以延续和存在。性需要是人类基本的生理需要，应该通过建立家庭来满足。家庭是保障合法性行为的前提，同时，还应借助法律、道德、情感和习俗来约束家庭之外的各种性行为。

3. 抚养和赡养　抚养是指父母对未成年子女的养育，以及夫妻之间的相互供养和帮助。赡养是子女对家庭中长辈的供养和照顾。抚养和赡养功能体现了家庭成员间的责任和义务，且在我国受到法律保护。在家庭生活中，家庭成员通过提供衣、食、住、行等来满足各自的生理和情感需要，养育子女，让老人安度晚年。

4. 生产和消费　家庭是一个基本的自给自足的经济活动单位，包括获得收入和消费。家庭成员只有通过各种劳动来建立家庭的经济基础，才能满足各自衣、食、住、行、文化娱乐、医疗保健等多方面、多层次的需要。

5. 社会化功能　家庭具有把家庭成员培养成符合社会规范和社会要求的社会成员的功能，引导年轻成员学习社会行为规范和树立生活目标，传授社会和家庭生活的知识和技能，从而使年轻成员能够胜任各自的社会和家庭角色。家庭是个人完成社会化转变的场所，尤其对于儿童而言，家庭是他们最先接受社会化转变的场所，父母则是子女完成社会化转变最初的引导者。

四、家庭生活周期

家庭遵循社会与自然的规律，其产生、发展与消亡的过程，称"家庭生活周期"。根据家庭各个发展时期的结构和功能，一般将家庭生活周期分为新婚、第一个孩子出生、有学龄前儿童、有学龄儿童、有青少年、孩子离家创业、父母独处(空巢期)和退休8个阶段(见表2-1)。并不是每一个家庭都要经历该周期的所有阶段，可以在一个周期的任何一个阶段进入、退出、结束或开始新的周期，如出现夫妻离婚、再婚或一方早逝等情况。

表 2-1　家庭生活周期及其保健重点

阶段	定义	家庭问题	保健重点
1. 新婚	男女结合	1. 性生活协调和计划生育问题 2. 交流与沟通问题 3. 适应新的社会关系 4. 准备承担父/母角色	1. 婚前健康检查 2. 计划生育指导 3. 性生活指导 4. 心理咨询
2. 第一个孩子出生	最大的孩子0~29个月	1. 父/母角色的适应 2. 经济压力增加	1. 母乳喂养 2. 新生儿喂养

续表

阶段	定义	家庭问题	保健重点
		3.生活节奏的变化 4.照顾幼儿的压力 5.母亲产后恢复	3.预防接种 4.婴幼儿营养与发育
3.有学龄前儿童	最大的孩子 2.5～5岁	1.孩子身心发育的问题 2.孩子上幼儿园的问题	1.合理营养 2.监测和促进生长发育 3.防治疾病 4.帮助孩子形成良好的习惯 5.防止意外事故
4.有学龄期儿童	最大的孩子 6～12岁	1.孩子身心发育的问题 2.孩子离家上学的问题 3.孩子适应学校环境的问题	1.学龄期儿童保健 2.引导孩子正确应对学习压力 3.合理"社会化"
5.有青少年	最大的孩子 13～30岁	1.学习问题 2.孩子与异性交往和恋爱	1.正常应对学习和工作压力 2.防止意外事故 3.健康生活指导 4.青春期与性教育
6.孩子离家创业	最大的孩子离家至最小的孩子离家	1.父母开始有孤独感 2.更年期问题 3.父母疾病开始增多 4.夫妻重新适应婚姻关系 5.照顾高龄父母	1.心理咨询 2.消除孤独感 3.定期体检 4.更年期保健
7.父母独处 （空巢期）	所有孩子离家至退休	1.重新适应夫妻二人生活 2.计划退休后的生活 3.疾病问题	1.定期体检 2.改变不健康的生活方式 3.防范意外事故
8.退休	退休至死亡	1.适应退休生活 2.经济收入下降 3.生活依赖性增强 4.面临老年病、衰老、丧偶、死亡	1.防治慢性病 2.孤独心理照顾 3.提高生活自理能力 4.提高社会生活能力 5.丧偶期照顾 6.临终关怀

五、家庭对健康和疾病的影响

1. **对遗传的影响** 许多疾病都是家族遗传性的,现在,先进的医学知识和技术已使得其中的很多疾病可以预防。

2. **对儿童身心健康的影响** 家庭是儿童生理、心理和社会性成熟的必要环境和条件,个人身心发展的最重要阶段(0~18岁)大多数是在家庭内完成的。不良家庭与儿童的躯体疾病、心理障碍、行为异常有着密切的联系,父母的行为对儿童的人格形成有很大的影响。例如,长期丧失父母照顾与自杀、抑郁和社会病态人格有关。

3. **对疾病传播的影响** 在家庭中传播的疾病多是传染性疾病,包括常见的流行性感冒、肺结核、细菌性痢疾、病毒性肝炎等。疾病在家庭内的传播主要与家庭环境、卫生习惯及家庭生活压力事件有关。

4. **对成年人发病率和死亡率的影响** 研究表明,在很多疾病发生前,病人都有生活压力增大的情况。对于成年人的大部分疾病,丧偶者、离婚者和独居者的死亡率均比已婚者高得多,鳏夫尤其如此。

5. **对疾病康复的影响** 家庭的支持对各种疾病,尤其是慢性病和残疾的治疗和康复有很大的影响,可通过影响慢性病病人对医嘱的依从性,从而影响其康复。例如,家人的合作和监督是糖尿病人控制饮食的关键,脑中风瘫痪等慢性病的康复更与家人的关心与支持密切相关。

6. **对求医行为、生活习惯与方式的影响** 家庭成员的健康信念往往相互影响,一个成员的求医行为会受到其他成员或整个家庭的影响。家庭成员过频就医和对医生的过分依赖往往是家庭功能障碍的表现。另外,家庭成员一般都具有相似的生活习惯与方式,一些不良生活习惯可能成为家庭成员的通病,严重影响家庭成员的健康。例如,父母吸烟的家庭,其子女的吸烟率明显高于父母不吸烟的家庭。

第二节 家庭护理的程序

随着健康观念的更新,护理工作的服务领域逐渐扩大,社区护理的服务对象也从病人个体扩大到了家庭和全体居民。

一、家庭护理的目的与原则

(一)家庭护理的目的

家庭护理的目的是维持和促进家庭健康。家庭作为社会的一个基本单位,对预防、矫正和护理家庭成员的健康问题负有主要责任。家庭护理应达到以下几个方面的目的:发现影响健康的因素及问题,寻求在家庭内解决问题的方法,促进家庭成员的身心健康。

(二)家庭护理的原则

1. **整体原则** 家庭护理的对象是家庭中的所有成员,是包括对生理、心理、社会文化状况等方面的整体护理,是将预防、保健、治疗及康复一体化的服务。

2. 预防原则　家庭护理对影响护理对象的危险因素能有效地控制和预防。

3. 连续原则　家庭护理是贯穿于整个家庭生活周期全过程的连续性服务。

4. 协调原则　家庭护理发掘、协调和利用各种资源服务于家庭。

二、社区护士在家庭护理中的职责

社区护士是在一个相对开放、宽松的工作环境之中进行服务和管理工作,其工作要求远高于传统意义上的医院护士。

(一)基本职责

社区护士必须对家庭成员的生理、心理、社会文化状况和环境等方面进行评估,通过筛检,确认自己所服务家庭中的高危人群,帮助家庭寻找资源,并能给予持续性照顾,以预防疾病发生,使服务对象能达到自我照顾的最终目标。

(二)主要职责

1. 直接护理　直接护理是指社区护士在服务对象家中执行实际的护理实践活动,如对高血压病人进行健康教育,对有伤口的患者进行敷料的更换等。

2. 预防保健　社区护士要具备流行病学知识,随时发现疾病的致病因素,并进行积极预防。预防保健在社区护理工作中占有相当大的比重,特别是向处于亚健康状态中的个体及家庭提供保健服务,协助改善服务对象对自身问题的认识,促进社区居民的健康。

3. 健康教育　社区护士应按照健康教育程序,有计划、有目的、系统地实施教育。家庭健康教育侧重于疾病的康复和预防,以及建立健康的行为和生活方式等方面。护士应运用沟通技巧,提供相关信息,消除护理对象对疾病与健康有关问题的疑虑,并以积极有效的措施应对健康问题,提高社区的健康水平。

4. 健康协调　在为护理对象服务过程中,护士需要介绍其他资源,联系和协调与相关人员及机构之间的相互关系,并维持有效沟通,以便进行诊断、治疗、救助和护理,保证护理对象获得最适宜的全面的整体性医护照顾,使护理工作保持一致性和连续性。

5. 康复训练　护士依据新的观念,运用其专业知识和技能,对服务对象进行心理康复教育,协助并训练服务对象在疾病限制下发挥其身体最大的能力,利用残肢或矫正用具工作或生活,使服务对象能自我照顾,提高生活自理能力,缓解对家庭和社会的依赖性。

6. 问题研究　我国社区护理还处于起步阶段,有许多问题仍需研究和探讨,通过对这些问题的研究形成能真正指导社区和家庭护理实践、有中国特色的社区护理理论,推动我国社区护理事业有序发展。

三、家庭护理的程序

家庭护理的是家庭为单位的整体护理模式。护理程序可以指导社区护士运用系统和整体的科学观念去观察、分析和解决社区人群现存的或潜在的健康问题,从而促进服务对象的健康。家庭护理的基本程序包括家庭护理评估、家庭护理诊断、家庭护理计划、家庭护理计划的实施和家庭护理评价。

1. **家庭护理评估** 能独立在病人家庭内做护理工作的护士,应根据护理对象的具体情况,采取不同的方式对家庭及其成员的基本材料、家庭类型、文化背景、宗教信仰、家庭生活周期、家庭压力及危机、家庭资源、家庭的健康状况及影响健康的因素等作出整体评估,以便了解此家庭的功能、发展阶段、家庭成员的互动情况及家庭护理的保健需求等情况。社区护士应以认真、求实的态度,用辩证、发展、分析、求真的思维,对家庭及其成员进行全面评估、客观描述和真实分析。

2. **家庭护理诊断** 家庭护理诊断是利用所收集的资料进行推理判断,从而对个人、家庭或社区现存的或潜在的健康问题以及生命历程中的问题得出临床判断。家庭护理诊断既包括对家庭个体的诊断,也包括对家庭群体的诊断。目前,对于家庭的护理问题,较多国家和地区倾向于使用奥马哈护理诊断系统(Omaha System)。对于存在的家庭健康问题,护士排序时应遵循由重到轻、由急到缓的原则,将那些急待解决、对家庭威胁最大、后果最严重的健康问题排在第一位,同时要与家庭成员进行讨论和协商,以便共同探讨并解决问题。

3. **家庭护理计划** 家庭护理计划是以家庭护理诊断为依据,针对护理问题制定完整的家庭整体护理计划。它是护理行为的指南,主要工作内容有设定优先次序、确定护理目标、拟定护理措施,其中,家庭护理目标的确定是关键。制定家庭健康护理计划应注意遵循以下原则:互动性,即家庭参与性;实际性,即设立切合实际的目标,要考虑时间和资源限制以及家庭结构;特殊性,即对有相同健康问题的家庭实施的护理措施不尽相同;意愿性,即考虑家庭成员的想法、价值观念和健康观念;合作性,即与其他医务工作者合作和充分有效地利用资源的情况。应从优先度高的短期目标开始制定具体援助计划,计划的内容包括什么时候做、对谁做、做什么、如何做、结果如何。社区护士根据个人或家庭、社区的评估资料,作出有关的家庭护理诊断后,应按上述原则制定出书面的家庭护理计划。

4. **家庭护理计划的实施** 实施家庭护理计划是将计划中的各项措施变为实践活动。社区护士要以家庭全体成员为服务对象,以家庭急需解决的健康问题为重点,与家庭成员建立良好的人际关系,充分利用家庭的资源,鼓励家庭成员积极参与护理,选择合适的方式协助家庭成员解决健康问题。家庭护理措施主要包括:帮助家庭应对各种疾病和压力的措施;教育和指导家庭处理应激事件的措施;促进家庭有效利用资源的措施;帮助家庭环境保持健康的措施。社区护士为护理对象采取家庭护理措施后,应及时完成护理记录,以便进行评价。

5. **家庭护理评价** 护理评价是将服务对象护理后的结果与原定的护理计划中的目标相对比的过程。家庭护理评价贯穿于护理程序的每个步骤之中,包括过程评价和结果评价。通过评价可以发现护理中存在的问题,并对问题进行分析,找出原因,不断修改和补充护理诊断、护理计划和评价标准。许多因素可能影响评价,主要包括:资料的可靠性,客观、真实、完整的资料有利于评价;可利用资料的丰富度,在资料丰富的社区,家庭需求得到满足的期望值高,结果评判要求就高,而在资料贫乏的社区,结果评判要求降低;家庭的期盼性,如果家庭对能够达到的目标有一个合理的期盼,家庭对最后取得的成绩的满意度就高,反之,如果家庭企盼护士做些力所不能及的事,在关系结束时自然就会感到失望。家庭与护士的交流状况和交往状况可影响人们对效果的看法,令双方都满意的关系比不满意的关系更能使人们对护理活动产生有效的感觉。

第三节 家庭访视

一、家庭访视概述

（一）"家庭访视"的概念

家庭访视简称"家访"，是指为了促进和维护个体、家庭和社区的健康，在服务对象家里对访视对象及其家庭成员所提供的护理服务活动。家庭访视是开展社区护理的重要手段。

（二）家庭访视的目的

护士通过家庭访视，能实地了解家庭环境、设备、家庭成员的健康状况以及家庭结构、家庭功能等，从而尽早发现家庭的健康问题，运用家庭的内外资源解决健康问题。

（三）家庭访视的种类

1. 评估性家访　评估性家访的目的是对照顾对象的家庭进行评估，常用于存在家庭危机或心理问题的病人家庭以及老年、体弱或残疾人的家庭。

2. 预防性家访　预防性家访的目的是预防疾病和促进健康，主要用于孕妇产后、新生儿与计划免疫等。

3. 连续照顾性家访　连续照顾性家访的目的是为病人提供连续性的照顾，主要用于患有慢性病或需要康复护理的病人及残疾人家庭。

4. 急诊性家访　急诊性家访主要用于家庭成员出现意外的伤病或家中病人出现紧急情况。

（四）家庭访视的次数

家庭访视的次数可以视家庭的具体情况而定，如家庭存在的问题和需要支持的程度，另外，还应考虑社区护理工作人员的数量、护理对象及工作时间、护理对象需要解决的问题的轻重缓急以及预算等。

二、家庭访视的程序

（一）家庭访视前阶段

社区护士在访视前应做好充分的准备工作，主要内容包括：选择访视对象与初步评估访视对象的资料、确定访视目的和目标、判断访视的优先次序、准备访视物品、安排访视路线等。

1. 选择访视对象与初步评估访视对象的资料　初次访视时，社区护士可以先用电话或网络联系，介绍自己的姓名、单位、职称及联络方式等，确认访视的原因及时间，初步收集访视对象的资料；再次访视时，依据上次访视记录和预约记录，仔细阅读访视对象的健康档案，初步评估访视对象的资料,确立访视对象。目前,仍以存在或潜在健康问题的家庭作为优先访视的对象,他们是社区中的弱势群体,主要包括危机家庭、不完整家庭、有老年人和新生儿的家庭等。

2.确定访视目的和目标　护理人员和个案家庭的第一次接触,是建立良好人际关系的基础,护士必须清楚访视的目的与目标;目标必须明确、具体、切实可行,且可以测量或评价,使访视的执行与评价有依据和标准,并根据所在社区提供的服务项目制定相对完整的访视计划。

3.判断访视的优先次序　在需要接受家庭访视的对象中有许多婴幼儿、孕产妇、慢性病病人、高危人群等,社区护士应确定家庭访视的优先次序,以便充分利用时间、人力和物力。如果需要同时访视两个家庭,一个家庭较远且病人病情严重,另一个家庭较近且病人病情较轻,应优先访视前者。一种健康问题影响人数的多少,是安排优先访视时首要考虑的问题。例如,传染病若不优先加以控制,将会影响到更多人的健康,如传染性非典型肺炎、痢疾、甲型肝炎等。还应考虑疾病对健康的危害程度,对于社区致死率高的疾病,应优先访视。如病人有外伤性大出血,应及时现场急救并送往附近的医院做进一步治疗,而常规性的健康普查及健康教育可列为次优访视。同时,要看是否会留下后遗症,如心肌梗死、中风等,或者病人出院后仍然需要继续维持护理活动的且会加重家庭和社会负担,应优先访视。还要考虑节约卫生资源的因素,对于预约健康筛查未能如期进行的,如糖尿病、高血压病人,疾病的控制如何将对其今后生活质量产生很大的影响,若未能及时监测到疾病早期症状而使得病情发展,将会加重病人的痛苦程度和导致卫生资源的浪费,此类病人也应优先访视。

4.准备访视物品　访视的目的不同,采取的访视措施不同,则需准备的访视物品也不同。应根据访视对象准备物品,访视对象的年龄、性别、健康状况不一样,其访视物品的准备也不尽相同。如访视新生儿,社区护士应准备体重秤、皮尺、手电筒、有声音的玩具及有关母乳喂养、预防接种的材料等;而访视卧床的慢性病病人,社区护士应准备体温计、血压计、听诊器等。此外,社区护士还可以依据访视目的准备物品。访视目的主要有健康教育、健康普查、健康评估等。

5.安排访视路线　根据优先访视原则,提前安排访视路线,一般个案的访视可依据交通路线安排,按由远至近或由近至远的原则,以节约路费与时间。对时间性很强或情况紧急的个案应提前安排。注意传染性访视对象应集中另行安排,避免访视护士将病原微生物带到其他个案家中。

(二)家庭访视阶段

实际访视中,护士应首先出示专业证件,进行自我介绍,解释本次访视的目的、内容及所需时间等,以使护理对象做好相应的准备,并与服务对象及家庭建立相互信任关系。

1.评估　观察访视对象及其家庭对现存的或潜在的健康问题的反应,确定服务对象的期望,针对存在的问题和危机,与护理对象共同制定出完整的家庭护理计划,协助家庭采取适当措施,以解决其问题。

2.实施访视措施　访视目标需在实际的访视活动中实现。在访视中,护士使用最多的护理措施是健康教育。护理操作过程中,护士应注意防止交叉感染,严格执行无菌技术操作规程和消毒隔离制度;操作后还要妥善处理污染物,避免污染,整理用物并洗手;及时回答护理对象的提问,必要时向其介绍转诊机构。

3. 简要记录访视情况　　在访视时,护士要对收集到的资料以及护理援助和指导的主要内容及时进行记录。记录时注意只记录重点内容,不能为了记录而忽略了访视对象的谈话。

4. 预约下次访视　　当访视的目的达到以后,护士应根据服务对象问题的缓急,在征求服务对象意见后,预约下次访视时间,并再次确认联系方式。

(三)家庭访视后阶段

1. 消毒及物品的补充　　护士访视回来后,要及时洗手和消毒,把所使用的物品进行必要的处理,整理和补充访视包内的物品。

2. 访视记录　　对访视中计划的实施情况、访视目标的完成情况、服务对象目前的健康状况等进行记录,并书写阶段性访视报告。最好建立资料库或记录系统,以保存家庭健康档案和病历。社区护理是一种需要团队合作的工作,访视记录可使其他工作人员对服务对象的健康问题有所了解,为同行间交流、协作提供客观的依据,同时,也是科研和教学的素材。访视记录必须书写正确、简洁、及时、规范,避免涂改。

3. 访视评价　　在访视中及访视后,护士应及时评价访视计划的执行情况,以便确定是否达到预期效果,及时调整或修改访视计划,提高访视成效。如果访视对象的健康问题已经解决,即可停止访视。

本章前述案例中,护士在做家庭访视前,首先做的应该是主动联系王某的丈夫,征求其意见。如果王某的丈夫同意进行家访,可约定具体访视时间并制定访视计划。此外,在第一次访视时,护士最需要收集的资料应该包括家庭成员对健康问题的看法、病人现在的护理情况、作为照顾者的丈夫的健康情况等。

三、家庭访视的优缺点

(一)家庭访视的优点

1. 提高自我管理能力　　家庭场所为护士照顾个体提供更多的机会,同时,也有利于引导家庭成员的参与,提高家庭自我的健康管理能力。

2. 信息全面　　方便护士观察和考虑到与健康有关的环境因素,如住房状况、经济状况、环境状况等。

3. 配合好　　人们在自己熟悉的环境中容易接受信息,更能理解生活方式对健康的影响。

4. 节约资源　　病人在家中接受护理,可节约时间,减少因住院而造成过多的医疗花费。

(二)家庭访视的缺点

1. 干扰多　　家庭中可能存在一些干扰因素,护士难以控制,会影响访视工作的正常进行。

2. 费时长　　护士入户进行家访时路途花费时间过多。

3. 服务受限　家访不能同时提供服务中心其他工作人员的相关性服务。
4. 要求高　家庭访视对护理人员的专业素质要求较高。

四、家庭访视的注意事项

1. 着装　护士着装要得体,根据要求可以穿工作装,整洁、协调,便于工作,不要佩戴贵重的首饰,要穿舒适的鞋子,以适应较长时间的行走。

2. 态度　要求护士在访视时合乎礼节,大方且稳重,应尊重被访视对象及其家庭的交流方式、文化背景、社会经历等,不要让自己的态度、价值观、信仰等影响访视对象做决定,要与易受感染的家庭成员保持一定距离,以免影响其家庭功能。

3. 掌握技巧　利用人际关系和熟练的沟通技巧获得护理对象的信任,可以帮助护士更好地收集主观资料。在操作的同时,护士也要注意进行相应的观察和测量,收集客观资料,并对家庭成员进行指导和咨询。

4. 安全问题　尽管在家庭访视过程中危害护士个人安全的案例并不多见,但是安全问题是所有家庭访视护士必须注意的。护士在家庭访视时也许会遇上一些有敌意、发怒、情绪反复无常的服务对象,而且对周围的陌生环境不能控制,应采取以下安全措施:家庭访视前尽可能用电话与家庭成员取得联系,询问好住址及如何到达;尽量避免去一些偏僻的场所或偏远的地方,如果一定要去,需要有一名陪同人员;家访时,尽可能要求护理对象的家属在场;护士在服务对象的家中看到一些不安全因素,如打架、酗酒、吸毒、有武器等,可立即离开;访视包应放在护士的视野内,不用时盖好;只在计划好的时间内进行访视,如有例外,应得到服务机构的同意。

5. 签订家庭访视协议　当访视家庭确定后,社区卫生服务机构可以与被访家庭签订家庭访视协议,确认家庭是否同意被访以及访视的方式、时间、内容、双方的责任与义务等,以利于社区护理工作的管理及家庭访视工作的顺利开展。

第四节　居家护理

一、"居家护理"的概念

居家护理是指对需要连续照顾的病人及其家庭在他们自己居住的家庭环境中,提供综合性、连续性和专业性的健康照顾。居家护理包含了"三级预防"的内容,是独立的或与医院联合提供的护理服务。居家护理的直接对象是各年龄层的病人,间接对象则包括家属、亲朋乃至整个社区。居家护理的内容不只局限于技术性的护理措施,还包含疾病的三级预防。

二、居家护理的目的

1. 根据病人的病情需要及个体需要,提供综合、连续的家庭护理服务,增加病人及家属的安全感。

2. 对病人进行健康教育及具体的指导,帮助病人恢复自理能力,提高生活质量,同时增加家属照顾病人的意识,使他们学会相关的护理知识与技能,维持家庭的完整性。

3.减少病人的平均住院日,增加病床的利用率,降低医疗费用,减轻家庭的经济负担,延缓疾病的恶化,防止并发症的出现,降低疾病的复发率及病人的再住院率。

三、居家护理的服务对象

1.慢性病病人　如高血压病人、糖尿病病人、冠心病病人。
2.康复病人　如脑卒中康复期病人。
3.临终病人　如衰老、肿瘤晚期病人。
4.残疾人　如先天畸形和后天伤病造成功能障碍或残疾的病人。

四、居家护理的程序

居家护理的程序主要包括5个步骤:居家护理评估、居家护理诊断、居家护理计划、居家护理实施和居家护理评价。

(一)居家护理评估

1.评估内容　评估内容包括病人的病史、日常生活情况及心理、社会史,如生活习惯、日常自理能力、性格、兴趣爱好及工作性质等。家庭环境情况包括家庭成员及相互间的关系、家庭成员的护理能力、居住条件等。社会经济状况包括病人所在社区的医疗卫生状况,是否有经济困难等;所在社区的资源状况,如卫生、福利等;家庭的人力、物力、支持系统等。

2.评估方法　评估方法包括查阅病人的医疗护理记录、体检及其他实验室检查结果等,也可以与病人、家属、亲友及其他医务人员交谈。

(二)居家护理诊断

通过评估,护理人员可以列出居家病人的健康问题,并对问题按优先顺序进行排列,包括:病人本人感到最需要援助的问题;家庭中最困难的问题;病人和家属观点不同的问题;从护理专业角度考虑到的问题。

(三)居家护理计划

1.决定居家护理的先后顺序　护理人员首先应处理病人最急、最重要、最需要解决的问题。

2.制定预期目标　护理人员在制定预期目标时要注意远期目标与近期目标的结合。

3.选择合适的护理措施　护理措施可以选择三级预防中的任何一项,要以科学性为依据。通过制定居家护理计划,可以使居家护理有组织、系统地满足服务对象的需要。

(四)居家护理实施

居家护理实施的常见内容如下:

1.保持良好的体位　护理人员护理卧床病人时应让病人保持良好的体位与姿势,防止关节强直和肌肉萎缩,要定时帮助病人翻身,减少身体受压,预防压疮的发生。

2.促进心理健康　护理人员应该以热情真诚的服务态度对待病人,引导病人采取积极的生活态度,增强自信心,适应疾病带来的不适及变化。

3. **防治病残,促进康复**　对生活自理有障碍者,护理人员应鼓励和帮助病人锻炼其自理功能,使其在适当的范围内尽量自理。对畸形和残障的病人,应实施功能康复训练,防止畸形或残障的进一步加重,预防并发症的发生。

4. **加强营养**　护理人员应根据病情指导病人合理膳食,保证足够且平衡的营养供给。在食物烹饪时,应注意病人的口味、习惯及消化系统情况,使食物色、香、味俱全,以增加病人的食欲。

5. **家庭环境适应性改变的指导**　护理人员应指导病人家属根据病人的病情及居住现状改变家庭的居住环境,以符合病人的要求。

6. **指导使用护理器械**　护理人员应根据病人的病情及家庭经济能力,向病人及家属介绍急需的居家医疗护理器械,并介绍具体使用方法及常见故障的排除方法。

7. **紧急情况时的处理**　护理人员应向病人及家属介绍居家护理的局限性,使病人及家属了解当病人的病情突然发生变化时应与谁联系、如何进行转诊,以及家庭应配备的安全设施等。

8. **建立完善的居家护理记录及档案**　一般的护理记录应为一式三份,由社区卫生服务机构和病人各保留一份,主要的病案负责人保留一份。

(五)居家护理评价

1. **随时评价**　在实施居家护理的过程中,护理人员需随时对病人进行评价,重点是记录病人的日常活动和测量相关功能。通过评价可随时发现问题,及时修改护理计划,不断完善护理活动。

2. **定期随访性评价**　每隔1~2个月,护理人员应对接受居家护理的病人进行全面的评价,如以前的护理措施是否有效、病情的稳定情况、是否出现新问题,以及病人接受居家护理后疾病的改善情况,根据评价结果修订护理计划。

3. **年度总结性评价**　对长期接受居家护理的慢性病病人,至少每年进行一次年度回顾总结性评价,从而确定病人是否需要持续性的居家护理、是否需要转诊服务、是否需要其他援助等。

本章小结

家庭访视与居家护理是社区护理常用的护理方法。学习本章应掌握"家庭"、"家庭护理"、"家庭访视"、"居家护理"的基本概念,熟悉家庭护理、家庭访视、居家护理的基本程序,了解家庭护理对健康的作用,从而能积极履行社区护士在家庭护理中的职责。

课后思考

1. 家庭有哪些基本结构?
2. 家庭的功能是什么?

3. 家庭护理的程序有哪几个步骤?
4. "家庭访视"的概念是什么？种类有哪些？
5. 家庭访视有哪些步骤及注意事项？
6. 居家护理的目的及程序是什么？

（苏英）

第三章 社区护理模式与程序

案例

王兰是某社区卫生服务中心的护士,她计划以社区整体为服务对象,按照社区护理程序开展社区护理。社区护理程序包括社区护理评估、社区护理诊断、社区护理计划、社区护理计划的实施和社区护理评价。

问题:
1. 社区护士应以哪种社区护理模式为框架开展社区护理?
2. 社区护理评估的内容有哪些?可以用哪些方法来收集资料?
3. 针对该社区提出的多项社区护理诊断,如何确定其优先顺序?

本章学习目标

1. 掌握社区护理评估的内容和资料收集方法。
2. 熟悉"社区护理模式"和"社区护理程序"的概念。
3. 了解社区护理评价的内容。

第一节 社区护理模式

一、"社区护理模式"的概念

护理模式是从护理角度陈述护理内含的基本概念和理论框架。社区护理模式是指导社区护士评估、分析社区健康问题,制定计划并实施,以及评价社区护理实践的概念性框架,它使社区护士的工作更加有效和有针对性。

二、常用社区护理模式

目前,还没有一个公认的最佳社区护理模式,但无论是哪一个模式,都应包括特定的社区护理内容。护理专业的中心内容包括4个基本概念:"人"、"环境"、"健康"和"护理"。常用的社区护理模式包括社区系统模式、与社区为伙伴模式、以社区为焦点的护理程序模式和公共卫生护理概念模式。

(一)纽曼的"社区系统模式"

"社区系统模式"是纽曼(Neuman)于1972年首先提出的。社区具有整体性、开放性、有结构、有边界的特点:整体性是指一个社区的整体功能大于社区内各服务系统和部门功能的综合;开放性是指社区不断与外环境进行着物质、能量和信息的交换;有结构是指任何系统都有其特定的功能结构;社区的界限通常是地理分界,而想象中的分界包括社区风俗、教育、宗教、价值观、服务等。社区系统模式强调社区组织和社区人员,包括健康保健人员和社区人群间的相互作用、相互依赖,以及各子系统和相关因素的整合。

(二)安德逊的"与社区为伙伴模式"

安德逊(Anderson)、麦克法林与赫尔登根据纽曼的系统模式,提出了"与社区为伙伴"的概念架构。该模式有两个核心内容:一是社区居民健康受多方面的影响;二是社区护理活动应用护理程序这一科学方法。此模式将压力、压力源所产生的反应、护理措施和"三级预防"的概念纳入护理程序中,强调了在社区护理中应注意对社区压力源的评估。按照护理程序,第一步是社区评估,包括从社区的人口特征、物理环境、经济、教育、安全与交通、医疗保健与社会系统、娱乐、信息传达等8个方面收集资料;第二步,找出社区压力源和压力反应的程度、确定护理诊断;第三步,遵循三级预防原则制定护理计划,实施护理措施;第四步是实施计划,此时需要被护理者及社区其他居民的主动参与;第五步是对护理效果进行评价。此模式比较适合社区护士对特殊人群,如老年人、妇女、儿童等的护理保健。

(三)斯坦诺普与兰开斯特的"以社区为焦点的护理程序模式"

斯坦诺普与兰开斯特的"以社区为焦点的护理程序模式"是一种社区服务对象模式,该模式的护理目标是维持一个平衡健康的社区,包括维护和促进社区的健康。该模式的主要应用对象是社区人群,包括家庭和个人,护理的重点是调整实际或潜在的社区系统的不平衡,通过三级预防,提高社区对不良因素的防御和抵抗能力,减少对健康的影响。此程序包括6个阶段,其中,第二阶段至第六阶段与护理程序的5个步骤基本相同。第一阶段,即开展护理工作之前,必须与个案建立"契约式的合作关系",使社区居民了解社区护士的角色功能与护理目标。此模式强调社区护理程序的流程与评价的步骤。

(四)怀特的"公共卫生护理概念模式"

怀特(White)提出的"公共卫生护理概念模式"又称"明尼苏达模式"(Minnesota Model),主要针对影响健康的因素,包括生物、心理、环境、社会和医疗科技;工作的次序是预防(社区护理工作中的最高目标)、保护(将暴露在环境中对健康有害的不良因素降至最低)和促进(为去除对个体已造成不良影响的因素而采取的策略和行动);实施社区护理工作的措施是教育(给予个体信息,使之自动在认知、态度或行动上有所改变,朝着有利于健康的方向转化)、工程(应用一种活动以提供科学技术方法)和强制(执行教育、工程的措施仍无法达到社区护理目标时,不得不采取强制的命令,迫使社区居民执行,以达到有益于健康的目的)。

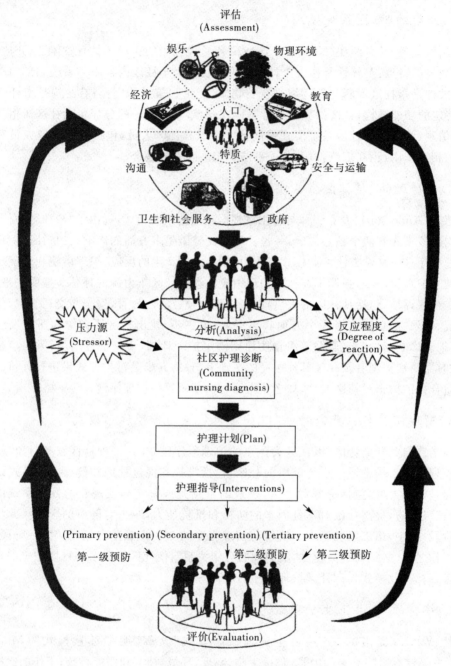

图3-1 与社区为伙伴模式

第二节 社区护理程序

社区护理程序是社区护士在工作中,为增进和恢复社区人群的健康而进行的一系列有目的、有计划的护理活动,包括社区护理评估、社区护理诊断、社区护理计划、社区护理计划实施和社区护理评价等5个步骤。

社区护理程序以社区护理模式为指导思想,而社区护理模式是社区护理实践的概念性框架,本章以安德逊的"与社区为伙伴模式"为理论框架。

一、社区护理评估

(一)社区护理评估的范围及内容

社区护理评估(Community Nursing Assessment)是社区护理程序的第一步,主要内容是收集社区健康相关资料,评估社区所具备的健康管理能力和存在的健康问题,其目的是发现社区健康问题并找出导致这些问题的相关因素,为社区护理诊断和计划提供参考。

1. 社区人群　社区的核心是人,不同的人群有不同的健康需求,通过了解社区不同人群的健康需求,从而为其提供所需的合适服务,是确定社区护理诊断和计划的基础。

(1)人口分布数量和密度:社区卫生服务机构的设置以及服务方式与社区人口的数量和密度有密切关系,人口构成则与社区医疗保健需求有关,因此,社区护士应了解社区人口的性别、年龄、婚姻、职业、文化程度、籍贯、人口分布、分娩及计划生育、教育程度等基本特征的构成情况。不同年龄段有不同的健康需求,根据人群的年龄构成可以确定社区的主要需求;根据婚姻构成可了解社区的主要家庭类型及判断有无潜在的影响家庭健康的因素;根据职业构成可了解社区居民的收入水平及判断职业是否会对健康产生危害;根据文化程度构成可了解社区居民接受健康信息的能力及遵循社区护士的劝导养成良好行为和生活习惯的能力,可在制定健康教育方案时作参考。

(2)人口流动情况:随着"打工潮"的出现,社区人口可在短期内出现大量增长或流失,但实际上,社区卫生服务往往忽略流动人口的健康需求。因此,在对社区进行评估时,不仅要注意评估相对固定的人口的健康问题,还应注意流动人口的健康问题。

(3)人群健康状况:了解社区内居民的主要死亡原因、死亡年龄、各种死亡率(如孕产妇死亡率、新生儿及婴幼儿死亡率等)、主要疾病谱、疾病的地理分布和时间分布、高危人群数(如未婚母亲、乙醇中毒者等情况)、出生率,还要关注居民的职业健康、就业人员患慢性病的情况以及就业人员的安全保障设施、工作环境、工作空间、洗手设备、饮水设备、健康保健项目等。

(4)健康行为:健康行为是指居民在客观上有益于个体与群体健康的一组行为。收集的资料应包括基本健康行为、预警行为、保健行为、避开环境危害和戒除不良嗜好的行为,以及意外事故发生后的自救、定期体检、避免接触有害环境、戒烟、不酗酒等行为。

2. 社区地理环境　社区的地理位置、自然或人为环境及社区资源的多少会影响社区居民的健康,因此,在进行社区护理评估时,不仅要收集与地理环境特征相关的资料,还要了解与之相关的社区活动。社区护士必须了解地理环境特性对居民生活方式及健康状况所造成的影响,同时,还需了解社区居民是否已经认识到环境中的健康危险因素,是否已经采取相应的措施并能充分利用社区的资源。

(1)社区的基本情况:社区所处地理位置、东南西北界线、面积大小、与整个大环境的关系等,是社区护士了解一个社区时需掌握的最基本的资料。

(2)自然环境:社区的自然环境可影响社区居民的健康,评估时需注意有无特殊的自然环境,如是否有河流、山川,这些自然环境是否会引起洪水、泥石流等,对健康或生命有无威胁,社区居民能否很好地利用这些自然资源等。

(3)气候:无常的气候变化会影响居民的生活和工作,进而影响居民的健康,特别是对社区的重点服务人群,因此,应评估社区的常年气候特征,特别是温度、湿度的骤然变化,社区居民有无应对气候骤变的能力,社区护士是否能有预见性地提醒居民注意预防气候变化,气候变化有无影响到居民的健康等。

(4)动植物分布情况:了解社区内有无有毒、有害的动植物,有无外来物种,宠物有无接种疫苗,社区绿化情况等;社区居民对动植物存在的利与弊的理解,是否知道如何防范等。

(5)人为环境:评估社区的人为环境,应了解其对社区自然环境的影响,如工厂排放的废水、废气对空气、水资源的污染,加油站、化工厂存在的安全隐患,生活设施及社区内医疗保健服务设施的分布情况;了解居民的居住条件,如住房的面积、朝向、是否通风、供水和供暖情况、照明设备是否齐全以及周边绿化情况等。

3.社会系统 一个完善的社区就是一个社会系统,应具备卫生保健、经济、交通与安全、通讯、宗教、社会服务与福利、娱乐、教育、政治等9个社会子系统。护士对社区进行护理评估时,要注意对这9个社会子系统逐一进行评估,评估各子系统是否健全、功能是否正常、能否满足居民的需求。

(1)卫生保健系统:在9个社会子系统中,对卫生保健系统的评估是最重要,评估内容包括社区内提供健康服务的机构的种类、功能、地理位置、所能提供的服务范围和时间、卫生经费来源、收费情况、技术水平、就诊人员特征等,以及卫生服务资源的利用率及居民的接受度和满意度。社区护士还要判断这些机构能否为社区中所有居民包括患病者、高危人群、健康者和特殊人群提供全面、连续的健康服务。同时,社区护士还应评估社区的转诊程序和保健机构与其他机构的配合情况。

(2)经济系统:社区政府的经济状况决定了可能投入到社区卫生服务福利事业中的经费和资源的多少,社区居民的经济水平与他们是否会积极寻求健康服务有很大关系。经济越发达,居民越注重健康,社区护士在执行计划时也可能有更多的经费来源。因此,社区护士在评估时需了解居民的经济状况、职业类别及社区中贫困户的分布等。

(3)交通与安全系统:评估居民生活中的交通情况,尤其要评估居民去医疗保健机构是否方便,有无道路标志不清、交通混乱、人车混杂的情况;社区的治安状况、居民的安全感、社区内的消防设备配备情况等;附近有无消防队、警察局、环保所等;社区是否为残障者开设了无障碍通道等。

(4)通讯系统:社区的通讯功能是否完善直接影响到能否顺利向社区大部分居民提供健康相关知识。社区的通讯功能越畅通,提示该社区越成熟,社区的发展和进步越快。评估时,社区护士主要了解社区居民平常获取信息的途径,如电视、报纸、网络、杂志、电话、公告栏、收音机、信件等,为将来制定计划时选择合适的通讯途径提供依据。

(5)宗教系统:宗教信仰可影响到社区居民的生活方式、价值观和健康行为。社区护士要评估社区中有无宗教组织、宗教类型、信徒人数、有无领导人、有无活动场地,以及对居民健康的影响等情况。

(6)社会服务及福利系统:社会服务机构包括商店、饭店、旅馆以及满足特殊需要的机构,如托儿所、家政服务公司等,这些机构的存在可以让居民生活更便利。社区护士要了解这些机构的分布和利用度,还要了解政府所提供的福利政策及申请条件、福利政策的覆盖率及民众的接受度和满意度等。

(7)娱乐系统:成熟的社区应该提供娱乐和休闲场所,以提高居民的生活质量。在对娱乐系统进行评估时要注意娱乐设施的类型、数量、分布、利用度及居民的满意度等情况。在评估有无居民健身场所、公园、儿童活动场所及这些场所对大众的开放程度、费用、上级管理机构时,注意社区中有无对健康有潜在威胁的娱乐场所,如 KTV、棋牌室和网吧等,以及这些场所对社区居民生活的影响。

(8)教育系统:社区护士需要评估社区中居民的教育程度,包括文盲、小学、中学、大学人员占社区人口的比例,社区中的正式与非正式的教育机构以及这些机构的类型、数量、地理分布、师资、教育经费投入、学校健康保健系统及利用情况,居民的接受度和满意度,适龄人口上学率,如社区中的家庭是否都有能力供孩子上学、社区内学龄儿童能否完成义务教育等。

(9)政治系统:政治系统的稳定和支持与否关系到社区的发展和卫生计划的可执行性。社区护士需要评估针对社区人群的健康保健相关政策、政府官员对大众健康的关心程度以及用于卫生服务的经费等,这是因为政府对民众健康的态度和相关政策关系到健康计划能否顺利实施。社区护士还需了解社区的主要管理机构(如居委会、民政局等)的分布情况、工作时间和社区中各领导人的联系方式,以便在计划实施时能够得到帮助和支持。

世界卫生组织(WHO)曾提出初级卫生保健的评价指标,包括居民健康指标、社会经济指标、卫生保健指标和卫生政策4个指标。社区护士进行社区健康评估时可参照上述指标收集资料,具体指标有:人口统计学指标、居民平均收入、就业率与失业率、人均住房面积、健康教育覆盖率、安全饮用水普及率、计划免疫覆盖率、妇女产前检查率、儿童生长发育检测率、儿童健康系统检查率、卫生服务人员与居民人口数比例、婴儿死亡率、孕产妇死亡率以及人口总死亡率和病死率、发病率、伤残率等。

为提高评估的效果和效率,社区护理人员在评估前可根据实际情况和社区的具体需求把以上建议评估的内容加以取舍,制定评估简表(见表3-1),评估时对照简表上列出的内容,以免遗漏重要信息。

表 3-1 社区护理评估简表

评估项目		收集资料内容	实际资料描述
地理环境	社区基本情况	社区的名称、地理位置、界线和面积	
	自然环境	特殊环境,是否会引起洪水、传染病流行等	
	气候	绿化面积、特殊动植物、对居民生活的影响	
	动植物分布	温差、湿度、应对能力	
	人为环境	工厂、对空气和水的影响、居住环境	
社区人群	人口数量和密度	社区人数和人口密度、全市人口密度	
	人口构成	年龄、性别、职业、婚姻、文化程度的构成比	
	变化趋势和流动	社区人口短期内大量增长、大量流失	
	人群健康状况	疾病谱、死亡原因、健康相关行为	
社会系统	卫生保健	数量和分布是否合理、服务质量	
	经济	人均收入、家庭年均收入、就业情况	
	交通安全	社区内消防应急系统、交通便利性	
	通讯	主要的信息获取途径	
	社会服务与福利	服务、福利机构的质量、数量,能否满足居民需要	
	娱乐	娱乐场所的分布、数量、性质,有无不良因素	
	教育	儿童受教育情况、学校的分布	
	政府	卫生经费的投入、相关政策、政府主要领导人	
	宗教	宗教组织、类型、信徒人数、领导人、对居民健康的影响	

(二)社区护理评估方法

一个完整的社区健康评估必须包括主观资料和客观资料,评估者应充分利用个人的感官,采用各种方法收集资料。评估者可以根据不同的目的、不同的对象而选择不同的评估方法。

1. 社区实地考察　社区实地考察又称"挡风玻璃式调查",也称"周游社区调查法",是指护理人员通过自己的观察主动收集社区资料,如人群的一般特性、住宅的一般形态及结构、社区居民聚集场所的情况、各种服务机构的种类及位置、垃圾的处理情况等。具体做法是在社区范围内步行或乘车,观察社区人群的生活形态、互动方式,了解当地地理、人文、社会、环境、经济发展等情况。

2. 重点人物访谈　重点人物访谈是指通过对社区中重点人物进行访谈或问卷调查,了解社区的发展过程、特性、主要健康问题及需求等。社区中的重点人物必须包含各阶层,是非常了解社区的人,可以是社区的居民、社区工作人员或在社区中非常具有影响力的人。

3. 问卷调查　问卷调查包括信访法和访谈法。一般来说,在设计问卷之前,调查者就应该决定是采用信访法让被调查者自己填写问卷还是使用访谈法收集资料。问卷的设计和质量是调查成功和有效的基础。问卷可以是开放式的,也可以是闭合式的。信访法一般是邮寄问卷给被调查者,由他们自己填写后寄回,具有调查范围广泛、高效、经济等优点,但主要缺点是回收率低,并且要求被调查者有一定的文化水平,能自行完成问卷。访谈法是指经过统一培训的调查员,对调查对象进行访谈以收集资料。其优点是回收率高、灵活性强、可以询问比较复杂的问题;其缺点是费时、费钱、需要培训调查员,并且还可能存在调查员偏倚等情况。从调查质量角度看,访谈法的优点多于信访法,在样本较大、调查对象较集中的情况下,一般采用访谈法。

4. 查阅文献　通过全国性或地方性的调查、其他机构的卫生统计报告可判断社区整体状况,还可通过获取社区组织机构种类、数量、居委会数量、负责人、社区人口特征、人员流动信息,了解社区活动安排及居民的参与情况。

5. 参与式观察　社区护士可以社区成员的角色直接参与社区活动,通过观察获取居民目前的健康状况资料。

6. 社区讨论　由社区护士把社区居民召集起来共同讨论,给社区居民提供发表意见和建议的机会,从而了解居民对社区健康问题的看法和态度,共同商讨并确认社区最主要的健康需求,最终以投票方式达成共识。

(三)资料的整理与分析

资料收集后的整理与分析是社区护理评估的重要组成部分。社区护士可根据分析的结果发现社区护理需求,作出护理诊断,并根据社区的人力、物力、时间等找出可行的干预措施。因资料分析的结论是工作的依据,故要求资料完整、全面、有预见性。资料的整理与分析包括以下内容:

1. 资料复核　由社区评估小组或其他人员对资料进行复核,以确定所收集资料的有效性及准确性。

2. 资料的整理　一般可将收集的资料按社区健康水平、地理特性、社会经济特性及有关保健资源或服务等进行分类,主要采用文字描述法、表格法、图形法等形式。资料整理常用的方法见表3-2和表3-3。

表3-2　社区人口年龄、性别构成

年龄组/岁	女性		男性		合计	
	人数	百分比(%)	人数	百分比(%)	人数	百分比(%)
0～5						
6～14						
15～						
……						
合计						

表 3-3　社区居民家庭构成

家庭类型	户数	百分比(%)
核心家庭		
主干家庭		
联合家庭		
单亲家庭		
其他		
合计		

3.资料分析　资料分析是指运用计算机统计软件对所收集的资料进行统计分析。资料分为计量资料和计数资料：对于计量资料，通常按年龄、性别、年代及其他有关死亡的变量分组后进行分析，计算标化率，并与相类似的社区资料、省市资料和全国资料进行比较；对于计数资料，按内容进行分类，通常按问题提出的频率确定问题的严重程度。表 3-4 是某社区婴幼儿死亡率统计表。

表 3-4　某社区婴幼儿死亡率

地区	死亡率(%)
本社区	2.54
本市	1.52
本省	1.05
国家	1.17

4.报告评估结果　社区护士需将资料分析结果向社区评估小组的成员及领导、社区居民汇报，并寻求反馈。

二、社区护理诊断

社区护理诊断(Community Nursing Diagnosis)是对收集的社区资料进行分析，推断社区现存的或潜在的健康问题的过程。

(一)北美护理诊断协会护理诊断系统

北美护理诊断协会(NADNA)所提出的护理诊断同样适用于社区场景，只是在使用的过程中需注意诊断所针对的可能是一个整体，如社区、家庭或特定群体，而不仅是个体。

1.护理诊断的确定　护理诊断的确定需根据以下标准来判断：此诊断反映出社区目前的健康状况；与社区健康需求有关的各种因素均应考虑在内；每个诊断合乎逻辑且确切；诊断必须以现在取得的各项资料为依据。

2.护理诊断的陈述　护理诊断可采用 PSE 公式，即健康问题(P)——对社区的健康状况或问题的简洁而清楚的描述；症状或体征(S)——可以推断问题的主观和客观资料；原因(E)——与社区健康问题有关的相关因素和危险因素。

3.优先顺序的确定　当社区护理诊断在 1 个以上时，护理人员需要判断哪个问题最重要，最需要优先予以处理，遵循的原则通常采用 Muecke(1984)与 Stanhope & Lancaster

(1996)提出的优先顺序和量化8项原则:社区对问题的了解;社区对解决问题的动机;问题的严重性;可利用的资源;预防的效果;社区护士解决问题的能力;健康政策与目标;解决问题的迅速性与持续的效果等。每个社区护理诊断按Muecke法0~2分的标准(0分表示不太重要,不需优先处理;1分表示有些重要,可以处理;2分表示非常重要,必须优先处理)或Stanhope & Lancaster法1~10分的标准,评定各自的比重,得分越高,表示越是急需解决的问题。排定优先顺序的2种常用方法如下:

(1)Muecke法步骤:列出所有社区护理诊断;选择排定优先顺序的准则(8项);决定诊断重要性的比重(比重由社区护理人员调整,比重越高表示越优先);评估者自我评估每个诊断的重要性;求出每个诊断所有评估准则的总得分;分数越高表示越需优先处理。

表3-5 Muecke法

社区诊断 \ 准则	社区对问题的了解	社区动机	问题的严重性	可利用的资源	预防效果	护理人员的能力	政策	快速性及持续性效果	总和
发生火灾的可能性	1	1	2	0	2	1	0	2	9
老人医疗保健的缺乏	2	1	1	1	1	2	0	0	8
预防性行为的不足(子宫颈癌筛检)	0	0	1	2	2	2	2	2	11

(2)Stanhope & Lancaster法步骤:列出所有社区诊断;选择排定优先顺序的准则(7项);决定诊断重要性的比重(1~10分);评估者自我评估每个诊断的重要性;评估者根据每个诊断的每项准则及社区具有资源的多少给1~10分;将每个诊断每项准则的重要性得分与资源得分相乘;合计每个诊断所有评估准则的得分;分数越高表示越需要优先处理。

表3-6 Stanhope & Lancaster法

诊断 \ 准则比重	社区对问题的了解		社区动机		问题的严重性		预防效果		护理人员的能力		政策		快速性及持续性效果		总和
	比重	资源	比重	资源	比重	资源	比重	资源	比重	资源	比重	资源	比重	资源	
发生火灾的可能性	3	6	2	4	10	10	10	10	2	2	2	2	10	5	284

续表

准则 诊断	社区对问题的了解		社区动机		问题的严重性		预防效果		护理人员的能力		政策		快速性及持续性效果		总和
老人医疗保健的缺乏	8	1	1	1	3	6	5	10	10	10	5	1	4	5	202
预防性行为的不足（子宫颈癌筛检）	1	5	1	5	5	8	10	10	10	10	10	10	10	10	450

（二）Omaha 护理诊断系统

Omaha 护理诊断系统是专门用于社区护理实践的分类系统。它由护理诊断（问题）分类系统（见表 3-7）、护理干预分类系统（见表 3-8）和护理结果评量系统（见表 3-9）三部分构成，其优点为：促进社区卫生护理业务的科学化；提供了社区护理服务量化的空间；符合社区卫生应用的实际性，能配合护理程序的运用；减少个案记录的重复和花费的时间。但 Omaha 护理诊断系统在我国的使用尚不多。

表 3-7 Omaha 护理诊断（问题）分类系统

领域	护理诊断（问题）分类
环境	收入，卫生，住宅，邻居/工作场所的安全，其他
心理和社会	社区资源的联系，社会接触，角色改变，人际关系，精神压力，哀伤，情绪稳定性，照顾/忽略儿童/成人，虐待儿童/成人，生长与发育，其他
生理	听觉，视觉，说话与语言，咀嚼，认知，疼痛，意识，皮肤，神经和运动（肌肉、骨骼）系统功能，呼吸，循环，消化，排便功能，生殖泌尿功能，产前和产后，其他
健康相关行为	营养，睡眠与休息形态，身体活动，个人卫生，物质滥用（酒精或药品），家庭计划，健康指导，处方用药，特殊护理技术，其他

表 3-8　Omaha 护理干预分类系统

项目	内容
类别	指导、指引和咨询,处理和程序,个案管理,监督控制
目标	解剖/生理,行为修正,膀胱功能护理,照顾/为人父母,长期卧床护理,沟通,应对技巧,日间护理,管教,伤口护理,医疗设备,教育,职业,环境,运动,家庭计划,喂养方法,财务,食物,行走训练与康复,生长/发育,家务管理/居住环境,人际关系,检验结果,相关法规,医疗照顾,药物作用及副作用,用药管理,协助用药安排,身体活动,辅助性护理活动,营养,营养咨询,造瘘口护理,其他社区资源,个人照护,体位,康复,放松/呼吸技巧,休息/睡眠,安全,筛选,受伤护理,精神及情绪的症状,体征,皮肤护理,社会福利与咨询,化验标本收集,精神护理,促进身心发展的活动,压力管理,物质滥用,医疗器材,支持团体,交通运送,促进健康,其他

表 3-9　Omaha 护理结果评量系统

概念	含义	1分	2分	3分	4分	5分
知识	个案记忆与解释信息的能力	完全没有知识	具有一点知识	具有基本知识	认知程度适当	认知良好
行为	个案表现出的可被观察的反应或行为	完全不适当	有一些适当的行为	不是非常一致的行为	通常是合适的行为	一致且合适的行为
症状、体征	个案表现的主、客观症状、体征	非常严重	严重	普通	很少	没有

三、社区护理计划

社区护理计划(Community Nursing Planning)的制定应鼓励社区居民参与,使整个社区护理计划能够针对社区居民的健康需求,为社区居民提供连续的高质量护理。其目的是明确护理目标、确定护理要点、提供评价标准、设计实施方案。社区护理计划是一种合作性的、有顺序的、循环的程序,以达到预期的目标。

(一)制定目标

预期目标是期望服务对象在接受护理干预后所能达到的结果,包括功能、认知、情感及行为等方面的改变。制定的目标应是特定的、可测量的、可达到的、相关的、有时间期限的,以便于护理计划的落实和护理评价的实施。护理目标可分为长期目标和短期目标。书写目标时应注意:目标的陈述应针对提出的护理诊断(问题),简单明了,使用可测量或可观察得到的词汇,可以使用长期与短期目标相结合的方法,实施起来更有针对性;一个护理诊断可制定多个目标,但是一个目标只针对一个护理诊断;目标的陈述中要包括具体的评价日期和时间。

（二）制定护理计划

社区护理计划是社区护士帮助护理对象达到预定目标所采取的具体方法。预期目标确定后，社区护士应与个人、家庭或群体协商，选择合适、具体的实施措施。制定社区护理计划时应先确定目标人群、社区护理计划实行小组以及达到目标的最佳干预策略和方法、可利用的资源等，然后在反复评价和修改的基础上制定。社区护理计划是一种由多方合作、合理利用资源、体现优先顺序的行动方案。其步骤包括：

1. 选择合适的社区护理措施　目标确定后，社区护理人员要与护理对象进行充分协商，共同选取适当措施，以使护理对象能积极参与并为自己的健康负责。制定的措施可以是第一级预防、第二级预防和第三级预防或综合性的措施，以达到预防与治疗并重，真正确保群体健康水平的提高。

2. 为社区护理措施排序　可以参照社区护理诊断的排序标准或马斯洛的需要层次理论来对社区护理措施进行排序，通过排序可以使有效和重要的措施能及早执行，社区健康问题能尽早得到控制。

3. 确定所需的资源及其来源　针对每项社区护理措施确定实施者及合作者（如疾病控制中心、红十字会、肿瘤协会等）、需要的器械、场所、经费，以及分析相关资源的可能来源与获取途径。

4. 记录社区护理计划　当社区护理措施确定后，将确定的社区护理诊断、目标、具体措施等完整记录下来。

5. 评价和修改社区护理计划　社区护理计划记录成书面形式后，要和护理对象共同探讨计划，及时发现问题并修改，使实施更顺利，评价时可参照4W1H原则和RUMBA原则。

(1) 4W1H 原则：4W1H 是指社区护理计划应明确参与者（Who）、参与者的任务（What）、执行时间（When）、地点（Where）及方法（How）。

(2) RUMBA 原则：RUMBA 是指真实的（Realistic）、可理解的（Understandable）、可测量的（Measurable）、行为目标（Behavioral）及可实现的（Achievable）。

表 3-10　社区护理计划表

护理问题					
相关因素	具体目标	实施计划			
		实施内容	执行者	时间	场所

四、社区护理计划的实施

社区护理计划的实施（Community Nursing Implement）是指为达到护理目标而将计划中各项措施付诸行动的过程。社区护士在实施阶段应将护理对象当成一个伙伴，培养和协助护理对象自行解决问题的能力，让护理对象主动地接受护理措施。

(一)实施前的准备

实施前的准备包括进一步熟悉和理解计划,分析实施计划所需要的护理知识和技术,预测可能发生的问题,明确双方各自的责任、服务实施的时间、地点、方法及与预期结果,合理安排,科学运用人力和物力。

(二)实施中的计划执行

在执行计划时,社区护士与其他卫生工作人员密切配合,保持协调一致;要取得服务对象的合作与支持,并在实施中进行健康教育,以满足其学习需要。熟练运用各项护理技术,密切观察计划实施后服务对象的生理和心理状态,了解服务对象的反应及效果、有无新的问题出现,并及时收集资料,以便迅速、正确地处理新的健康问题。

(三)实施后的记录

在计划实施过程中,社区护士要把各项护理措施的内容、时间、结果及服务对象的反应及时进行完整、准确的文字记录,比较常用的记录方式为 PIO(Problem,Intervention,Outcome)格式,即对问题、措施和结果的记录。记录要求及时、准确、真实、重点突出,为下一步的评价工作奠定基础。

五、社区护理评价

社区护理评价(Community Nursing Evaluation)是护理程序中最后一个步骤,是对实施护理措施后的情况以及是否达到护理目标予以评价的过程,是总结经验、吸取教训、改进工作的系统化过程。其评价结果决定是否终止或修改护理计划,是一个系统的分析过程;同时,又经过输入、转化、输出与反馈而不停地进行,是一个动态的过程。

(一)评价步骤

1. 收集资料,得出结果 收集各方面资料并对其加以分析,与护理目标进行比较,了解两者符合的程度及存在的差距。

2. 修订计划 通过评价护理目标是否实现,可以反映计划是否解决、减轻或预防了服务对象的健康问题。当目标完全实现时,说明措施有效,可以继续执行或终止计划;当目标部分实现或未实现,应分析原因,重新修订计划。

(二)评价形式

1. 过程评价 过程评价也称"形成性评价",是在护理程序各个阶段进行评价,使护理活动不断完善。它着重评价护士是否依照护理目标执行护理计划。

(1)调查阶段的评价:这一阶段主要评价资料是否客观、准确、可靠、全面,收集的方法是否正确、适用。

(2)诊断阶段的评价:这一阶段主要评价是否找对社区健康问题,原因和相关因素是否准确。

(3)计划阶段的评价:这一阶段主要评价措施是否具体、可行,是否以社区居民为中心,社区资源是否得到充分利用。

(4)实施阶段的评价:这一阶段主要评价社区护理人员是否完全按计划执行,组织协调和相互配合有无问题,记录是否如实、完整和及时,消耗的资源有无浪费。

(5)评价阶段的评价:这一阶段主要评价有无合理的评价标准,是否符合事实,是否有各方人员共同参与。

2. 结果评价 结果评价也称"终结性评价",是在服务对象经过各项护理后,针对护理活动的近期和远期效果进行评价。评价的结果决定护理计划是该继续还是修改或终止。

(三)评价指标

1. 个人健康护理常用的评价指标 该评价指标包括生理、心理、社会、文化的相应评价标准。

2. 家庭健康护理常用的评价指标 该评价指标包括家庭功能、家庭发展任务情况、资源运用情况等。

3. 社区健康护理常用的评价指标 该评价指标包括人员投入、设备和物品消耗;与社区健康相关的各种指标,如平均寿命、死亡率、患病率、死因顺位、健康普及率、不良生活行为改善率、健康教育覆盖率、体检率、疾病检出率、离婚率、自杀发生率、就诊率及水质达标率等。

(四)评价方法

1. 观察法 观察法可用来测评服务对象健康行为的改变。社区护理人员通过对服务对象的直接观察,可获得较为真实可靠的评估资料,但这种方法比较费时,需投入较多的人力。

2. 调查法 调查的对象有服务对象、护理参与者及其他社区保健人员等。

(1)座谈法:座谈法是指评估者召集一部分服务对象,通过与服务对象进行面对面的交谈,收集大家的意见和看法,以对护理效果进行评价。

(2)访谈法:访谈法是征求个别意见的一种方法,是通过个别访问交谈,收集服务对象对护理效果的意见、看法和要求。

(3)问卷法:问卷法是指根据评价目的和内容,制定出有关项目的调查表,由服务对象按要求逐项填写,最后获得评价资料。

3. 对比法 对比法是将护理活动的实际结果与国家制定的社区护理实践标准相比较,从而得出一定的结论,以此来评价护理效果的优劣。

运用护理程序对社区居民进行护理,不仅能使社区护理质量得到提高,满足社区健康需求,还可以为人们提供科学的、整体的、有创造性的照顾与服务。

本章小结

护理程序是以健康评估和健康需求分析为基础,发现健康问题,提出护理诊断,制定护理计划,采取护理措施,以及评估护理效果,是一种科学的工作方法。社区护理程序是社区护士应用护理程序的5个步骤对社区内的个人、家庭和社区整体的健康进行护理的过程,是社区护理工作的重要方法。

> **课后思考**

1. 什么是社区护理程序？
2. 社区资料的收集方法有哪些？
3. 什么是社区护理模式？
4. 阐述社区护理评估的内容。
5. 社区护理诊断与家庭、个人健康护理诊断有哪些区别？
6. 如何评价对社区人群进行护理干预的效果？

（张利）

第四章 社区健康管理

案例

刘先生今年50岁,平时喜欢锻炼身体,也很关注健康相关信息。他听说美国社区卫生服务开展健康管理,帮助个人控制疾病危险因素、改善健康状况,有助于减少疾病的发生,很感兴趣,特地到社区卫生服务中心来咨询。

问题:
1. 作为一名社区护士,你知道什么是健康管理吗?如何帮助社区居民做好健康管理?
2. 社区开展健康管理有哪些措施?

本章学习目标

1. 掌握"健康管理"的概念和基本步骤、健康档案的种类与建立。
2. 熟悉健康管理措施、健康档案的内容、健康档案的使用。
3. 了解健康管理的意义与健康档案的保管。

第一节 健康管理

随着我国城市居民生活水平的提高,人们的健康意识也不断增强,已不再满足于有病才求医的传统医疗服务模式。同时,随着社会经济的高速发展和城市人口老龄化的进程加快,各类疾病尤其是老年性疾病的患病率不断上升,人们对健康维护及医疗条件提升的需求日益增长。而在我国城市社区医疗卫生资源结构配置不合理的情况下,社区卫生服务机构所提供的医疗服务远低于社区居民的要求,城市居民"看病难、看病贵"的问题没有得到有效解决。因此,我国城市社区卫生服务必须改革社区医疗服务的运行机制,改变传统的医疗服务模式,建立以健康管理为中心的社区医疗服务体系。

一、"健康管理"的概念

健康管理是指对个人或人群的健康危险因素进行全面监测、分析、评估、预测和预防的全面管理过程。它从遗传、生活习惯、饮食、生活环境、职业行为等角度出发,对影响身体健康的各种因素进行跟踪预测,对疾病早期预警,运用全方位地进行健康干预的前瞻性理念,结合先进、完善的医疗保健服务与信息技术手段,以各层次医疗机构为依托,为居民提供科学、系统及人性化的全方位的健康服务,以此调动个人与家庭自我保健的积极性,充分、有效地利用有限的医疗资源来达到最大的健康改善效果,达到防止疾病发生、控制疾病发展、降低医疗费用、提高生命质量的目的。

二、健康管理的基本步骤

（一）了解健康状况

收集服务对象的个人健康信息可以了解其健康状况。个人健康信息包括：一般情况（性别、年龄等）；目前健康状况和疾病家族史；生活方式（膳食、体力活动、吸烟、饮酒等）；体格检查（身高、体重、血压等）；血、尿实验室检查（血脂、血糖等）。

（二）评估健康及疾病风险

根据所收集的个人健康信息,对个人的健康状况及未来患病或死亡的危险性用数学模型进行量化评估。其主要目的是帮助个体综合认识健康风险,鼓励和帮助人们纠正不健康的行为和习惯,制定个性化的健康干预措施并对其效果进行评估。"健康风险评估"是一个广义的概念,它包括了简单的个体健康风险分级方法和复杂的群体健康风险评估模型。

（三）进行健康干预

在上述基础上,以多种形式来帮助个人采取行动、纠正不良的生活方式和习惯,控制健康危险因素,实现个人健康管理计划的目标。与一般健康教育和健康促进不同的是,健康管理过程中的健康干预是个性化的,即根据个体的健康危险因素,由健康管理师进行个体指导,设定个体目标,并动态追踪效果,如健康体重管理、糖尿病管理等,通过个人健康管理日记、参加专项健康维护课程及跟踪随访措施来达到预期效果。例如,一名糖尿病高危个体,除血糖偏高外,还有超重和吸烟等危险因素。因此,除控制血糖外,健康管理师对该个体的指导还应包括帮助减轻体重和戒烟等。

健康管理的3个步骤可以通过互联网服务平台及相应的用户端计算机系统来帮助实施。应该强调的是,健康管理是一个长期、连续不断、周而复始的过程,即在实施健康干预措施一定时间后,需要评价效果、调整计划和干预措施。只有周而复始、长期坚持,才能达到健康管理的预期效果。

三、发展社区健康管理的意义

随着经济的发展、健康意识的提高以及在医改进程中各种矛盾的凸显,发展社区健康管理越来越具有重要的意义。社区健康管理是对疾病发生的危险因素实行有效的控制与管理,从以病人为中心转向以健康为中心,并将防病保健工作的重点放在社区、农村和家庭,是解决民众看病贵、看病难问题最有效的办法和举措。通过发展社区健康管理,能够引导社区居民的一般诊疗下移到基层,解决看病贵、看病难的问题,逐步实现社区首诊、分级医疗和双向转诊。发展社区健康管理是社区居民越来越迫切的需要,世界卫生组织认为,所有就诊病人中只有10%左右的病人需要专科医生诊治,而人群中90%左右的基本健康问题可以由以训练有素的全科医师和社区健康管理师为骨干的社区卫生服务工作人员来解决。社区卫生服务以维护社区居民健康为中心,提供疾病预防控制等公共卫生服务、一般常见病及多发病的初级诊疗服务、慢性病的管理和康复治疗服务。社区健康管理的发展能够使社区卫生服务机构逐步承担起居民健康"守门人"的职责。发展社区健康管理有利于适应疾病谱改变的需要。2006年,卫生部公布的全国城乡调查数据显示,恶性肿瘤、脑血管病、心脏病、呼吸系统疾病、损伤及中毒、内分泌营养和代谢疾病、消化系统疾病、泌尿生殖系统疾病、神经系统疾病、精神障碍等疾病的发病率均比上一年度大幅度上升。世界卫生组织认为:影响健康的因素中,遗传因素占15%,社会因素占10%,医疗因素占8%,气候因素占7%,行为和生活方式因素占60%。可见,引发疾病的主要因素是行为和生活方式,而不良行为和生活方式引起的疾病可以通过健康管理有效地预防。

四、健康管理的措施

(一)建立健康管理制度

以计划管理为主,政府主导的社区健康管理在未来的社区自治框架中,可以尝试引入市场机制,并整合不同类型和层次的健康管理制度。目前,英国健康保健服务体系就是一个国家性、计划性很强的系统。十几年来,其卫生机构都是用招投标来开展项目管理,目的是引入竞争机制,提高效率。美国的社区健康管理一向以市场化经营为主,近20年来,社区健康服务系统性、组织性不强的状况也在得到逐步改善。各国的经验值得我国借鉴,同时,也可以在实际操作中形成包括双方协商、沟通、监督在内的机制,将其应用于社区自治下的健康管理。这些机制不但是其具体运作的内在要求,而且也是保障其健康成长的现实需要。

(二)建立社区健康档案

为社区居民建立有效的健康档案,并与各级医疗机构、社区健康管理系统、医疗保险机构连成网络,可以促进社区健康管理的规范化,合理支配社区卫生资源,提高社区健康管理的效率及质量,方便、快捷地为社区居民做好预防保健和防病治病工作。

例如,北京东城区利用计算机信息技术,建立了居民健康档案和社区公共卫生预警、社区卫生工作评价等管理系统,为高血压、糖尿病、脑卒中、冠心病、肿瘤等慢性病病人和老年人、残疾人、儿童、低保人员发放了居民健康卡。该卡具备电子凭证、信息存储、查询、交易支付等功能,居民持卡在社区内享受药费折扣、诊疗费折扣等优惠,并能通过读卡器知晓自己的病情及有关情况。

(三)加强医院与社区的联系

一方面,医院服务向社区延伸,医院开展健康管理服务或者参与社区保健和康复工作;另一方面,社区健康管理机构的人员充分利用医院资源,及时向医院转诊病人,充分利用医院诊疗设备与病床等。加强医院与社区之间的联系,既有利于保证社区健康管理的质量,又有利于提高社区配备人员的专业素养。

建立社区与医院的密切联系,可以整合社区健康管理力量,与以治疗为主导的医院服务形成共管共治平台;在双向转诊制度和守门人制度的建设中,逐步把医院的发现、协调、执行与监督等管理能力,有效链接到社区健康管理的建设中,同时,把社区健康管理中的沟通、反馈、评估能力回馈到医院服务中,从而改善医院服务的绩效管理,最终达到社区与医院相互协作、共同发展的目的。

第二节　社区居民健康档案的种类和内容

健康档案是记录与社区居民健康有关的文件资料,可分为个人健康档案、家庭健康档案和社区健康档案,主要内容采用以问题为导向的病史记录和健康检查记录、以预防为主的保健记录。根据国家基本公共卫生服务规范的要求,基层卫生服务机构要以家庭为单位统一建立居民的个人健康档案,并获得家庭相关信息以建立家庭档案。社区健康档案是通过社区健康调查将社区卫生服务状况、卫生资源以及居民健康状况进行统计分析后建立的。

一、个人健康档案

个人健康档案是一个人从出生到死亡的整个过程中,其健康状况的发展变化情况以及所接受的各项卫生服务记录的总和。目前,我国居民个人健康档案采用国家统一制定的2011年版本,包括居民健康档案封面、个人基本信息表、健康体检表、重点人群健康管理记录表(卡)、接诊记录表、会诊记录表及居民健康档案信息卡。

1. 居民健康档案封面　居民健康档案封面见表 4-1。

表 4-1　居民健康档案封面

编号 □□□□□□－□□□－□□□－□□□□□

居民健康档案

姓　　名：_____

现住地址：_____

户籍地址：_____

联系电话：_____

乡镇(街道)名称：_____

村(居)委会名称：_____

建档单位：_____

建　档　人：_____

责任医生：_____

建档日期：_____ 年 _____ 月 _____ 日

2. 个人基本信息表　个人基本信息表的内容包括：个人资料，如姓名、性别、年龄、文化程度、职业、婚姻等；健康信息，如既往史、家族史、药物过敏史、遗传病史、残疾情况和生活环境等。个人基本信息表见表 4-2。

表 4-2 个人基本信息表

姓名：　　　　　　　　　　　　　　　　　　　　　　　　　　　编号 □□□-□□□□□

性　别	0 未知的性别　1 男　2 女　9 未说明的性别　□		出生日期	□□□□ 年 □□ 月 □□
身份证号			工作单位	
本人电话		联系人姓名	联系人电话	
常住类型	1 户籍　2 非户籍　　　　□		民　族	1 汉族 2 少数民族　　　　□
血　型	1 A 型　2 B 型　3 O 型　4 AB 型　5 不详 / RH 阴性:1 否　2 是　3 不详　□/□			
文化程度	1 文盲及半文盲　2 小学　3 初中　4 高中/技校/中专　5 大学专科及以上　6 不详 □			
职　业	1 国家机关、党群组织、企业、事业单位负责人 2 专业技术人员 3 办事人员和有关人员 4 商业、服务业人员　5 农、林、牧、渔、水利业生产人员　6 生产、运输设备操作人员及有关人员　7 军人　8 不便分类的其他从业人员　□			
婚姻状况	1 未婚　2 已婚　3 丧偶　4 离婚　5 未说明的婚姻状况			
医疗费用支付方式	1 城镇职工基本医疗保险　2 城镇居民基本医疗保险　3 新型农村合作医疗 4 贫困救助　5 商业医疗保险　6 全公费　7 全自费　8 其他　　　　　□/□/□			
药物过敏史	1 无　有:2 青霉素　3 磺胺　4 链霉素　5 其他　　　　　□/□/□			
暴露史	1 无　有:2 化学品　3 毒物　4 射线　□/□/□			
既往史	疾病	1 无　2 高血压　3 糖尿病　4 冠心病　5 慢性阻塞性肺疾病　6 恶性肿瘤　7 脑卒中 8 重性精神疾病　9 结核病　10 肝炎　11 其他法定传染病　12 职业病　　 13 其他		
		□ 确诊时间　　年 月/□ 确诊时间　　年　月/□ 确诊时间　　年　月 □ 确诊时间　　年 月/□ 确诊时间　　年　月/□ 确诊时间　　年　月		
	手术	1 无　2 有:名称 1　　　　时间　　　/名称 2　　　　时间　　　□		
	外伤	1 无　2 有:名称 1　　　　时间　　　/名称 2　　　　时间　　　□		
	输血	1 无　2 有:原因 1　　　　时间　　　/原因 2　　　　时间　　　□		
家族史	父　亲	□/□/□/□/□____	母　亲	□/□/□/□/□____
	兄弟姐妹	□/□/□/□/□____	子　女	□/□/□/□/□____
	1 无　2 高血压　3 糖尿病　4 冠心病　5 慢性阻塞性肺疾病　6 恶性肿瘤　7 脑卒中 8 重性精神疾病　9 结核病　10 肝炎　11 先天畸形　12 其他			
遗传病史	1 无 2 有:疾病名称　　　　　□			
残疾情况	1 无残疾 2 视力残疾 3 听力残疾 4 言语残疾 5 肢体残疾 6 智力残疾 7 精神残疾　8 其他残疾　　　　　　□/□/□/□/□			

续表

生活环境*	厨房排风设施	1 无　　2 油烟机　　3 换气扇　　4 烟囱	□
	燃料类型	1 液化气　2 煤　　3 天然气　4 沼气　5 柴火　6 其他	□
	饮水	1 自来水　2 经净化过滤的水　3 井水　4 河湖水　5 塘水 6 其他	□
	厕所	1 卫生厕所 2 一格或二格粪池式 3 马桶　4 露天粪坑　5 简易棚厕	□
	禽畜栏	1 单设　　2 室内　　3 室外	□

3. 健康体检表　健康体检表的内容包括一般健康检查、生活方式、健康状况及其患病用药情况、非免疫规划预防接种史、中医体质辨识、现存的主要健康问题、健康评价、健康指导、危险因素控制等,具体见表 4-3。

表 4-3　健康体检表

姓名：　　　　　　　　　　　　　　　　　　　　　　　编号 □□□-□□□□

体检日期	年　　月　　日		责任医生		
内容	检　查　项　目				
症状	1 无症状 2 头痛 3 头晕 4 心悸 5 胸闷 6 胸痛 7 慢性咳嗽 8 咳痰 9 呼吸困难 10 多饮 11 多尿 12 体重下降 13 乏力 14 关节肿痛 15 视力模糊 16 手脚麻木 17 尿急 18 尿痛 19 便秘 20 腹泻 21 恶心呕吐 22 眼花 23 耳鸣 24 乳房胀痛 25 其他_____ □/□/□/□/□/□/□/□/□				
一般状况	体温	℃	脉率		次/分钟
	呼吸频率	次/分钟	血压	左侧	/ mmHg
				右侧	/ mmHg
	身高	cm	体重		kg
	腰围	cm	体质指数（BMI）		kg/m²
	老年人健康状态自我评估*	1 满意　2 基本满意　3 说不清楚　4 不太满意　5 不满意			□
	老年人生活自理能力自我评估*	1 可自理(0~3分)　2 轻度依赖(4~8分) 3 中度依赖(9~18分)　4 不能自理(≥19分)			□
	老年人认知功能*	1 粗筛阴性 2 粗筛阳性,简易智力状态检查,总分_____			□
	老年人情感状态*	1 粗筛阴性 2 粗筛阳性,老年人抑郁评分检查,总分_____			□

续表

生活方式	体育锻炼	锻炼频率	1 每天　2 每周一次以上　3 偶尔　4 不锻炼　□
		每次锻炼时间	分钟　坚持锻炼时间　　　　　　年
		锻炼方式	
	饮食习惯		1 荤素均衡 2 荤食为主 3 素食为主 4 嗜盐 5 嗜油 6 嗜糖　□/□/□
	吸烟情况	吸烟状况	1 从不吸烟　　　2 已戒烟　　　3 吸烟　　　□
		日吸烟量	平均　　　　　支
		开始吸烟年龄	岁　戒烟年龄　　　　　　岁
	饮酒情况	饮酒频率	1 从不　2 偶尔　3 经常　4 每天　□
		日饮酒量	平均　　　两
		是否戒酒	1 未戒酒　2 已戒酒,戒酒年龄：___岁　□
		开始饮酒年龄	岁　近一年内是否曾醉酒　1 是　2 否　□
		饮酒种类	1 白酒 2 啤酒 3 红酒 4 黄酒 5 其他_____ □/□/□
	职业病危害因素接触史		1 无 2 有（工种____从业时间____年）　□
		毒物种类	粉尘_____防护措施 1 无 2 有____年
			放射物质_____防护措施 1 无 2 有____年
			物理因素_____防护措施 1 无 2 有____年
			化学物质_____防护措施 1 无 2 有____年
			其他_____防护措施 1 无 2 有____年
脏器功能	口腔		口唇 1 红润 2 苍白 3 发绀 4 皲裂 5 疱疹　□
			齿列 1 正常 2 缺齿—— 3 龋齿 —— 4 义齿(假牙)——
			咽部 1 无充血 2 充血 3 淋巴滤泡增生
	视　力		左眼_____右眼_____（矫正视力:左眼_____右眼_____）
	听　力		1 听见　2 听不清或无法听见　□
	运动功能		1 可顺利完成　2 无法独立完成其中任何一个动作　□
查体	眼　底*		1 正常　2 异常　□
	皮　肤		1 正常　2 潮红　3 苍白　4 发绀　5 黄染　6 色素沉着　7 其他　□
	巩　膜		1 正常　2 黄染　3 充血　4 其他　□
			1 未触及　2 锁骨上　3 腋窝　4 其他
	淋巴结		桶状胸:1 否　　　2 是　　　□
	肺		呼吸音:1 正常　2 异常　□
			罗音:1 无　2 干罗音　3 湿罗音　4 其他　□
	心　脏		心率_____次/分钟　心律:1 齐　2 不齐　3 绝对不齐
			杂音:1 无　2 有_____　□

续表

查体	腹部	压痛：1无 2有_____	□
		包块：1无 2有_____	□
		肝大：1无 2有_____	□
		脾大：1无 2有_____	□
		移动性浊音：1无 2有_____	□
	下肢水肿	1无 2单侧 3双侧不对称 4双侧对称	□
	足背动脉搏动	1未触及 2触及双侧对称 3触及左侧弱或消失 4触及右侧弱或消失	□
	肛门指诊*	1未及异常 2触痛 3包块 4前列腺异常 5其他_____	□
	乳腺*	1未见异常 2乳房切除 3异常泌乳 4乳腺包块 5其他	□/□/□
	妇科*	外阴 1未见异常 2异常_____	□
		阴道 1未见异常 2异常_____	□
		宫颈 1未见异常 2异常_____	□
		宫体 1未见异常 2异常_____	□
		附件 1未见异常 2异常_____	□
	其他*		
辅助检查	血常规*	血红蛋白_____g/L 白细胞_____×10⁹/L 血小板_____×10⁹/L 其他_____	
	尿常规*	尿蛋白_____ 尿糖_____ 尿酮体_____ 尿潜血_____ 其他_____	
	空腹血糖*	_____mmol/L 或 _____mg/dL	
	心电图*	1正常 2异常_____	□
	尿微量白蛋白*	_____mg/dL	□
	大便潜血*	1阴性 2阳性	□
	糖化血红蛋白*	_____%	□
	乙型肝炎表面抗原*	1阴性 2阳性	□
	肝功能*	血清谷丙转氨酶_____U/L 血清谷草转氨酶_____U/L 白蛋白_____g/L 总胆红素_____μmol/L 结合胆红素_____μmol/L	
	肾功能*	血清肌酐_____μmol/L 血尿素氮_____mmol/L 血钾浓度_____mmol/L 血钠浓度_____mmol/L	

续表

辅助检查	血　脂*	总胆固醇＿＿＿mmol/L　甘油三酯＿＿＿mmol/L 血清低密度脂蛋白胆固醇＿＿＿mmol/L 血清高密度脂蛋白胆固醇＿＿＿mmol/L	
	胸部X线片*	1 正常　2 异常＿＿＿＿＿	□
	B　超*	1 正常　2 异常＿＿＿＿＿	□
	宫颈涂片*	1 正常　2 异常＿＿＿＿＿	□
	其　他*		
中医体质辨识*	平和质	1 是　2 基本是	□
	气虚质	1 是　2 倾向是	□
	阳虚质	1 是　2 倾向是	□
	阴虚质	1 是　2 倾向是	□
	痰湿质	1 是　2 倾向是	□
	湿热质	1 是　2 倾向是	□
	血瘀质	1 是　2 倾向是	□
	气郁质	1 是　2 倾向是	□
	特秉质	1 是　2 倾向是	□
现存主要健康问题	脑血管疾病	1 未发现　2 缺血性卒中 3 脑出血 4 蛛网膜下腔出血 5 短暂性脑缺血发作　6 其他＿＿＿＿＿	□/□/□/□/□
	肾脏疾病	1 未发现　2 糖尿病肾病　3 肾功能衰竭　4 急性肾炎　5 慢性肾炎　6 其他＿＿＿＿＿	□/□/□/□/□
	心脏疾病	1 未发现　2 心肌梗死　3 心绞痛　4 冠状动脉血运重建 5 充血性心力衰竭　6 心前区疼痛　7 其他＿＿＿＿＿	□/□/□/□/□
	血管疾病	1 未发现　2 夹层动脉瘤　3 动脉闭塞性疾病　4 其他＿＿＿	□/□/□
	眼部疾病	1 未发现　2 视网膜出血或渗出 3 视乳头水肿　4 白内障　5 其他＿＿＿＿＿	□/□/□
	神经系统疾病	1 未发现　2 有＿＿＿＿＿	□
	其他系统疾病	1 未发现　2 有＿＿＿＿＿	□
住院治疗情况	住院史	入/出院日期　　原　因　　医疗机构名称　　病案号 　　　／ 　　　／	

续表

住院治疗情况	住院史	建/撤床日期		原因	医疗机构名称	病案号
		/				
		/				

主要用药情况	药物名称	用法	用量	用药时间	服药依从性 1 规律 2 间断 3 不服药
	1				
	2				
	3				
	4				
	5				
	6				

非免疫规划预防接种史	名称	接种日期	接种机构
	1		
	2		
	3		

健康评价	1 体检无异常 2 有异常 异常1 _____ 异常2 _____ 异常3 _____ 异常4 _____	□

健康指导	1 纳入慢性病病人健康管理 2 建议复查 3 建议转诊 □/□/□/□	危险因素控制：　　□/□/□/□/□/□ 1 戒烟　　2 健康饮酒　　3 饮食　　4 锻炼 5 减体重(目标 _____) 6 建议接种疫苗 _____ 7 其他 _____

4. **重点人群健康管理记录表(卡)** 重点人群健康管理记录有 0～6 岁儿童健康管理记录表、孕产妇健康管理记录表、预防接种卡、高血压病人随访服务记录表、2 型糖尿病病人随访服务记录表及重性精神疾病病人管理记录表等，具体见表 4-4 和表 4-5。

表 4-4　高血压病人随访服务记录表

姓名：　　　　　　　　　　　　　　　　　　　　　　　编号□□□－□□□□□

	随访日期	年　月　日	年　月　日	年　月　日	年　月　日
	随访方式	1门诊 2家庭 3电话 □	1门诊 2家庭 3电话 □	1门诊 2家庭 3电话 □	1门诊 2家庭 3电话 □
症状	1 无症状 2 头痛头晕 3 恶心呕吐 4 眼花耳鸣 5 呼吸困难 6 心悸胸闷 7 鼻衄出血不止 8 四肢发麻 9 下肢水肿	□/□/□/□/□/ □/□/□ 其他：	□/□/□/□/□/ □/□/□ 其他：	□/□/□/□/□/ □/□/□ 其他：	□/□/□/□/□/ □/□/□ 其他：
体征	血压(mmHg)				
	体重(kg)	/	/	/	/
	体质指数	/	/	/	/
	心　率				
	其　他				
生活方式指导	日吸烟量(支)	/	/	/	/
	日饮酒量(两)	/	/	/	/
	运　动	次/周　分钟/次 次/周　分钟/次	次/周　分钟/次 次/周　分钟/次	次/周　分钟/次 次/周　分钟/次	次/周　分钟/次 次/周　分钟/次
	摄盐情况(咸淡)	轻/中/重 /轻/中/重	轻/中/重 /轻/中/重	轻/中/重 /轻/中/重	轻/中/重 /轻/中/重
	心理调整	1良好 2一般 3差 □	1良好 2一般 3差 □	1良好 2一般 3差 □	1良好 2一般 3差 □
	遵医行为	1良好 2一般 3差 □	1良好 2一般 3差 □	1良好 2一般 3差 □	1良好 2一般 3差 □
	辅助检查*				
	服药依从性	1规律 2间断 3不服药 □	1规律 2间断 3不服药 □	1规律 2间断 3不服药 □	1规律 2间断 3不服药 □
	药物不良反应	1无　2有　□	1无　2有　□	1无　2有　□	1无　2有　□

续表

此次随访分类		1控制满意2控制不满意3不良反应4并发症 □	1控制满意2控制不满意3不良反应4并发症 □	1控制满意2控制不满意3不良反应4并发症 □	1控制满意2控制不满意3不良反应4并发症 □
用药情况	药物名称1				
	用法用量	每日 次 每次 mg	每日 次 每次 mg	每日 次 每次 mg	每日 次 每次 mg
	药物名称2				
	用法用量	每日 次 每次 mg	每日 次 每次 mg	每日 次 每次 mg	每日 次 每次 mg
	药物名称3				
	用法用量	每日 次 每次 mg	每日 次 每次 mg	每日 次 每次 mg	每日 次 每次 mg
	其他药物				
	用法用量	每日 次 每次 mg	每日 次 每次 mg	每日 次 每次 mg	每日 次 每次 mg
转诊	原因				
	机构及科别				
下次随访日期					
随访医生签名					

表4-5　2型糖尿病病人随访服务记录表

姓名：　　　　　　　　　　　　　　　　　编号□□□-□□□□□

随访日期					
随访方式		1门诊2家庭3电话 □	1门诊2家庭3电话 □	1门诊2家庭3电话 □	1门诊2家庭3电话 □
症状	1无症状 2多饮 3多食 4多尿 5视力模糊 6感染 7手脚麻木 8下肢浮肿 9体重明显下降	□/□/□/□/□/□ 其他：	□/□/□/□/□/□ 其他：	□/□/□/□/□/□ 其他：	□/□/□/□/□/□ 其他：

续表

体征	血压(mmHg)				
	体重(kg)	/	/	/	/
	体质指数	/	/	/	/
	足背动脉搏动	1 未触及 2 触及 □	1 未触及 2 触及 □	1 未触及 2 触及 □	1 未触及 2 触及 □
	其他				
生活方式指导	日吸烟量	/ 支	/ 支	/ 支	/ 支
	日饮酒量	/ 两	/ 两	/ 两	/ 两
	运动	次/周 分钟/次 次/周 分钟/次	次/周 分钟/次 次/周 分钟/次	次/周 分钟/次 次/周 分钟/次	次/周 分钟/次 次/周 分钟/次
	主食(克/天)	/	/	/	/
	心理调整	1 良好 2 一般 3 差 □	1 良好 2 一般 3 差 □	1 良好 2 一般 3 差 □	1 良好 2 一般 3 差 □
	遵医行为	1 良好 2 一般 3 差 □	1 良好 2 一般 3 差 □	1 良好 2 一般 3 差 □	1 良好 2 一般 3 差 □
辅助检查	空腹血糖值	_____ mmol/L	_____ mmol/L	_____ mmol/L	_____ mmol/L
	其他检查*	糖化血红蛋白 _____% 检查日期： ___月___日	糖化血红蛋白 _____% 检查日期： ___月___日	糖化血红蛋白 _____% 检查日期： ___月___日	糖化血红蛋白 _____% 检查日期： ___月___日
	服药依从性	1 规律 2 间断 3 不服药 □	1 规律 2 间断 3 不服药 □	1 规律 2 间断 3 不服药 □	1 规律 2 间断 3 不服药 □
	药物不良反应	1 无 2 有 □	1 无 2 有 □	1 无 2 有 □	1 无 2 有 □
	低血糖反应	1 无 2 偶尔 3 频繁 □	1 无 2 偶尔 3 频繁 □	1 无 2 偶尔 3 频繁 □	1 无 2 偶尔 3 频繁 □
	此次随访分类	1 控制满意 2 控制不满意 3 不良反应 4 并发症 □	1 控制满意 2 控制不满意 3 不良反应 4 并发症 □	1 控制满意 2 控制不满意 3 不良反应 4 并发症 □	1 控制满意 2 控制不满意 3 不良反应 4 并发症 □

续表

用药情况	药物名称1								
	用法用量	每日 次	每次 mg	每日 次	每次 mg	每日 次	每次 mg	每日 次	每次 mg
	药物名称2								
	用法用量	每日 次	每次 mg	每日 次	每次 mg	每日 次	每次 mg	每日 次	每次 mg
	药物名称3								
	用法用量	每日 次	每次 mg	每日 次	每次 mg	每日 次	每次 mg	每日 次	每次 mg
	胰岛素	种类： 用法和用量：		种类： 用法和用量：		种类： 用法和用量：		种类： 用法和用量：	
转诊	原　因								
	机构及科别								
下次随访日期									
随访医生签名									

5. 接诊记录表和会诊记录表

接诊记录表见表 4-6，会诊记录表见表 4-7。

表 4-6　接诊记录表

姓名：　　　　　　　　　　　　　　　　　　　　　　　　　编号 □□□-□□□□□

就诊者的主观资料：
就诊者的客观资料：
评估：

续表

处置计划：

医生签字：

接诊日期：　　　　年　　月　　日

表 4-7　会诊记录表

姓名：　　　　　　　　　　　　　　　　　　　　　　　编号□□□-□□□□□

会诊原因：

会诊意见：

会诊医生及其所在医疗卫生机构：

医疗卫生机构名称	会诊医生签字
_____	_____
_____	_____
_____	_____

责任医生：_____

会诊日期：_____年___月___日

6.居民健康档案信息卡

居民健康档案信息卡见表4-8。

表4-8 居民健康档案信息卡

编号□□□-□□□□□

姓名		性别		出生日期		年 月 日
健康档案编号				□□-□□□□□		
ABO血型		□A □B □O □AB		Rh血型		□Rh阴性 □Rh阳性 □不详
慢性病患病情况: □无 □高血压 □糖尿病 □脑卒中 □冠心病 □哮喘 □职业病 □其他疾病						
过敏史:						
家庭住址				家庭电话		
紧急情况联系人				联系电话		
建档机构名称				联系电话		
责任医师或护士				联系电话		
其他说明						

二、家庭健康档案

家庭健康档案是以家庭为单位,记录其家庭成员和家庭整体在医疗保健活动中产生的有关健康基本状况、疾病动态、预防保健服务利用情况等信息的资料。一份完整的家庭健康档案包括封面、家庭基本资料、家系图、家庭评估资料、家庭主要问题目录及描述、家庭各成员的个人健康档案(其形式与内容同个人健康档案)。

1.封面 封面内容包括档案号、户主姓名、家庭住址、联系电话、社区名称和建档人员等。

2.家庭基本资料 家庭基本资料不仅包括家庭成员人数、姓名、年龄、性别、职业、教育程度等一般资料,还包括居住环境、厨房及卫生设施、家庭经济情况等资料。

3.家系图 家系图以绘图的方式表示家庭结构及各成员的健康和社会资料。由于家系图可以快速而清晰地显示某一个家庭的概貌,是简明的家庭综合资料,所以在社区卫生服务中非常实用。

4.家庭评估资料 家庭评估包括对家庭结构、家庭功能、家庭生活周期和家庭内外资源等方面的评估,目前应用较广泛的家庭评估方法和工具有家系图、家庭APGAR问卷等。家庭生活周期,从家庭建立之初(新婚)到家庭成员退休,计8个阶段,在各个发展阶段都会面临相应的家庭健康问题,具体见表4-9。实施以预防为导向,根据家庭生活周期中各阶段的健康问题开展管理,体现了社区卫生服务人员以家庭为服务对象开展工作。

表 4-9　家庭生活周期健康维护表

阶段	新婚	有婴幼儿	有学龄前儿童	有学龄儿童	有青少年	子女离家创业	空巢期	退休
时间健康维护记录								

5.家庭主要问题目录及描述　家庭健康档案需重点记录家庭成员的主要健康问题和整个家庭的主要健康问题。当家庭成员发生健康问题，若该问题属于主要健康问题，则既要记录在个人健康档案内，也要记录在家庭健康档案的主要健康问题目录内，以便在发生个人健康问题时，可以方便地从家庭健康档案中了解到该健康问题对整个家庭及成员健康状况的影响。

三、社区健康档案

社区健康档案是以社区为范围，通过入户调查、现场调查和现有资料搜集等方法，反映社区的主要卫生特征、环境特征、资源及其利用状况，并在系统分析的基础上作出社区卫生诊断。完整的社区健康档案应包括社区基本资料、社区卫生服务资源、社区卫生服务状况及社区居民健康状况 4 个部分。

1.社区基本资料　社区基本资料包括社区的自然环境状况，如社区的地理位置、范围、自然气候及环境状况、卫生设施和卫生条件等；社区的人口学特征，如社区的总人数、年龄性别构成、出生率、死亡率、人口自然增长率、种族特征、生育观念等；社区的人文和社会环境状况，如社区居民的教育水平、宗教及传统习俗、消费水平及意识、社会团体的发展情况及作用、家庭结构、婚姻状况、家庭功能、公共秩序等；社区的经济和组织状况等。

2.社区卫生服务资源　社区卫生服务资源包括社区的卫生服务机构和卫生人力资源状况。

3.社区卫生服务状况　社区卫生服务状况包括一定时期内的门诊量统计、门诊服务量、门诊服务内容、病人的就诊原因分类、常见健康问题的分类及构成、卫生服务利用情况、转会诊病种、转会诊率及适宜程度分析等。

4.社区居民健康状况　社区居民健康状况包括社区健康问题的分布及严重程度，如社区人群的发病率、患病率及疾病构成、病死率及残疾率；社区居民健康危险因素评估，如饮食习惯、缺乏锻炼、紧张的工作环境、生活压力事件、人际关系紧张、就医行为、获得卫生服务的障碍等；社区疾病谱、疾病的人群分布与职业分布、死因谱等。

第三节　社区居民健康档案的管理

卫生部制定了《城乡居民健康档案管理服务规范》，印发了《关于规范城乡居民健康档案管理的指导意见》，对健康档案的建立、使用和保管等各环节提出了明确要求。

一、居民健康档案的建立

1. 辖区居民到乡镇卫生院、村卫生室、社区卫生服务中心(站)接受服务时,由医务人员负责为其建立居民健康档案,并根据其主要健康问题和服务提供情况填写相应记录,同时,为服务对象填写并发放居民健康档案信息卡。

2. 通过家庭访视、疾病筛查、健康体检等多种方式,由乡镇卫生院、村卫生室、社区卫生服务中心(站)组织医务人员为居民建立健康档案,并根据其主要健康问题和服务提供情况填写相应记录。

3. 已建立居民电子健康档案信息系统的地区,应由乡镇卫生院、村卫生室、社区卫生服务中心(站)通过上述方式为个人建立居民电子健康档案,并发放国家统一标准的医疗保健卡。

4. 将在医疗卫生服务过程中填写的健康档案相关记录表单装入居民健康档案袋并统一存放,农村地区可以家庭为单位集中存放保管。居民电子健康档案的数据存放在电子健康档案数据中心。

二、居民健康档案的使用

1. 已建档居民到乡镇卫生院、村卫生室、社区卫生服务中心(站)复诊时,应持居民健康档案信息卡(或医疗保健卡),在调取其健康档案后,由接诊医师根据复诊情况,及时更新、补充相应记录内容。

2. 医务人员入户开展医疗卫生服务时,应事先查阅服务对象的健康档案,并携带相应表单,在服务过程中记录、补充相应内容。已建立电子健康档案信息系统的机构应同时更新电子健康档案。

3. 对于需要转诊或会诊的服务对象,由接诊医师填写转诊、会诊记录。

4. 所有的服务记录由责任医务人员或档案管理人员统一汇总并及时归档。

三、居民健康档案的保管

1. 应加强档案的管理和收集、整理工作,有效地保护和利用档案,健康档案要采用统一表格,在内容上要具备完整性、逻辑性、正确性、严厉性和规范性。

2. 应专人、专室、专柜保存居民健康档案,居民健康档案管理人员应严格遵守保密纪律,确保居民健康档案的安全性;居民健康档案要按编号顺序摆放,指定专人保管,转诊、借用时必须登记,用后及时收回并放于原处;逐步实现档案信息化管理。

3. 为保证居民的隐私权,健康档案未经准许不得随意查阅和外借,在病人转诊时,主治医师只写转诊单,提供有关数据资料,只有在十分必要时,才把原始的健康档案转交给会诊医师。

4. 健康档案要求定期整理,动态管理,不得有死档、空档出现,要科学地使用健康档案,每月进行一次更新、增补内容及档案分析,对辖区卫生状况进行全面评估。填写总结报告并加以保存。

5. 居民健康档案的存放处应防盗、防水、防火、防潮、防尘、防鼠、防虫、防高温、防强光、防泄密。

6.达到保管期限的居民健康档案在销毁时应严格执行相关程序和办法,禁止擅自销毁。

四、居民健康档案的服务流程

1.确定建档对象

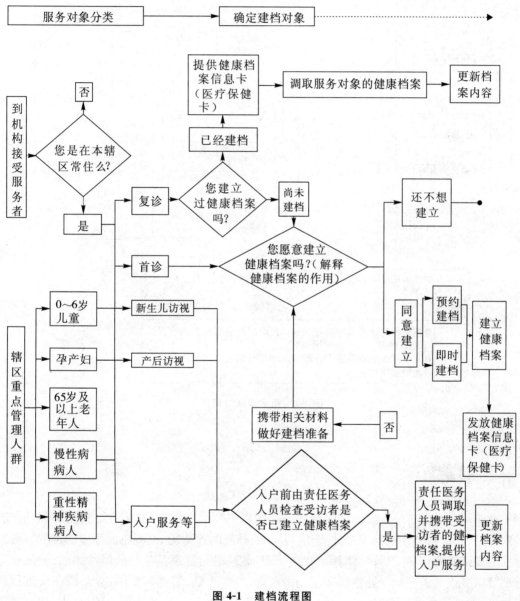

图 4-1 建档流程图

2. 居民健康档案管理流程

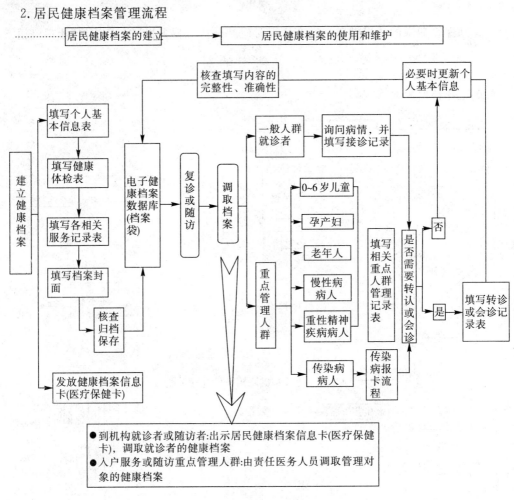

图 4-2 档案管理流程图

本章小结

健康管理是指对个人或人群的健康危险因素进行全面监测、分析、评估、预测和预防的管理过程,以达到防止疾病发生、控制疾病发展、降低医疗费用、提高生命质量的目的。健康管理的基本步骤:首先了解个体基本健康状况,然后进行健康及疾病风险性评估,最后针对评估结果进行健康干预。健康管理是一个长期、连续不断、周而复始的过程,即在实施健康干预措施一定时间后,需要评价效果、调整计划和干预措施。只有周而复始、长期坚持,才能达到健康管理的预期效果。健康管理措施:建立健康管理制度;建立社区健康档案;加强医院与社区的联系。健康档案的种类可分为个人健康档案、家庭健康档案和社区健康档案。基层卫生服务机构要以家庭为单位统一建立居民的个人健康档案,同时,获得家庭相关信息并建立家庭档案。社区健康档案是通过社区健康调查,将社区卫生服务状况、卫生资源以及居民健康状况进行统计分析后才得以建立。卫生部对健康档案的建立、使用和保管等各环节有明确要求。

课后思考

1. 解释"健康管理"的概念。
2. 简述健康管理的基本步骤与措施。
3. 说出健康档案的种类并简述其内容。
5. 简述如何建立健康档案。

（张利）

第五章 健康教育与健康促进

案例

护士小李休完产假回到社区医院上班,发现病人较平时增多,主要是呼吸道感染病人,且多数为老年人。小李想,目前正值夏秋交替季节,气候干燥,早晚温差大,是呼吸道疾病如感冒、支气管炎、肺炎、支气管哮喘的易发季节,前几天电视上还播出甲型H1N1流感的病例。小李想到这些,感到一阵紧张。她想到她工作的这个社区居住的大多数是老年人,决定组织一次专门针对老年人呼吸道疾病的健康教育。

问题:
1. 小李该如何对社区老年人实施健康教育?
2. 健康教育可以采取哪些形式?

本章学习目标

1. 掌握"社区健康教育"和"健康促进"的概念、社区健康教育的内容和形式。
2. 熟悉我国社区健康促进的计划与实施。
5. 了解社区健康教育者的基本职责。

第一节 健康与健康教育

一、健康及其影响因素

(一)"健康"的概念

"健康"是一个相对的、动态的概念。随着时代的变迁、社会的发展和医学模式的转变,人们对健康的认识也在不断提高。20世纪90年代,世界卫生组织(WHO)将健康概括为4个方面:躯体健康、心理健康、社会适应良好和道德健康。"健康"的概念从单纯的躯体健康,逐步扩展到心理健康、社会健康及道德健康,即理想的健康状况不仅仅是免于疾病折磨,还要有活力、有良好的社会关系。

(二)健康观念

1. 个人的责任　通过教育使人们认识到保护自身的健康是个人的责任,自觉地重视自我保障,培养良好的卫生习惯。

2. 家庭的责任　以家庭为单位是社区卫生服务提供保障的基本原则,也是落实预防措施的关键。培养病人家庭成员对预防保健的良好态度可帮助落实各项预防保健措施。

3. 社区的责任　通过健康教育,明确社区各类管理人员的责任,可以使管理人员认识到预防保健的意义、社区及其本人在预防保健工作中的重要作用,使他们积极主动地关心所管理区域居民的健康,配合、支持健康教育活动,倡导有益于健康的活动,经常开展健康教育以增强社区居民的健康意识。

(三)影响健康的因素

人类的健康受多种因素的影响和制约。目前,公认的影响健康的主要因素有4种,即环境因素、生物遗传因素、行为和生活方式因素及医疗卫生服务因素。

1. 环境因素　环境是指围绕着人类的空间及其直接或间接地影响人类生活的各种自然因素和社会因素的总和。自然环境是指围绕着人类周围的客观物质世界,如水、空气、土壤及其他生物等,是人类生存的必要条件。社会环境又称"非物质环境",是指人类在生产、生活和社会交往活动中相互间形成的生产关系、阶级关系和社会关系等,如社会制度、经济状况、人口状况、文化教育水平等,但对人类健康影响最大的社会环境因素是行为和生活方式因素。

2. 生物遗传因素　生物遗传因素是指人类在长期生物进化过程中所形成的遗传、成熟老化及机体内部的变化因素。生物遗传因素直接影响人类健康,它对人类诸多疾病的发生、发展及分布具有决定性的影响。

二、社区健康教育概述

(一)"健康教育"和"社区健康教育"的定义

1. "健康教育"的定义　健康教育是运用教与学的理论,有计划、有组织、有系统地开采教育活动和社会活动,增进人们的健康知识,从而使人们自愿地采取健康的行为和生活方式,有效地利用现有的卫生保健资源,最终达到改善健康状况、提高生活质量的目的。健康教育是社区护理的重要组成部分,是社区卫生服务和社区护理的基本工作方法,是实现我国21世纪"以知识促进健康"卫生发展战略的重要保证。社区群体和个体健康教育的目的是发动和引导社区居民树立健康意识,关注自身、家庭和社区的健康问题,积极参与健康教育与健康促进计划的制定和实施,养成良好的卫生行为和生活方式,提高自我保健能力和群体健康水平,从而使人们达到最佳的健康状态。

2. "社区健康教育"的定义　社区健康教育是以社区为基本单位,以社区人群为教育对象,以促进居民健康为目标,有计划、有组织、有评价的健康教育活动。社区健康教育的目的是挖掘个人、家庭、社区以及社会的保健潜力,从而增进健康,减少残障。

(二)社区健康教育的意义

健康是每一位公民的权力,全民整体的健康是一个国家、民族富强的基石。维护健康是每一个公民、家庭、社会义不容辞的责任。一个人的健康受多种因素影响,但与其行为、生活方式、环境及如何利用卫生保健资源等密切相关。社区健康教育就是要使每一个人、每一个家庭、每一个社区提高对维护健康的责任感,掌握建立健康的行为和生活方式、改善生活环境、充分利用卫生保健资源的方法,从而自觉地维护健康。因此,社区健康教育是提高全民健康水平的一项最重要的具体措施。

社区健康教育是健康促进与初级卫生保健的重要内容,是发展社区卫生服务的重要组成部分及主要服务方式。促进和维护全民健康目标的实现必须以全民认识到健康的重要性为前提,而社区健康教育则是实现这一目标的最基本、最重要的手段及方式。因此,社区健康教育是确保健康促进、初级卫生保健、社区卫生服务工作顺利开展的重要保证。

(三)社区健康教育的对象

社区中的健康教育对象是社区的个体和群体。对个体的健康教育主要通过家庭访视和居家护理指导以及在社区卫生服务中心的个别指导来实施,其特点是针对个人,易于接受,但花费时间较长。群体健康教育是社区健康教育最常用的形式,教育对象是有同种健康问题的群体或某一特定团体中的人群,其特点是同时对多个人进行教育,节省人力、物力、时间,普及面广,收效快。

1. **健康人群** 健康人群一般在社区占的比例最大,由各个年龄段的健康人群组成。

2. **高危人群** 高危人群主要是指那些目前尚健康,但本身存在某些致病的生物遗传因素或不良行为和生活习惯的人群,如有高血压、糖尿病、乳腺癌家族史的人群和有吸烟、酗酒及其他物质依赖的人群。

3. **患病人群** 患病人群包括各种急、慢性疾病病人。这类人群可根据其疾病的分期分成3种病人,即临床期病人、康复期病人及临终病人,如高血压、冠心病、糖尿病、脑卒中恢复期、术后恢复期及恶性肿瘤晚期病人等。

4. **家属及照顾者** 病人家属及照顾者与病人接触时间最长,他们的言行对病人的身心健康起着重要的作用。然而,病人家属及照顾者因长期护理而产生身心的疲惫,甚至厌倦,从而影响病人的治疗和康复效果。因此,对他们进行健康教育十分必要。

第二节 健康教育理论与方法

一、健康教育的理论

在开展社区健康教育之前,教育者或社区护士有必要了解一些相关的教育理论,以便有效地设计、实施社区健康教育。以往的教育手段简单落后,仅仅是单纯的健康宣教。1940

年出现了如何使人们行为发生改变的相关模式,称"知识、态度、习惯模式"(KAP模式),后来转变为"知识、态度、行为模式"(KAB模式)。KAB模式主要阐述人们要具备健康相关知识,从而对健康有明确的认识,养成良好的行为和生活习惯。

随着教育手段的进步、健康问题的变化,健康信念模式(Health Belief Model,HBM)被广泛使用。在20世纪80年代初期,出现了系统论述健康教育方法的理论。1980年,格林(Green L. W.)等提出了"PRECEDE模式"。随着健康促进观念的提出和发展,该模式于1991年被完善,在原来的基础上增加了PROCEED,称"PRECEDE－PROCEED模式",又称"格林模式"。

(一)健康信念模式

20世纪50年代,许多心理学家开始着手研究影响行为转变的因素。1958年,由当时服务于美国公共卫生机构的社会心理学家Hochbaum提出"健康信念模式",后经美国心理学家Becker和Rosenstock逐步修订完成。健康信念模式是以心理学为基础,由刺激理论(操作性条件反射理论)和认知理论综合而成,并在预防医学领域中最早得到应用和发展。健康信念模式以社会心理学方法解释健康相关行为,遵照认知理论的原则,强调个体的主观心理过程,即期望、思维、推理、信念等对行为的主导作用。它解释了为什么有的人能采取特定的行为方式避免疾病,而有的人却做不到。该模式认为健康信念是人们接受劝导、改变不良行为、采纳健康行为的关键。

HBM由3部分组成,即个人认知、修正因素和行为的可能性。其核心是感知威胁和知觉益处,前者包括对疾病易感性和疾病后果严重性的认识,后者包括对健康行为有效性的认识。该模式可帮助护士研究服务对象如何预防疾病和维持健康,确认他们对自己健康状态的认识程度以及了解何种因素影响他们的行为。该模式阐述了促进健康信念形成的相关因素。

1. 知觉到易感性 认识到自己存在的或潜在的健康问题,有患某种疾病的可能,包括对医师诊断的信任和再次患病可能性的认识等。

2. 知觉到严重性 认识到患某病对自己身体带来危害的严重程度,包括疾病引起的死亡、伤残、疼痛等临床后果和工作烦恼、家庭生活不和谐、失业等社会后果。

3. 知觉到益处 相信采取保健活动能降低患病率或减轻疾病的严重程度,只有这样才能使病人主动采取这种行为。

4. 自我效能 感觉到自己有信心、有能力通过长期努力改变不良行为,包括对自己能力的正确评价和判断,相信自己的能力,善于寻找可借助的力量。

5. 修正因素 修正因素包括人口学因素,即年龄、种族等;社会心理因素,即性格、社会阶层和来自同一集团的压力等;结构因素,即疾病知识和患病经验等。

(二)格林模式

格林模式即PRECEDE－PROCEED模式,在我国有人把它称为"优先模式"或"健康诊断与评价模式"。PRECEDE的含义是行动前的行为原因和动机,由教育诊断中的倾向因素、促成因素以及强化因素的英文字头组成,可以认为是健康教育干预前的资料。

PROCEED 有继续进行的含义,由为开展健康教育和提高教育水平而应用的政策、法规及组织手段作为英文字头组成,可以认为是实施和评价健康教育的资料。

格林模式不仅仅解释了个体的行为改变,还把周围环境纳入视野,由个人健康扩大到社区群体健康。它强调健康教育中教育对象的参与,将社会环境与教育对象的健康紧密地联系在一起,充分利用现有资源,改变教育对象的行为。该模式主要介绍影响社区人群健康的诸多因素以及进行健康教育的基本步骤,被广泛应用于健康教育项目的设计中。

格林模式将健康教育的诊断分成9个阶段,第一到第五阶段是5个诊断,分别为社会诊断、流行病学诊断、行为与环境诊断、教育与组织诊断及管理与政策诊断;第六阶段为实施教育计划;第七到第九阶段是3种评价,分别为过程评价、效果评价和结果评价。格林模式的特点:注重第四阶段的教育与组织诊断,强调影响健康行为的因素;强调健康教育的最终目标是提高人们的生活质量。格林模式9个阶段的主要内容如下:

1. 社会诊断　社会是教育对象生活、学习、工作的基本环境,它与教育对象的健康有着密切的关系。社会诊断包括生活质量与社会环境评价两个方面。生活质量受社会政策、社会服务、卫生政策和社会经济水平的影响。社会环境评价包括社会政策环境、社会经济环境、社会文化环境、卫生服务系统是否将健康教育纳入服务内容,社会资源状况对健康的投入等。

2. 流行病学诊断　在确定了教育对象的社会问题之后,教育者应通过分析有关流行病学资料,进一步找出教育对象存在的主要健康问题及其影响因素,包括威胁社区人群生命与健康的主要问题、导致该疾病或健康问题的危险因素等。

3. 行为与环境诊断　针对教育对象所存在的健康问题,教育者通过调查分析,找出导致这些健康问题的行为和环境因素。通过分析各因素的重要性和可变性,可以确定与健康问题相关的、有可能成为干预目标的重要行为。

4. 教育与组织诊断　明确了特定的健康行为后,要分析其影响因素,并根据各种因素的重要程度以及资源情况确定优先目标,确定健康教育的干预重点,依据影响健康行为的因素进行教育与组织诊断。影响健康行为的因素包括倾向因素、促成因素和强化因素。

5. 管理与政策诊断　管理诊断即评估资源,政策诊断即评估政策对教育项目的支持或阻碍作用。管理与政策诊断的评估内容包括:制定、执行计划的组织和管理能力,支持健康教育的资源以及条件(如人力、时间等),社区有无实施健康教育的专门机构及其对健康教育项目的重视程度,政策和规章制度对社区健康教育项目开展的支持性或抵触性等。

6. 实施教育计划　实施教育计划即实施、执行已制定的健康教育计划。

7. 过程评价　在健康教育实施的过程中,要多次进行评价,找出存在的问题并对原有计划进行调整,使健康教育计划更为可行。

8. 效果评价　对健康教育所产生的影响及短期效应进行及时的评价,主要以被教育对象的知识、态度、信念的转变作为评价指标。

9. 结果评价　在健康教育结束时,对照计划检查是否达到预期的长期或短期目标,重点是长期目标,评价健康教育是否促进了身心健康,提高了生活质量,常用的评价指标有发病率、伤残率、死亡率等。

(三)健康促进模式

健康促进模式是以健康信念模式为基础,对健康信念模式进行了进一步的补充和完善。此模式解释了健康生活方式及健康促进行为可能产生的条件,提出健康促进行为主要取决于以下3个因素:

1. 自我感知因素　自我感知因素包括人们对健康的理解、对健康重要性的认识、对自我健康状况的认识、对自我健康控制能力的认识、对采取某种健康促进行为后所带来的利弊的认识等。

2. 影响因素　影响因素包括个体的年龄、性别、种族、性格、文化程度、经济收入、对该疾病的认识等。

3. 采取健康行为的可能因素　可能采取的健康行为依赖于本人对健康的渴望程度、健康教育的效果、媒体对健康促进的宣传等。

(四)行为转变阶段模式

转变人们固有的行为和生活方式是一个十分复杂、连续、渐进的过程。美国心理学家James Prochaska和Carlos博士通过大量的研究,提出了行为转变阶段模式,此模式最突出的特点是强调了根据个人或群体的需求来确定行为干预的策略,不同阶段所采用的转化策略也不尽相同。行为转变阶段模式将行为转变划分为以下5个阶段:

1. 无转变打算阶段　处于这一阶段的人没有行为转变的意向。他们对行为转变毫无兴趣,并伴随有抵触情绪,喜欢找一些不转变行为的借口,如"高脂饮食不可能引起高血脂"、"不运动照样长寿"等。转变策略:协助教育对象提高认识、唤起情感、消除负面情绪、推荐有益于健康的读物等。

2. 犹豫不决阶段　在这一阶段中,人们开始认识到问题的存在及其严重性,开始考虑要转变自己的行为,但仍然犹豫不决,如"运动确实有益于健康,但目前我还没打算运动锻炼"、"吸烟确实对肺健康有害,但我还没打算戒烟"等。转变策略:协助教育对象拟定行为转变计划,通过邀请其参加专题讲座等途径使其获取必要的信息,指导行为转变的具体方法和步骤。

3. 准备阶段　处于这一阶段中的人们开始作出行为转变的承诺,常向亲朋好友宣布其转变行为的决定,并有所行动,如制定行为转变计划,向专业人士咨询有关行为改变的具体事宜等。转变策略:提供专业规范的行为转变指南,确定切实可行的目标。教育对象应采取逐步转变行为的步骤,寻求社会支持,包括亲朋好友、同事同学和社区的支持,尽可能克服在行为转变过程中出现的困难。

4. 行动阶段　进入该阶段的人们已经开始采取行动,如"我已开始戒烟,请大家勿给我敬烟"、"我已开始锻炼,请大家监督"等。但是,如果在此阶段没有计划与目标,容易导致行为转变的失败。转变策略:争取社会和环境的支持,如移除家里和办公室可见的烟灰缸,张贴禁烟警示语等。

5. 维持阶段　人们已经取得行为转变的成果并加以巩固。在此阶段,教育者要得到教育对象本人的长期承诺,并密切监测,防止复发。若教育对象能维持新行为半年以上,则说明已达到行为改变的目标。许多人行为成功转变之后,因放松警惕或经受不住别人的诱惑而造成复发。转变策略:这一阶段需要做一切取得行为转变成功的工作,包括社会关系的支持和配合等。

行为转变阶段模式打破了传统的行为干预方法作用的局限,将一次性行为模式转变为阶段性行为模式。明确不同阶段的不良行为方式,对健康教育的效果有积极的影响,已成为社区行为干预的有效策略和方法。

二、健康教育的程序

社区健康教育是有组织、有计划、有目的的教育干预活动,其成败取决于全过程有无周密的组织和计划。社区健康教育的程序基本与护理程序相同,其过程可分为5个步骤,即健康教育需求的评估、确定健康教育诊断、制定健康教育计划、实施健康教育、评价健康教育的过程和效果。

(一)社区健康教育需求评估

评估社区健康教育需求即让社区健康教育者或社区护士通过各种方式收集有关教育对象的资料,了解教育对象对健康教育的需求,为开展健康教育提供依据。具体可从5个方面收集相关资料:

1. 一般情况 包括性别、年龄、职业、经济收入、住房情况、交通设施及自然环境等情况。
2. 生理状况 包括身体状况、生物遗传因素等。
3. 心理状况 包括学习的愿望、态度及心理压力等。
4. 生活方式 包括吸烟、酗酒、饮食、睡眠、性生活、体育锻炼情况等。
5. 医疗卫生服务资源 包括医疗卫生机构的地理位置及居民享受基本医疗卫生服务的状况等情况。

常用的评估方式可分为直接评估与间接评估2种。直接评估包括观察、与知情人面谈、问卷调查、召开座谈会等;间接评估包括查阅有关档案资料、询问教育对象的亲人朋友等。

(二)社区健康教育诊断/问题

依据健康评估收集的资料进行分析和判断,作出健康教育诊断或提出健康教育问题,如针对社区群体共同存在的健康教育需求,可以提出社区中年人缺乏健康的生活方式、社区家属缺乏家庭护理知识等健康问题。联系护理程序的相关知识,确定健康教育诊断/问题的步骤如下:

1. 根据收集的资料,列出健康教育现存的或潜在的健康问题。
2. 分析健康问题对教育对象的健康所构成的威胁程度。
3. 分析开展健康教育所具备的能力和资源。
4. 找出能通过健康教育干预所解决或改善的健康问题。
5. 找出与健康问题相关的行为因素、环境因素和促进行为改变的相关因素。
6. 确定健康教育的优先顺序 优先项目是指群众最迫切的需求,反映各种特殊人群存在的特殊需求,是通过干预能得到解决或改善的项目。社区护士应在尊重教育对象意愿的基础上，根据其健康教育需求的紧迫性和现有的健康教育资源，按其重要性、可行性和有效性确定优先顺序。

重要性是指该项目能够反映社区或目标人群存在的主要健康问题，反映人们最关心的，也是促进健康、预防疾病最有效的问题。可行性是指易于为人们所接受的、便于执行的项目。因此，该项目应有客观的评价体系，并能够长期、系统地随访观察。另外，社区还应具备开展该项目的能力和资源。有效性是指该项目实施后，能用较低的成本获得较大的社会效益。

7.确定教育对象的学习方式　为确保社区健康教育的质量，社区护士还应系统地收集有关教育对象学习能力及可能影响教育对象学习的各种资料，包括文化程度、学习经历、学习特点等，以确定教育对象的学习方式。社区健康教育的对象可以是个人，也可以是群体；可以是健康人群，也可以是久病卧床的患者。因此，社区护士应针对不同的对象采取直接评估或间接评估的方法。

(三)社区健康教育计划

制定社区健康教育计划要以教育对象为中心，教育对象也参与计划的制定。具体计划如下：

1.健康教育的意义、目标和内容　明确为什么进行此项健康教育，通过教育最终要达到什么目标，教育的具体内容是什么。目标分为长期目标和短期目标。目标一定是具体的、可测量的。选择教育内容时应注意：重点选择符合教育对象需求的内容，内容不仅包括是什么、为什么，还要告诉人们如何做；选择的内容要有针对性、科学性和指导性；内容必须让受教育者乐于接受，这样才有助于他们自愿采取有益的健康行为。

2.实施健康教育的时间和地点　健康教育地点的可以是学校、卫生机构、工作场所、公共场所或居民家庭。教育的时间主要依照教育对象而定，也可以协商确定。

3.选择教育者和确定教育对象　根据教育对象的需求与教育者满足需求的程度选择适宜的教育者，以利于达成健康教育的目标。

4.确定健康教育的方式和方法　主要根据健康教育的问题和健康教育的对象选择相应的教育方法。教育方式应以满足教育对象的需求、充分利用教育对象的优势为原则。根据教育对象的数量、学习能力、生理和心理状况、拥有的资源等来选择教育的方式和方法。

(1)语言教育：包括举行专题讲座、进行交谈、小组讨论和一对一健康咨询等开展的教育。

(2)文字教育：包括通过出版的科普读物、印刷的健康指导和健康教育手册、宣传资料、社区墙报、宣传栏或张贴的海报等完成的教育。

(3)形象化教育：包括演示操作过程以及运用图片、标本或仪器等进行的教育。

(4)案例教育：案例教育是指将一个案例提供给教育对象，使其根据内容进行讨论学习的方式。

(5)电化教育：包括广播、录音、视频材料、电影等教育材料，结合投影仪、幻灯机、计算机、电视机等科技信息化手段和仪器进行的教育。

5.教育资料的选择或编写　教育资料包括视听材料和阅读材料。教育资料是教育内容传递的媒介,只有运用适当的媒介才能获得理想的教育效果。选择教育资料时,要考虑教育内容和教育场所、教育对象的学习能力和学习习惯等,要注意资料的更新与评价,制作和选择通俗易懂、针对性强、符合人群需求的资料。

6.健康教育的评价　根据健康教育的目标和计划选择评价方式、评价指标和评价方法等。

(四)社区健康教育的实施

健康教育的实施是将计划付诸行动,获得效果的过程。社区群体健康教育在实施过程中应着重把握4个环节,即组织、准备、实施和质量控制。

1.组织　完善基层组织与强化部门之间的合作关系,即开发领导和开发社区,是健康教育项目成败的关键。开发领导包括获得领导的支持和建立一个高效、精干、权威的领导机构,以获得必要的政策和环境支持。开发社区包括建立部门之间的协调机制和网络,动员社区积极参与。

2.准备　健康教育的准备阶段包括以下内容:

(1)建立实施计划的时间表:根据实施计划,将健康教育按时间分步骤制定科学可行的时间表,引导各部门及所有参与人员相互协调。

(2)人员培训:为保证健康教育计划规范地进行,需要对参与实施的健康教育者进行培训。培训的内容一般包括项目实施的管理规章和与其相关的专业知识、技能,如培训的内容可以是项目的管理方法、实施过程的注意事项、可能涉及的法律问题及其对策、调查的方法、传播知识的技巧等。

(3)物资准备:应预先准备健康教育实施过程中需要的物资,如健康教育的材料和其他配套设备等。

(4)通知目标人群健康教育的主要内容、时间、地点等。

3.实施　实施即将计划中的各项措施变为实践。在制定了完善的社区健康教育计划后,即可付诸实施。然而,在具体实施社区健康教育计划的过程中,应注意以下2点:

(1)实施社区健康教育计划的条件:开发领导层,以得到社区基层领导及管理者的支持;协调社会各界力量,创造执行计划的良好的内、外环境;认真做好健康教育者的培训;培养典型,以点带面;不断调查研究,探讨新的教育形式和方法;及时总结工作,交流、推广好的经验。

(2)社区健康教育的策略:制定健康教育计划之前须进行学习需要评估;做好教学内容的组织和资料准备工作;强调教育对象的参与;学习指导应从简单到复杂;教学内容应从具体到抽象,从部分到整体;一次教学内容不宜过多;对所教内容要适当安排实践;针对教育对象采取多样化教学;重视健康教育的信息反馈;创造良好的学习环境。

4.质量控制　在实施社区健康教育计划过程中,为了确保社区护理健康教育的效果和质量,社区护士或其他健康教育者应遵循以下原则:

(1)选择适当的教学内容、形式和时间:根据自己的需求进行学习是每一个教育对象的学习动力和愿望。因此,社区护士或其他健康教育者必须选择与教育对象需求相符合的教学内容,以提高教育对象学习的主动性和积极性。教学形式的适当与否将直接影响教学活动的成败,社区护士或其他健康教育者应根据教育对象的具体情况安排教学活动的时间,并决定时间的长短。

(2)营造良好的学习环境:良好的学习环境可以提升教学活动的质量。学习环境一般包括3个方面,即学习的条件、人际关系和学习气氛。

(3)鼓励教育对象积极参与教学活动:社区健康教育的主要目的是改变教育对象的不良行为和生活方式,因此,教育对象的积极参与是保证社区健康教育质量的必要因素,社区健康教育的每一步骤都必须鼓励教育对象积极参与。鼓励方式很多,如对于学习态度认真者给予口头表扬,对于成绩出色者给予物质奖励,对于积极参与者赠送小礼品或纪念品等。

(4)及时对教学活动进行评价:及时对教学活动进行评价是保证社区健康教育质量的另一重要因素,健康教育组织机构或社区应对教育过程及教学活动进行定期检测及检查。

(五)社区健康教育的评价

社区健康教育评价的实质是比较,即对健康教育前后或对开展与未开展健康教育的两组人群进行比较,比较与健康有关的行为发生了哪些变化或改变,从而衡量健康教育计划的可接受性及健康教育的效果。评价的目的如下:

1. 保证计划执行的质量。
2. 科学地了解计划的价值。
3. 向社区和项目(计划)的资金提供者阐明计划实施所取得的结果,以取得资金提供者和领导对健康教育工作的支持。
4. 提高专业人员开展健康教育的理论水平和实践能力　根据评价内容或对象、评价指标或标准,以及评价研究方法的特点,可将评价的种类和内容分为形成评价、过程评价、效应评价、结局评价、总结评价和经济效益评价等6种。

三、健康教育的内容和形式

(一)健康教育的内容

1. 传播医学、科普知识　传播医学知识是健康教育的重要内容,是改变人们的知识结构和态度、行为的重要条件和基础。传播科普知识能够使人们具备科学和健康知识,改变不良的行为和生活方式,主动控制情绪,保持心态平衡,维护身心健康。

2. 健康教育的干预性措施　开展健康教育要针对主要卫生问题和不良生活方式采取干预性措施。研究表明,从20世纪50年代以来,心脑血管疾病和癌症等慢性病的发病率不断上升;在人口死因中,这些慢性病在许多国家已分别排在第一位或第二位。发生这种变化的一个重要原因是各种不良行为和不健康的生活方式,其中,最为重要的是吸烟、酗酒、高脂饮食、缺乏运动和心理压力过大。因此,在防范当前面临的传染病和其他疾病的同时,必须积极预防生活方式病,而健康教育是一项重要的干预措施。

3. 启发群体健康意识,明确社会责任　宣传国家有关卫生工作的方针政策和法律法规,大力和持久地传播卫生知识,增强人们的健康意识,使他们自觉养成健康的生活方式,关心卫生事业,遵守有关政策和法规,从而促进卫生保健事业的发展。健康教育工作的重点首先应是儿童和青少年,这是一个最大、最易受影响和最具有可塑性的人群。随着我国文化事业的发展、经济水平的提高,健康教育的内容也会逐渐得到更好的发展。

(二)健康教育的形式

在健康教育工作中,要选择适当形式和方法,使健康教育的内容得到恰如其分的体现,以达到迅速普及的良好效果。

1.按计划组织的讲课形式　这种教育形式通常遵照事先制定出的健康教育计划,规定出讲授内容及时间、地点、讲授对象,并事先通知。讲授应浅显易懂,不能用专业术语。讲者每次讲完后给大家时间思考和自由讨论,也可以提问。简单的问题当场解决,较复杂的问题可作为下次讲课的内容之一。课堂气氛要活跃,使讲者能观察到群众迫切需要了解的问题,使听者对讲课感兴趣并能积极参与。

2.自由的形式　例如,一对一的健康教育,这种教育可以作为集中教育的补充,或针对某些特殊人群进行教育,如对糖尿病患者的运动指导,帮助他们理解为何要运动、运动的适宜时间是多少、运动的方式包括哪些、什么情况下不适宜运动以及运动时出现不适反应该如何处理等。

第三节　健康促进的计划与实施

一、"健康促进"的概念

"健康促进"一词早在20世纪20年代就出现于公共卫生文献中,近20年才引起广泛的重视。1986年,在加拿大召开的第一届国际健康促进大会通过的《渥太华宣言》指出:"健康促进是促使人们提高、维护和改善他们自身健康的过程,是协调人类与他们所处环境之间的战略,规定个人与社会对健康各自所负的责任。"这一概念表达了健康促进的目的和哲理,也强调了范围和方法。

WHO将"健康促进"定义为:一个增强人们控制和改善自身健康能力的过程,它要求各个国家采取一种合适的策略增进人们与自然和社会环境之间的协调,平衡个体对健康的选择与社会责任之间的关系。

二、"社区健康促进"的概念

社区健康促进是指通过健康教育和环境支持改变个体和群体行为、生活方式与社会影响,降低本地区发病率和死亡率,为提高社区居民生活质量和文明素质而进行的活动。社区健康促进的构成要素包括健康教育以及一切能够促使行为、环境向有益于健康改变的政策、组织、经济等支持系统。

社区健康促进是推进初级卫生保健和实现"健康为人人"全球战略的关键要素。社区健康促进的内含体现在以下几个方面:

1.社区健康促进的工作主体不仅仅是社区卫生服务机构及其他卫生部门,还包括政府的相关部门。WHO指出:"未来的健康工作更多的是依靠非卫生部门,应由全社会的所有领域和部门共同承担。"

2. 社区健康促进涉及整体人群健康和生活的各个方面,而非仅限于疾病的预防。

3. 社区健康促进直接作用于影响社区居民健康的因素,包括生物遗传因素、环境因素、生活方式因素以及卫生服务体系的完善等。

4. 社区健康促进是跨学科、跨部门,综合运用多种手段来增进社区群众的健康。这些方法包括传播、教育、立法、财政、组织改变、社区开发,以及社区群众自发地维护和促进健康的活动。

5. 社区健康促进强调社区群众积极地参与健康促进活动的全过程。

6. 社区健康促进是建立在大众健康生态学基础上,强调健康、环境和发展三者合一的活动。

三、健康促进的计划与实施

由于健康促进是当代卫生政策的核心功能,所以已成为新时期卫生体制改革的重点之一,并作为干预社区群众的健康相关行为和生活方式的主要手段,在社区卫生工作中发挥着越来越重要的作用。

我国健康促进的计划与实施主要是在各级政府的领导下进行的,具有自身的特色。当前,国家正在积极推行医疗卫生体制改革,大力发展社区卫生服务,城市初级卫生保健计划也在实施。同时,国家针对社区特殊人群的健康状况,推出了相应的计划。例如,针对学生的营养问题,实施"中小学生豆奶计划"、"学生营养餐计划"等,并提出"政府主导、企业参与、学校组织、家长自愿"原则;为降低婴幼儿的死亡率,国家先后推行各项卫生防疫计划等。

本章小结

本章重点培养和训练社区护士正确运用健康教育程序,对学习需求、学习对象、学习环境进行评估,分析社区人群的学习需求,并制定和实施健康教育计划,然后对健康教育的效果进行评价。同时,本章阐述了"健康促进"和"社区健康促进"的概念,有助于帮助社区护士初步了解健康促进计划和实施的基本知识。

课后思考

1. "社区健康教育"的概念是什么?
2. 健康教育理论模式有哪些?
3. 社区健康教育的对象有哪些?
4. 社区健康教育有哪几种方式?
5. "社区健康促进"的概念是什么?

(林波)

第六章

社区卫生统计方法

案例

已知正常成年男子血红蛋白均值为140g/L,随机调查在某煤矿工作的成年男子60人,测其血红蛋白均值为125g/L,标准差为15g/L。据此认为该群男子血红蛋白均值低于一般成年男子。

问题:
1. 案例中的结论是否正确?为什么?
2. 有研究者据此资料推断该地成年男子的血红蛋白均值为125g/L,该结论是否正确?为什么?
3. 解决此类问题可采用哪些统计分析方法?这些方法有什么区别和联系?

本章学习目标

1. 初步认识和掌握"医学统计学"的基本概念、基本知识和基本方法,熟悉医学统计学的研究内容、统计资料的类型、统计工作的步骤。
2. 掌握统计表的基本结构与制作要求,能制作合适的统计图,用于表达统计资料的结果。
3. 熟悉频数分布表的编制方法及用途。
4. 掌握算术均数、几何均数、中位数的适用条件及计算方法。
5. 熟悉"百分位数"的定义、计算方法及其应用。
6. 掌握均数的"抽样误差"与"标准误"的概念及标准误的计算方法,理解标准差与标准误的区别与联系。
7. 熟悉假设检验的基本思想与基本步骤,能依据研究设计类型选择正确的假设检验方法。
8. 掌握"相对数"的概念及常用相对数指标(率、构成比、相对比)的意义、计算方法。
9. 了解 u 检验的方法与适用条件。
10. 掌握 χ^2 检验的基本思想、检验步骤与用途。
11. 熟悉四格表资料、行×列表资料、配对资料 χ^2 检验应用条件,能依据研究设计选择正确的检验方法。

第一节 概　述

一、基本概念

统计学是运用数理统计的基本原理和方法，进行数据的收集、整理、分析和推断的一门科学，它是认识事物数量特征的重要工具。若将统计学的理论方法应用于评价居民健康状况、医疗卫生实践和医学科研工作等，透过事物的偶然性阐明事物的必然规律，对不确定性或偶然性数据作出科学的推断，就形成了卫生统计学。

（一）观察单位

观察单位是研究对象中最基本、最小的单位，是根据研究目的确定的，可以是人、标本、家庭、国家等。

（二）总体与样本

总体是指性质相同的研究对象中所有观察单位某一种变量值的集合。例如，研究某市 2013 年健康成年人的甘油三酯数值，研究对象是该市 2013 年的健康成年人，观察单位是其中的每一个人，变量值是甘油三酯数值，而该市 2013 年全部健康成年人的甘油三酯数值就构成了一个总体。总体分为有限总体和无限总体。有限总体是指总体包含的观察单位的个数是有限的，如上例中研究某市 2013 年健康成年人的甘油三酯数值，如果该市有 20 万健康成年人，则总体包含了 20 万健康成年人的甘油三酯数值，即"有限总体"。无限总体是抽象的，如研究某药物治疗高血压的疗效，总体就包含假想的所有使用该药物治疗的病人，是没有时间和空间限制的。在医学研究中，无限总体占多数。

样本是指从总体中随机抽取部分具有代表性的观察单位，其变量值就构成样本，通过样本信息来推断总体特征。例如，上述例子中随机抽取该市 200 例健康成年人，用他们的情况来代表该市所有健康成年人。在抽取样本的过程中要遵循随机化原则，使得总体中的每一个观察单位都有同等的机会被抽到，同时，还要求有足够的样本量。

（三）参数与统计量

参数是描述总体特征的数值，一般用希腊字母表示，如 μ 表示总体均数，π 表示总体率，δ 表示总体标准差等。

描述样本特征的指标被称为"统计量"，一般用拉丁字母表示，如 $\bar{x}$ 表示样本均数，p 表示样本率，s 表示样本标准差等。因为不太可能调查所有的观察单位，所以统计分析的一个重要目的就是利用样本计算出统计量，从而对总体参数进行估计和推断。

（四）误差

误差是指测得值与真值之差或样本指标与总体指标之差。误差又可分为两大类，即随机误差和系统误差。

1. 随机误差　随机误差包括抽样误差和随机测量误差。抽样误差是指由于抽样造成的样本统计量和总体参数之间的差异。由于各观察单位存在着个体差异,所以在抽样研究中不可避免地会出现样本结构不同于总体结构、样本指标不同于总体指标的情况。抽样误差是有规律的,服从正态分布,研究和运用抽样误差的规律是通过样本估计和推断总体所必需的,也是统计学的重要内容之一。随机抽样误差由偶然因素所致,没有倾向性,如对同一个样品进行多次测量,测量值有高有低,不完全一致。随机误差是不可避免的。

2. 系统误差　系统误差是指由确定原因引起的观察值与真值之间或样本指标与总体指标之间的偏差。引起系统误差的常见原因有:实验过程中使用的仪器、试剂未校准,观察方法、判断标准不统一,观察者本身存在主观偏见等。系统误差一般具有倾向性,在同样的条件下多次重复观察,测量值都偏大或都偏小。系统误差是可以避免的。

(五)概率与随机事件

概率是指某一事件发生的可能性大小的指标,通常用符号 P 表示。概率的范围为 $0\sim 1$,即 $0\leqslant P\leqslant 1$。随机事件是指在一定条件下,可能发生也可能不发生的事件,即结果不确定的事件。某事件发生的可能性越大,P 越接近 1;某事件发生的可能性越小,P 越接近 0。习惯上将 $P\leqslant 0.05$ 或 $P\leqslant 0.01$ 称为"小概率事件",统计学中认为在一次随机试验中小概率事件基本上不会发生。

二、资料分类

统计资料按照其特点,可分为计量资料、计数资料和等级资料 3 种不同的类型。不同类型的统计资料,其统计处理方法也不同。

(一)计量资料

测定每一个观察单位的某一项研究指标的大小,得到的一系列数据资料(观察值)称"计量资料"。计量资料一般带有单位,如身高的计量单位是 cm 或 m、体重的计量单位是 kg、血压的计量单位是 kPa 或 mmHg 等。

(二)计数资料

将全体观察单位按照某种性质或特征分组,然后计数各组中观察单位的个数,这样得到的数据资料称"计数资料"。如调查对象的血型分布,按照 O 型、A 型、B 型、AB 型 4 种血型,计数某人群中各种血型的人数,即计数资料。计数资料一般都是整数,没有小数。

(三)等级资料

等级资料是介于计量资料和计数资料之间的一种资料,通过半定量的方法测量得到。例如,调查某种降压药的治疗效果,可将疗效分为无效、好转、显效和治愈;在临床检验中,如检测尿液中红细胞含量,检测结果分为 −、+、++、+++ 等。

三、统计工作的步骤

统计工作一般可分为设计、搜集资料、整理资料、分析资料 4 个步骤。这 4 个步骤紧密联系,不可分割,其中任何一个步骤出现缺陷都会影响统计分析,从而产生不可靠的结果。

(一)设计

设计是统计工作中最关键的一步。在进行任何研究工作之前,都要首先设计制定一个完整周密的研究计划。设计的内容包括对后续的 3 个步骤——搜集资料、整理资料和分析资料的总的设想和安排。例如:要搜集哪些资料?怎样搜集原始资料?搜集的资料如何进行整理?要计算哪些统计指标?如何分析得到的这些指标?这些指标又说明了什么样的结果?所有这些都需要在设计这个步骤时考虑周全,并结合实际情况作出科学详尽的计划。

(二)搜集资料

搜集完整、准确的原始资料是统计分析的基础。只有原始数据准确可靠,才能得出可信的结论。医学统计资料主要来自 3 个方面:

1. 统计报表　统计报表是医疗卫生机构根据国家规定的报告制度,定期逐级上报的有关报表,如法定传染病报表、职业病报表、出生死亡报表、医院工作报表等。

2. 医疗卫生工作记录　例如,门诊或住院病历、健康检查记录、卫生监测记录等。

3. 专题调查或实验　专题调查或实验是根据研究目的选定的专题调查或实验研究,搜集资料时有明确的目的与针对性,可以得到较完整、准确的资料。

医学统计资料是医学科研资料的主要来源。

(三)整理资料

为方便进一步的计算和分析,将搜集到的原始资料进行反复核对和认真检查,纠正错误,分类汇总,使其系统化、条理化,这一过程被称为"整理资料"。整理资料的过程一般分为审核、分组、汇总等步骤:

1. 审核　审核即核对和校正原始数据。认真检查核对,若出现疑问则必须复查,发现错误应及时更正,以保证资料的准确性和完整性。

2. 分组　一般根据研究数据的特征进行分组。分组方法有 2 种:按观察单位的类别或属性分组,如按性别、职业、检验结果的阳性和阴性等分组;按观察单位数值的大小分组,如划分年龄组、身高组等。

3. 汇总　汇总即根据分组情况,将原始数据归入相应的组,并作出简单的总结。分组后的资料要按照设计的要求进行汇总,整理成统计表,具体可采用手工汇总或计算机汇总。

(四)分析资料

分析资料是指根据设计的要求,结合资料的类型、分布特征等对整理后的数据进行统计学分析,作出科学合理的解释。统计分析一般从 2 个方面进行:

1. 统计描述　将计算出的统计指标与统计表、统计图相结合,全面描述资料的数量特征及分布规律,不涉及由样本推论总体的问题。

2. 统计推断　由样本信息推断总体特征,通过样本统计量进行总体参数的估计和假设检验,以达到了解总体的数量特征及其分布规律的研究目的。

第二节 计量资料统计分析

一、频数表的编制

频数是指对某一随机事件进行重复观察时,其中某变量值出现的次数。为了解数值变量的分布规律,当观察单位较多时,可通过资料整理编制频数分布表(简称"频数表")。频数表主要由组段和频数2个部分组成。

例6.1 某地101例健康男子血清总胆固醇值(mmol/L)测定结果如下:

表6-1 某地101例健康男子血清总胆固醇值(mmol/L)

编号	血清总胆固醇值(mmol/L)	编号	血清总胆固醇值(mmol/L)
1	4.77	2	5.39
3	5.20	4	3.61
5	3.18	6	4.88
7	4.31	8	4.60
9	5.18	10	3.37
11	6.30	12	5.10
13	4.44	14	3.97
15	5.55	16	4.58
17	4.09	18	6.14
19	6.14	20	5.21
21	4.70	22	4.43
23	5.16	24	3.04
25	5.72	26	5.96
27	3.24	28	3.95
29	7.22	30	4.74
31	4.25	32	5.10
33	4.55	34	6.55
35	5.48	36	4.90
37	3.56	38	5.54
39	3.50	40	4.03
41	5.86	42	3.35
43	4.76	44	4.40
45	3.05	46	4.23
47	3.93	48	4.69

续表

编号	血清总胆固醇值(mmol/L)	编号	血清总胆固醇值(mmol/L)
49	5.85	50	4.79
51	4.87	52	4.61
53	4.55	54	4.31
55	5.21	56	4.38
57	4.09	58	5.34
59	4.17	60	4.17
61	5.38	62	4.71
63	6.51	64	4.89
65	3.35	66	4.24
67	5.85	68	4.03
69	3.89	70	5.69
71	5.18	72	6.25
73	4.08	74	4.32
75	5.16	76	4.47
77	4.60	78	4.12
79	5.77	80	5.32
81	4.79	82	4.77
83	5.09	84	3.40
85	4.47	86	4.56
87	4.79	88	4.50
89	5.30	90	6.36
91	4.52	92	3.91
93	3.64	94	4.37
95	5.12	96	4.63
97	4.97	98	6.38
99	4.38	100	2.80
101	4.34		

(一)编制步骤

1.计算全距 一组变量的最大值和最小值之差称为"全距",亦称"极差",常用 R 表示。本例最大值为7.22,最小值为2.80,全距 $R=7.22-2.80=4.42$ (mmol/L)。

2.确定组数和组距 组数一般根据研究目的和观察单位的个数确定,可根据样本量的多少灵活确定组数。一般样本含量在100例左右时分为10组。组距=全距/组数,一般用 i 表示,本例组距=4.42/10=0.442,取一位小数为0.4。

3. 划分组段 划分组段即确定各组的上下限,每个组段的起点称"组下限",终点称"组上限"。第一组要包含最小值,最后一组要包含最大值。在编制频数表时,为避免相邻组段变量值归组混乱,一般只写出各组段的下限,不写出其上限,用"本组段下限~"表示,但最后一组要同时写出其下限和上限。

4. 列表划记 将原始数据采用划记法或计算机汇总归入各相应的组段,计算各组段中观察值的个数,即频数,如表6-2所示。

表6-2 某地101例健康男子血清总胆固醇值(mmol/L)的频数分布表

组段	划记	频数(人)
2.80~	正	4
3.20~	正丅	7
3.60~	正丅	7
4.00~	正正正丅	18
4.40~	正正正正正	25
4.80~	正正丅	13
5.20~	正正一	11
5.60~	正丅	7
6.00~	正一	6
6.40~7.22	丅	3
合计		101

(二)频数分布图

为了更直观地了解频数分布情况,可以频数分布表中的数据为基础,绘制频数分布图,用来表达数据的分布情况,见图6-1。

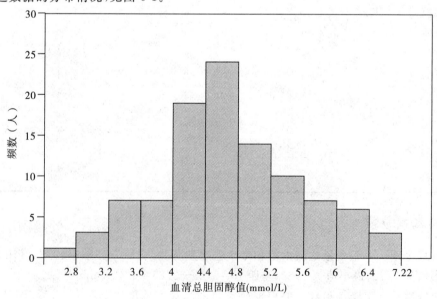

图6-1 某地101例健康男子血清总胆固醇值(mmol/L)的频数分布

(三)频数分布特征

从表 6-2 和图 6-1 可以看出频数分布的两个重要特征,即集中趋势和离散趋势。如上例中,101 例健康男子血清总胆固醇值虽然高低不等,但大多数集中在中央部分,为集中趋势;其余各组段分布较少,为离散趋势。

(四)频数分布类型

根据频数分布的两大特征可进一步确定频数分布的类型,一般分为对称分布和偏态分布 2 种。对称分布是指集中位置在中间,左右两侧频数分布大体对称。偏态分布是指集中位置偏向一侧,频数分布不对称,若集中趋势偏向于数值小的一侧,则称"正偏态分布";若集中趋势偏向于数值大的一侧,则称"负偏态分布"。

二、集中趋势指标

集中趋势是代表一组同质变量值的集中位置或平均水平,用平均数表示。常用的平均数有算术均数、几何均数和中位数等。

(一)算术均数

算术均数简称"均数",主要适用于对称分布或近似对称分布的资料,一般以希腊字母 μ 表示总体均数,以 $\bar{x}$ 表示样本均数。算术均数的计算公式是:

$$\bar{x} = \frac{x_1 + x_2 + x_3 + \ldots + x_n}{n} = \frac{\sum_{i=1}^{n} x_i}{n} \tag{6-1}$$

式中,$x_1, x_2, x_3 \cdots, x_n$——观察值;

n——样本含量;

$\sum$——求和。

例 6.2 测得 10 例正常成年女子的脉搏(次/分)分别是 82,77,79,80,68,75,69,80,72,74,求脉搏均数。

$$\bar{x} = \frac{82+77+79+80+68+75+69+80+72+74}{10} = 75.6(次/分)$$

当样本含量 $n \geqslant 30$ 且已分组的资料可以在频数分布表的基础上采用加权法计算平均数,则计算公式为:

$$\bar{x} = \frac{f_1 x_1 + f_2 x_2 + \cdots + f_k x_k}{f_1 + f_2 + \cdots + f_k} = \frac{\sum_{i=1}^{k} f_i x_i}{\sum_{i=1}^{k} f_i} \tag{6-2}$$

式中,x_i——第 i 组的组中值;

f_i——第 i 组的频数;

k——分组数。

例 6.3 测得某社区 200 例成年人血液红细胞数如下,求其加权数平均数。

表 6-3 某社区 200 例成年人血液红细胞数

红细胞数($\times 10^{12}/L$)	组中值 x	频数 f	fx
3.8~	3.90	3	11.7
4.0~	4.10	8	32.8
4.2~	4.30	19	81.7
4.4~	4.50	29	130.5
4.6~	4.70	45	211.5
4.8~	4.90	39	191.1
5.0~	5.10	34	173.4
5.2~	5.30	16	84.8
5.4~	5.50	4	22.0
5.6~	5.70	2	11.4
5.8~	5.90	1	5.9
合计	—	200	956.8

$$\bar{x} = \frac{f_1 x_1 + f_2 x_2 + \ldots + f_k x_k}{f_1 + f_2 + \ldots + f_k} = \frac{\sum_{i=1}^{k} f_i x_i}{\sum_{i=1}^{k} f_i} = \frac{956.8}{200} = 4.78 (\times 10^{12}/L)$$

(二)几何均数

几何均数简记为"G",适用于变量值呈倍数关系或呈对数正态分布(正偏态分布),如抗体效价及抗体滴度、某些传染病的潜伏期、细菌计数等。几何均数的计算公式为:

$$G = \sqrt[n]{x_1 x_2 \cdots x_n} \tag{6-3}$$

$$G = \lg^{-1}\left(\frac{\lg x_1 + \lg x_2 + \cdots \lg x_n}{n}\right) = \lg^{-1}\left(\frac{\sum_{i=1}^{n} \lg x_i}{n}\right) \tag{6-4}$$

例 6.4 5 例人血清中某抗体效价分别为 1:20,1:16,1:32,1:40,1:32,求平均效价。

$$G = \sqrt[5]{20 \times 16 \times 32 \times 40 \times 32} = 26.52$$

或

$$G = \lg^{-1}\left(\frac{\lg 20 + \lg 16 + \lg 32 + \lg 40 + \lg 32}{5}\right) = 26.52$$

(三)中位数

将一组变量值从小到大按顺序排列,位置居中的变量值称为"中位数"(简记为"M")。中位数适用于:变量值中出现个别特小值或特大值;资料的分布呈明显偏态;变量值分布一端或两端无确定数值。计算方法有直接法和频数表法。

1. 直接法 直接法适用于观察值例数较少时。计算前先将观察值按照从小到大的顺序排列,然后使用下面的公式计算。

$$当 n 为奇数时, M = x_{(\frac{n+1}{2})} \quad (6-5)$$

$$当 n 为偶数时, M = \frac{1}{2}(x_{(\frac{n}{2})} + x_{(\frac{n}{2}+1)}) \quad (6-6)$$

式中,n 是样本中的总例数,$(\frac{n+1}{2})$、$(\frac{n}{2})$、$(\frac{n}{2}+1)$ 是观察值按顺序排列后的位数,$x_{(\frac{n+1}{2})}$、$x_{(\frac{n}{2})}$、$x_{(\frac{n}{2}+1)}$ 是相应位置上的观察值。

例 6.5 某医学院校 8 名临床专业学生的身高(cm)分别是 158、160、160、164、165、166、168、182,求平均身高。

本例中,$n=8$ 为偶数,按公式 6-6 计算:

$$M = \frac{1}{2}(x_{(\frac{8}{2})} + x_{(\frac{8}{2}+1)}) = \frac{1}{2}(x_4 + x_5) = \frac{1}{2}(164 + 165) = 164.5(\text{cm})$$

2. 频数表法 频数表法适用于观察值例数较多时。首先将观察值编制频数表,再按照公式计算中位数,计算公式为:

$$M = L_m + \frac{i}{f_m}(\frac{n}{2} - \sum f_L) \quad (6-7)$$

式中,L_m——中位数所在组段的下限;

i——组距;

f_m——中位数所在组段的频数;

n——总例数;

$\sum f_L$——小于 L 各组段的累计频数。

例 6.6 150 例食物中毒患者潜伏期时间分布见表 6-4,求其平均潜伏期。

表 6-4 150 名食物中毒患者潜伏期

潜伏期(h)	频数	累计频数
0~	18	18
6~	46	64
12~	38	102
18~	33	135
24~	6	141
30~	4	145
36~	4	149
42~	1	150
合计	150	

从表 6-4 可以看出,本资料数据呈正偏态分布,中位数所在的组段是"12~",由此可以确定 $L_m = 12, i = 6, f_m = 38, n = 150, \sum f_L = 64$,代入公式 6-7 得:

$$M = L_m + \frac{i}{f_m}(\frac{n}{2} - \sum f_L) = 12 + \frac{6}{38} \times (\frac{150}{2} - 64) = 13.74(h)$$

三、离散趋势指标

离散趋势指标是用来说明观察值的离散程度或变异程度的。

例6.7 现有甲、乙两组篮球队员的身高(cm)测量结果如下：

甲组：183　187　187　191　192
乙组：179　184　188　193　196

两组篮球队员的平均身高都是188cm，但是甲组球员的身高比较集中，乙组球员的身高比较分散。因此，必须把集中趋势指标和离散趋势指标结合起来才能全面反映数据的分布特征。

(一)极差

极差亦称"全距"(简记为"R")，即一组观察值中最大值与最小值之差。极差越大，说明变异程度越大，数据分布比较分散；极差越小，说明变异程度越小，数据分布比较集中。

如例6.7中，$R_甲 = 192 - 183 = 9(cm)$，$R_乙 = 196 - 179 = 17(cm)$，说明乙组球员身高的变异程度较大。

(二)四分位数间距

四分位数间距简记为"Q"，即将一组观察值按照由小到大的顺序排列后，通过P_{25}、P_{50}、P_{75}这三个百分位数将全部观察值分为四等份。上四分位数即第75百分位数，用"Q_u"表示；下四分位数即第25百分位数，用"Q_L"表示。四分位数间距的计算公式是：

$$Q = Q_u - Q_L$$

算得的Q值越大，说明变异程度越大，反之，变异度越小。

(三)方差

为了克服极差和四分位数间距的缺点，需计算每个观察值x与总体均数μ之差，即"$x-\mu$"，称"离均差"。

由于离均差有正有负，$\sum(x-\mu) = 0$，无法反映变异程度的大小，所以用离均差平方和$\sum(x-\mu)^2$反映。但观察值的个数N也同样影响$\sum(x-\mu)^2$，为了消除这一影响，可取均数，称"总体方差"，记作σ^2，即：

$$\sigma^2 = \frac{\sum(x-\mu)^2}{N} \tag{6-8}$$

但是在实际工作中，总体均数μ一般是未知的，只能用样本均数$\bar{x}$作为总体均数μ的估计值，用样本含量n代替N。数理统计证明，用样本资料算出的方差总是比实际σ^2小，1908年英国统计学家W.S.Gosset提出用$n-1$代替n，因此，样本方差的公式是：

$$S^2 = \frac{\sum(x-\bar{x})^2}{n-1} \tag{6-9}$$

式中,($n-1$)被称为"自由度",一般用希腊字母 ν 表示。

(四)标准差

方差的度量单位是原观察值度量单位的平方。将方差开方后使其与原数据的度量单位相同,得到的就是标准差。总体标准差用 σ 表示,计算公式是:

$$\sigma = \sqrt{\frac{\sum(x-\mu)^2}{N}} \tag{6-10}$$

样本标准差用 S 表示,计算公式是:

$$S = \sqrt{\frac{\sum(x-\bar{x})^2}{n-1}} \tag{6-11}$$

标准差的计算根据样本量的大小有直接法和加权法 2 种方法。

1. 直接法 小样本资料可采用直接法,用公式(6-11)计算。

数学推导证明: $\sum(x-\bar{x})^2 = \sum x^2 - \frac{(\sum x)^2}{n}$,代入公式(6-11),得出样本标准差的计算公式也可以写成:

$$S = \sqrt{\frac{\sum x^2 - \frac{(\sum x)^2}{n}}{n-1}} \tag{6-12}$$

例 6.8 计算例 6.7 中甲、乙两组篮球队员身高的标准差。

甲组:$n=5$,$\sum x = 940$,$\sum x^2 = 176772$,代入公式(6-12):

$$S_{甲} = \sqrt{\frac{176772 - \frac{(940)^2}{5}}{5-1}} = 3.61(\text{cm})$$

同理,$S_{乙} = 6.82(\text{cm})$,从标准差的计算结果可以看出,两组中乙组的变异程度较大,甲组的变异程度较小。

2. 加权法 加权法用于观察值较多时的频数表资料,计算公式为:

$$S = \sqrt{\frac{\sum fx^2 - \frac{(\sum fx)^2}{\sum f}}{\sum f - 1}} \tag{6-13}$$

式中,x 为各组段的组中值,f 为相应的频数。

例 6.9 试求例 6.1 中 101 例健康男子血清总胆固醇值的标准差。

本例观察值较多,可用加权法。由表 6-1 已知:

$\sum f = 101$,$\sum fx = 475.4$,$\sum fx^2 = 2312.52$,代入公式(6-13),得出

$$S = \sqrt{\frac{2312.52 - \frac{475.4^2}{101}}{101-1}} = 0.87(\text{mmol/L})$$

（五）变异系数

变异系数简记为"CV"，是标准差与均数之比，计算公式是：

$$CV = \frac{s}{\overline{X}} \times 100\% \tag{6-14}$$

变异系数可用于比较计量单位不同或者均数相差悬殊的两组（或多组）资料的离散程度。

例6.10 某地10岁男生的平均体重为33.60kg，标准差为6.70kg；7岁男生的平均体重为23.30kg，标准差为2.56kg。试分析两个年龄段男生的体重变异程度。

10岁男生体重 $CV = \dfrac{6.70}{33.60} \times 100\% = 19.94\%$

7岁男生体重 $CV = \dfrac{2.56}{23.30} \times 100\% = 10.99\%$

由变异系数计算的结果可见，10岁男生体重的变异程度大于7岁男生。

四、正态分布及应用

（一）"正态分布"的概念

正态分布也称"高斯分布"，是医学和生物学最常见的连续性分布。如身高、体重、红细胞数、血红蛋白数值等，都是正态分布。

正态分布以频数分布为基础，随着组段不断细分，频数分布图中的直条逐渐变窄，呈现中间高、两侧逐渐降低的完全对称的特点，接近于一条光滑的曲线，见图6-2。

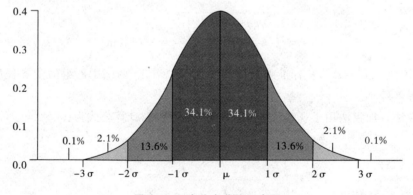

图6-2 正态分布曲线示意图

正态分布的曲线高峰位于中央，两侧逐渐下降并且完全对称。高斯用数学函数表达正态曲线，表达式为：

$$f(x) = \frac{1}{\sigma\sqrt{2\pi}} e^{-\frac{1}{2}\left(\frac{x-\mu}{\sigma}\right)^2} \tag{6-15}$$

π 为圆周率；e 为自然对数的底；μ 和 σ 为不确定常数，分别代表总体均数和总体标准差。

（二）正态分布的特征

1. 集中性　正态曲线的高峰位于正中央，即均数所在的位置。
2. 对称性　正态曲线以均数为中心，左右对称。
3. 正态分布　两个参数即均数 μ 和标准差 σ。μ 决定曲线中心对应在横轴上的位置；σ 决定曲线的形态。当 σ 不变，μ 变小，曲线中心左移；反之，曲线右移。当 μ 不变，σ 越小，则数据分布越集中，曲线越高耸；反之，则数据分布越分散，曲线越平坦：
4. 正态曲线下面积有一定的分布规律。无论 μ、σ 取什么值，正态分布都具有一定的面积规律：

(1) $\mu \pm \sigma$ 范围内的面积是正态曲线下总面积的 68.27%。
(2) $\mu \pm 1.96\sigma$ 范围内的面积是正态曲线下总面积的 95.00%。
(3) $\mu \pm 2.58\sigma$ 范围内的面积是正态曲线下总面积的 99.00%。

（三）标准正态分布

总体均数 $\mu=0$、总体标准差 $\sigma=1$ 时的正态分布称"标准正态分布"，亦称"u 分布"。

$$u = \frac{x - \mu}{\sigma} \tag{6-16}$$

式中，u——标准正态变量；
　　　x——原正态分布变量。

（四）正态分布的应用

正态分布在医学领域中的应用很广。

1. 制定医学参考值范围　参考值范围也称为"正常值范围"。医学上常把绝大多数正常人的某指标范围称为该指标的"正常值范围"。这里的绝大多数可以是指 90%、95% 或 99%，最常用的是 95%。
2. 质量控制　常以均数 $\bar{x} \pm 2s$ 作为上、下警戒值，以均数 $\bar{x} \pm 3s$ 作为上、下控制值。
3. 正态分布是很多统计分析方法的理论基础。

五、均数的抽样误差与标准误

（一）均数的抽样误差

在同一总体中随机抽取样本含量相同的若干样本时，各样本统计量之间的差异以及样本统计量与总体参数之间的差异，称"抽样误差"。统计学上把由于抽样而产生的同一总体中均数之间的差异称为"均数的抽样误差"。由于抽样误差产生的原因是客观存在个体变异，所以只要有抽样，就必然存在抽样误差。

（二）均数的标准误

标准误反映均数抽样误差的大小，也可说明样本均数之间的离散程度，

用 $\sigma_{\bar{x}} = \dfrac{\sigma}{\sqrt{n}}$ (6—17)

式中，σ——总体标准差；
N——样本含量。

在实际应用中，总体标准差 σ 常常未知，需要用样本标准差 S 来估计。因此，均数标准误的估计值为

$$S_{\bar{x}} = \dfrac{S}{\sqrt{n}}$$ (6—18)

(三) t 分布

正态变量 X 采用 $u = (X - u)/\sigma$ 变换，则一般的正态分布 $N(\mu, \sigma)$ 即变换为标准正态分布 $N(0, 1)$。因为从正态总体抽取的样本均数服从正态分布 $N(\mu, \sigma_{\bar{x}})$，同样可作正态变量的 u 变换，即 $u = (\bar{x} - \mu)/\sigma_{\bar{x}}$。在实际工作中，往往 $\sigma_{\bar{x}}$ 未知，常用 $S_{\bar{x}}$ 作为 $\sigma_{\bar{x}}$ 的估计值，此时就不是 u 变换，而是 t 变换。t 值的分布称"t 分布"，即：$t = (\bar{x} - \mu)/S_{\bar{x}}$。$t$ 分布主要用于总体均数的区间估计和均数的假设检验。

t 分布是以 0 为中心的单峰对称分布，是一簇曲线，其形状变化与自由度 $v(v = n - 1)$ 有关：v 越小，曲线越低平，随着 v 加大，t 分布逐渐接近标准正态分布（u 分布）。当 $v = \infty$，t 分布与 u 分布完全吻合，如图 6-3。

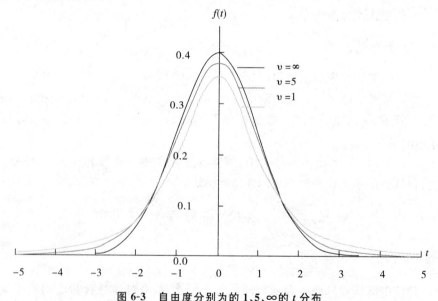

图 6-3　自由度分别为的 1、5、∞ 的 t 分布

不同自由度的 t 分布曲线下面积为 95% 或 99% 的界值不是一个常量，是随着自由度的变化而变化的。为了应用方便，统计学家根据自由度 v 与 t 分布曲线下面积的关系编制了 t 界值表。表中横标目为自由度 v，纵标目为概率 P——即 α，表中数字表示当 v 和 P 确定时对应的 t 界值（即 $t_{\alpha, v}$），如当 $v = 25$，$\alpha = 0.05$ 时，记为 $t_{0.05, 25}$；当 $v = 23$，$\alpha = 0.01$ 时，记为 $t_{0.01, 23}$。

(四) 总体均数的估计

参数估计是指通过样本统计量估计总体参数,常用的方法如下:

1. 点估计　点估计是用相应样本统计量直接作为其总体参数的估计值,如用 $\bar{x}$ 估计 μ,用 s 估计 σ 等。该方法简单,但因考虑到抽样误差的影响而不常用。

2. 区间估计　区间估计是指按一定的概率 $(1-\alpha)$ 估计总体参数所在的可能范围,即可信区间或置信区间,常用 95% 或 99% 可信区间。下面以 95% 可信区间为例,介绍计算公式。可信区间因总体标准差 σ 是否已知以及样本含量 n 的大小而有所不同。

(1) σ 已知时,由 u 分布可知,正态曲线下有 95% 的 u 值在 ± 1.96 之间,即总体均数 μ 的 95% 可信区间为:$(\bar{x}-1.96\sigma_{\bar{x}}, \bar{x}+1.96\sigma_{\bar{x}})$。

(2) σ 未知,但 n 足够大(如 n 大于 100)时,t 分布逐渐接近 u 分布,t 曲线下有 95% 的 t 值在 ± 1.96 之间,即总体均数 μ 的 95% 可信区间为:$(\bar{x}-1.96S_{\bar{x}}, \bar{x}+1.96S_{\bar{x}})$。

(3) σ 未知且 n 较小时,据 t 分布原理,95% 的 t 值在 $\pm t_{0.05,\nu}$ 之间,即总体均数 μ 的 95% 可信区间为:$(\bar{x}-t_{0.05,\nu}S_{\bar{x}}, \bar{x}+t_{0.05,\nu}S_{\bar{x}})$。

例 6.11　某地妇幼保健院随机抽取 12 个月婴儿 25 例,测得其血红蛋白平均数 $\bar{x}=123.7 g/L$,标准差 $s=11.9 g/L$,试估计该地区 12 个月婴儿血红蛋白平均数 95% 的可信区间。

本例中 $n=25, \nu=25-1=24, \alpha=0.05$,查 t 界值表,双侧 $t_{0.05,24}=2.064$,得出:$(\bar{x}-t_{0.05,24}S_{\bar{x}}, \bar{x}+t_{0.05,24}S_{\bar{x}})$

$= (123.7-2.064\times 11.9/\sqrt{25}, 123.7+2.064\times 11.9/\sqrt{25})$

$= (118.79, 128.61)$

该地区 12 个月婴儿血红蛋白平均数 95% 的可信区间为 (118.79, 128.61)。

六、t 检验与 u 检验

(一) 假设检验的基本原理和基本步骤

假设检验又称"显著性检验",是统计推断的重要内容之一。假设检验的基本原理是先对总体参数或分布作出假设,再选用适当的统计方法,利用样本提供的信息,检验刚才提出的假设成立的概率,再依据小概率事件原理,决定是否拒绝该假设。

例 6.12　已知正常成年男性的脉搏均数为 72.0 次/分。在调查中,某科室随机抽取 25 名同种疾病病人,测得其脉搏均数为 74.2 次/分,标准差为 6.5 次/分。试问:该疾病病人的脉搏均数与一般健康成年男性的脉搏均数是否不同?

从上例中可以看出,样本均数与总体均数之间存在差异。如何判断差异出现的原因呢?这就需要进行假设检验,基本步骤如下:

1. 建立检验假设,确定检验水准

(1) 建立检验假设:包括以下 2 个方面:

无效假设 H_0:H_0 表示上例中该疾病患者的脉搏均数 μ 与一般健康成年男性的脉搏均数 μ_0 相等,即 $\mu=\mu_0$,两总体均数相等,差异是由于抽样误差形成的。

备择假设 H_1：H_1 表示上例中该疾病患者的脉搏均数 μ 与一般健康成年男性的脉搏均数 μ_0 不等，即 $\mu \neq \mu_0$，两总体均数不相等，差异不是由于抽样误差形成的。在假设检验中，H_0 是主要的，只有拒绝了 H_0，才能接受 H_1。

(2) 确定检验水准：检验水准是预先规定的小概率事件的标准，用 α 表示。α 是"是否拒绝 H_0 的界限"。研究者可以根据研究目的规定 α 的大小，通常 α 取 0.05。

2. 选择检验方法，计算统计量　要根据统计推断的目的、研究设计的类型和样本量的大小等条件，选用合适的检验方法和计算相应的统计量。

3. 确定 P 值，作出推断结论　P 值是指从 H_0 所规定的总体中进行随机抽样，获得等于及大于（或等于及小于）现有样本的检验统计量值（如 t 值或 u 值）的概率。

将概率 P 与检验水准 α 进行比较，然后作出推断：

当 $P \leq \alpha$ 时，则拒绝 H_0，接受 H_1，差异有统计学意义；

当 $P > \alpha$ 时，尚不能拒绝 H_0，差异无统计学意义。

(二) t 检验

t 检验适用于样本含量 n 较小时，理论上要求样本来自正态分布的总体。

1. 样本均数与已知总体均数比较的 t 检验　该检验又称"单样本 t 检验"。"已知总体均数"一般为理论值、标准值或经过大量观察所得到的稳定值等。已知总体均数为 μ_0，样本均数所代表的未知总体均数为 μ，假设检验的目的：推断这两者是否相等。

例 6.13

(1) 建立检验假设，确定检验水准。

$H_0: \mu = \mu_0$，该疾病患者的脉搏均数与一般健康成年男性的脉搏均数相等；

$H_1: \mu \neq \mu_0$，该疾病患者的脉搏均数与一般健康成年男性的脉搏均数不等；

$\alpha = 0.05$。

(2) 选择检验方法，计算统计量。

$$t = \frac{|\bar{x} - \mu_0|}{S_{\bar{x}}} = \frac{|\bar{x} - \mu_0|}{\frac{S}{\sqrt{n}}} \tag{6-19}$$

代入例 6.12 中的数值，

$$\mu_t = \frac{74.2 - 72}{\frac{6.5}{\sqrt{25}}} = 1.69$$

(3) 确定 P 值，作出推断结论。

在例 6.12 中，自由度 $\nu = 25 - 1 = 24$，查 t 界值表得出 $t_{0.05, 24} = 2.064$，在第(2)步中得到 $t = 1.69 < 2.064$，因此，$P > 0.05$，按照 $\alpha = 0.05$ 的检验水准，不拒绝 H_0，差异无统计学意义。

2. 配对设计资料的 t 检验　配对设计是将受试对象按可能会影响研究结果的某些特征或属性相近的原则配对。每对中的两个个体随机地给予两种处理，若两种处理的效应相同或某种处理没发生作用，两总体均数相等，即 $\mu_1 = \mu_2$，即差值的总体均数 $\mu_d = 0$。配对设计资料的 t 检验是计算样本差值均数 $\bar{d}$ 与已知差值的总体均数 0 的比较。其计算公式是：

$$t = \frac{|\bar{d} - \mu_d|}{\frac{S_d}{\sqrt{n}}} = \frac{|\bar{d} - 0|}{\frac{S_d}{\sqrt{n}}} \tag{6-20}$$

式中，$\bar{d}$——差值的样本均数；

S_d——差值的标准差；

n——对子数。

例 6.14 抽取 10 例使用某新型高血压治疗药物的病人，记录这些病人治疗前后舒张压（mmHg）的变化，具体数据见表 6-5。试推断该新药对高血压病人的舒张压的变化是否有影响。

表 6-5 高血压病人治疗前后舒张压（mmHg）测量结果

患者编号 (1)	治疗前 (2)	治疗后 (3)	差值 $d=(2)-(3)$ (4)	$d^2=(4)^2$ (5)
1	100	90	10	100
2	100	90	10	100
3	96	90	6	36
4	98	88	10	100
5	110	104	6	36
6	107	96	11	121
7	119	114	5	25
8	116	89	27	729
9	99	95	4	16
10	100	91	9	81
合计	—	—	$\sum d = 98$	$\sum d^2 = 1344$

（1）建立检验假设，确定检验水平：

$H_0: \mu_d = 0$，该新药对高血压病人舒张压的变化无影响；

$H_1: \mu_d \neq 0$，该新药对高血压病人舒张压的变化有影响；

$\alpha = 0.05$。

（2）选择检验方法，计算统计量：

例 6.14 中，$n = 10$，$\sum d = 98$，$\sum d^2 = 1344$，$\bar{d} = \sum d / n = 98/10 = 9.8$

$$S_d = \sqrt{\frac{\sum d^2 - \frac{(\sum d)^2}{n}}{n-1}} = \sqrt{\frac{1344 - \frac{(98)^2}{10}}{10-1}} = 6.5286$$

$$t = \frac{9.8}{\frac{6.5286}{\sqrt{10}}} = 4.747$$

(3) 确定 P 值，作出推断结论：

按照 $v=10-1=9$，查 t 界值表，得出双侧界值 $t_{0.05,9}=2.262$，因此，$t>t_{0.05,9}$，则 $P<0.05$，按照 $\alpha=0.05$ 的检验水准，拒绝 H_0，接受 H_1，差异有统计学意义，可以推断该新药对高血压病人的舒张压有影响，治疗之后可使患者舒张压降低。

3. 两样本均数的 t 检验 该方法适用于完全随机设计的资料，可以推断两样本均数所代表的总体均数是否相同。其计算公式是：

$$t=\frac{|\bar{x}_1-\bar{x}_2|}{S_{\bar{x}_1-\bar{x}_2}} \qquad v=n_1+n_2-2 \qquad (6-21)$$

式中，$\bar{x}_1$ 和 $\bar{x}_2$ 为两样本均数，$S_{\bar{x}_1-\bar{x}_2}$ 为两样本均数之差的标准误，计算公式是：

$$S_{\bar{x}_1-\bar{x}_2}=\sqrt{\frac{(n_1-1)S_1^2+(n_2-1)S_2^2}{n_1+n_2-2}\left(\frac{1}{n_1}+\frac{1}{n_2}\right)} \qquad (6-22)$$

例 6.15 观察某新药对急性黄疸性肝炎的退黄效果，并与单独使用输液法保肝的病人进行对照观察。两组病人黄疸指数在 30～50 单位，每个病人的退黄天数如下，试推断新药组（1组）与对照组（2组）退黄天数有无差别。

新药组　5　7　8　10　11
对照组　15　18　16　20　21

(1) 建立检验假设，确定检验水准：

$H_0:\mu_1=\mu_2$，该新药对缩短退黄天数无影响；

$H_1:\mu_1\neq\mu_2$，该新药对缩短退黄天数有影响；

$\alpha=0.05$。

(2) 选择检验方法，计算统计量：

新药组：$\bar{x}_1=\frac{\sum x_1}{n_1}=\frac{41}{5}=8.2$；$S_1=2.387$

对照组：$\bar{x}_2=\frac{\sum x_2}{n_2}=\frac{90}{5}=18.0$；$S_2=2.550$

$$S_{\bar{x}_1-\bar{x}_2}=\sqrt{\frac{(5-1)\times 2.387^2+(5-1)\times 2.550^2}{5+5-2}\left(\frac{1}{5}+\frac{1}{6}\right)}=1.562$$

$$t=\frac{|8.2-18.0|}{1.562}=6.274$$

自由度 $v=8$。

(3) 确定 P 值，作出推断结论：按照 $v=8$，$\alpha=0.05$，查 t 界值表，得出 $t_{0.05,8}=2.306$。因为 $|t|>t_{0.05,8}$，$P<0.05$，按照 $\alpha=0.05$ 的检验水准，拒绝 H_0，接受 H_1，差异有统计学意义，可以推断该新药对急性黄疸性肝炎病人的退黄天数有影响，治疗之后可使病人退黄天数缩短。

(三) u 检验

当样本含量较大时，样本均数近似正态分布，可用 u 检验。统计量 u 的计算公式为：

$$u = \frac{\overline{x}_1 - \overline{x}_2}{S_{\overline{x}_1 - \overline{x}_2}} = \frac{\overline{x}_1 - \overline{x}_2}{\sqrt{\frac{S_1^2}{n_1} + \frac{S_2^2}{n_2}}} \tag{6-23}$$

例 6.16 某医院对 50～65 岁年龄组不同性别的健康人群进行白细胞数($\times 10^9$/L)调查,结果见表 6-6。试推断不同性别健康人群的白细胞数有无差别。

表 6-6 健康成人白细胞数($\times 10^9$/L)测得值

性别	人数 n	均数 $\overline{X}$	标准差 S
男	120	4.70	0.50
女	110	4.40	0.35

(1) 建立检验假设,确定检验水准:

$H_0: \mu_1 = \mu_2$,健康人群的白细胞数无性别差异;

$H_1: \mu_1 \neq \mu_2$,健康人群的白细胞数有性别差异;

$\alpha = 0.05$。

(2) 选择检验方法,计算统计量:

$$u = \frac{\overline{x}_1 - \overline{x}_2}{S_{\overline{x}_1 - \overline{x}_2}} = \frac{4.70 - 4.40}{\sqrt{\frac{(0.50)^2}{120} + \frac{(0.35)^2}{110}}} = 5.310$$

(3) 确定 P 值,作出推断结论:本题中统计量 $u = 5.310 > u_{0.01} = 2.58$,$P < 0.01$,按照 $\alpha = 0.05$ 的检验水准,拒绝 H_0,接受 H_1,有统计学意义,可以推断男性健康人群的白细胞数高于女性健康人群。

第三节 计数资料统计分析

计数资料常见的数据形式是绝对数,绝对数可以作为研究客观事物的基本信息,但不便于比较事物之间的联系。例如:甲校流行性腮腺炎发病 30 例,乙校流行性腮腺炎发病 20 例。甲校发病比乙校多 10 例,但并不能据此肯定甲校的发病情况比乙校严重,结合甲校和乙校的在校学生数分别为 2000 名和 1200 名,得出甲校流行性腮腺炎的发病率为 1.5%,乙校流行性腮腺炎的发病率为 1.6%。由此可知,乙校流行性腮腺炎的发病情况略为严重。因此,对计数资料进行统计描述时,必须用相对数才能说明其数量特征。

一、相对数

相对数是两个有联系的指标之比,医学上常用的有率、构成比和相对比等统计指标。

(一) 常用相对数

1. 率　率是用来说明某种现象发生的频率或强度的相对数,常以百分率(%)、千分率(‰)、万分率(/万)、十万分率(/10 万)等表示。其计算公式是:

$$\text{率} = \frac{\text{发生某现象的实际例数}}{\text{可能发生某现象的总例数}} \times K \qquad (6-24)$$

式中,K 为比例基数,通常依据习惯而定。原则上使计算结果至少保留 1～2 位整数。但在医学资料中某些指标的比例基数是固定的,如治愈率通常用百分率,出生率、死亡率通常用千分率,某些肿瘤或罕见疾病的死亡率通常用十万分率等。

2.构成比 构成比又称"构成指标",用于说明某一事物内部各组成部分所占的比重或分布,常以百分数(%)表示,又称"百分构成比"。

其计算公式为:

$$\text{构成比} = \frac{\text{某一组成部分的观察单位数}}{\text{同一事物各组成部分的观察单位总数}} \times 100\% \qquad (6-25)$$

构成比有 2 个特点:①各组成部分的构成比之和等于 100%;②各构成比之间相互制约,一部分变化会使其他部分发生变化。

例 6.17 某医院共有护士 378 名,其中,学历为大学本科的有 158 名,专科的有 190 名,中专的有 30 名,试计算各种学历护士的构成比。按公式(6-25)计算:

本科护士:$\frac{158}{378} \times 100\% = 41.80\%$

专科护士:$\frac{190}{378} \times 100\% = 50.26\%$

中专护士:$\frac{30}{378} \times 100\% = 7.94\%$

3.相对比 相对比是 A、B 两个有关指标之比,常以倍数或百分数表示。计算公式为:

$$\text{相对比} = \frac{A}{B} (\text{或} \times 100\%) \qquad (6-26)$$

如果 A 指标大于 B 指标,结果用倍数表示;反之,用百分数表示。A 指标与 B 指标性质可以相同,也可以不同。

例 6.18 某年某医院出生的婴儿中,男婴为 265 名,女婴为 238 名,则在该医院出生的婴儿性别比例为:

男、女之比:$\frac{265}{238} = 1.11(\text{倍})$

女、男之比:$\frac{238}{265} \times 100\% = 89.81\%$

即男婴是女婴的 1.11 倍,女婴是男婴的 89.81%。

(二)应用相对数的注意事项

1.计算相对数时分母一般不宜过小,分母小表示样本含量少,计算结果不稳定,无法正确反映事物的实际水平。例如,用某新药治疗 5 例病人,如果全部治愈,据此就说这种药的疗效是 100% 显然是不可靠的,这时最好用绝对数表示。

2.分析时不能以构成比代替率,构成比只能说明事物内部各组成部分的比重或分布,而率说明的是事物某一部分发生的强度或频率。在实际工作中,以构成比代替率的错误现象时有发生。

3. 对观察单位数不等的几个率,不能直接相加求其总率。

4. 在比较相对数时应注意可比性,除了研究因素之外,其他可能影响研究结果的因素在各组的内部应该相同。

5. 对样本率(或构成比)的比较应随机抽样,并做假设检验,因为率和构成比都存在抽样误差,所以进行比较时,不能仅凭表面数值的大小下结论,而应进行假设检验。

二、率的抽样误差

由抽样的原因,引起样本率与总体率之间或样本率之间的差异,称"率的抽样误差"。衡量率的抽样误差大小的指标被称为"率的标准误",反映了样本率与总体率接近的程度。率的标准误的计算公式为:

$$\sigma_p = \sqrt{\frac{\pi(1-\pi)}{n}} \qquad (6-27)$$

式中, σ_p——率的标准误;

π——总体率;

n——观察单位个数。

但在实际工作中,总体率 π 经常是未知的,因此,常用下面的公式求样本率的标准误以作为总体率的估计值,计算公式为:

$$S_p = \sqrt{\frac{p(1-p)}{n}} \qquad (6-28)$$

式中, S_p—— 样本率的标准误;

p——样本率;

n——样本量。

例 6.19 抽取某煤矿工龄为 10~15 年的井下作业工人 500 人参加体检,其中,有 336 人患有矽肺病,患病率为 67.2%,试求患病率的标准误。

已知 $n=500, p=0.672$,代入公式 6-27,得出:

$$S_p = \sqrt{\frac{p(1-p)}{n}} = \sqrt{\frac{0.672 \times (1-0.672)}{500}} = 0.0210 = 2.10\%$$

即该煤矿工龄为 10~15 年的井下作业工人的矽肺病患病率的标准误为 2.10%。

三、卡方检验

卡方检验又称"χ^2 检验",是一种用途较广的假设检验方法,常用于 2 个或以上的样本率(或构成比)之间有无差别的检验,还可用于配对计数资料的比较。

四格表资料的检验主要用于两个样本率(或构成比)的假设检验。

例 6.20 将 220 例受试对象随机分成两组,一组注射疫苗预防流感,称"用药组";另一组不使用流感疫苗,称"对照组",两组人群流感发病结果见表 6-7。试问:注射疫苗与不注射疫苗这两种方法对预防流感的效果是否有差别?

表 6-7　两组人群流感发病率比较

方法	发病病人数	未发病病人数	合计	发病率(%)
用药组（注射疫苗）	14(20)	86(80)	100	14
对照组（未注射疫苗）	30(24)	90(96)	120	25
合计	44	176	220	39

表 6-7 中，14、86、30、90 这 4 个格子的数据是整个表的基本数据，即用药组和对照组的人群中发病病人数和未发病病人数，其余数据都是从这 4 个数据中计算出来的，因此，将这种资料称为"四格表资料"。

1. 四格表 χ^2 检验的基本公式为

$$\chi^2 = \sum \frac{(A-T)^2}{T} \quad (6-29)$$

式中，A——实际频数，即实际观察到的例数；

T——理论频数，表示如果检验假设 H_0 成立（两组的发生率相同）应该观察到的例数。

理论频数的计算公式为：

$$T_{RC} = \frac{n_R n_C}{n} \quad (6-30)$$

式中，T_{RC}——第 R 行第 C 列格子的理论数；

n_R——与理论数同行的合计数；

n_C——与理论数同列的合计数；

n——总例数。

表 6-6 中第 1 行第 1 列格子的理论数表示为"T_{11}"，用公式(6-30)计算：

$$T_{11} = \frac{100 \times 44}{220} = 20$$

由于四格表中每行和每列都只有两个格子，行的合计数和列的合计数是固定的，所以用公式(6-30)求出其中任何一个格子的理论数后，其余 3 个格子的理论数可用减法求得。如本例中 $T_{11}=20$，则其余 3 格的理论数为：

$T_{12} = 100 - 20 = 80$；

$T_{21} = 44 - 20 = 24$；

$T_{22} = 120 - 24 = 96$。

公式(6-29)中的 χ^2 的大小反映了实际频数与理论频数的吻合程度。如果检验假设 H_0 成立，则实际频数与理论频数的差值越小，χ^2 越小；反之，若 χ^2 越大，说明实际频数与理论频数的差值越大，检验假设 H_0 成立的可能性越小。

χ^2 的大小还与格子数的多少（自由度 υ 的大小）有关，自由度 υ 的计算通式如下

$$\upsilon = (R-1) \times (C-1) \quad (6-31)$$

自由度 υ 越大，χ^2 值也就越大。

2. 四格表 χ^2 检验的基本步骤为：

①建立检验假设，确定检验水准，以例 6.18 具体说明。

$H_0:\pi_1=\pi_2$，即用药组与对照组无差别；

$H_1:\pi_1\neq\pi_2$，即用药组与对照组有差别；

$\alpha=0.05$。

②计算 χ^2 值。将前面算出的各格子的 A 与 T 的代入公式 6-29，得出：

$$\chi^2=\frac{(14-20)^2}{20}+\frac{(86-80)^2}{80}+\frac{(30-24)^2}{24}+\frac{(90-96)^2}{96}=4.125$$

③确定 P 值，作出推断结论。自由度 $\upsilon=(R-1)\times(C-1)$，查 χ^2 界值表得：$\chi^2_{0.05,1}=3.84$。

本例中 $\chi^2=4.125>\chi^2_{0.05,1}=3.84$，则 $P<0.05$，按照 $\alpha=0.05$ 的检验水准，拒绝 H_0，接受 H_1，有统计学意义，可以认为用药组发病率低于对照组。

3. 四格表专用公式　该公式是通过基本公式 $\chi^2=\sum\frac{(A-T)^2}{T}$ 推导出来的，在实际工作中，专用公式的计算过程比基本公式更简单。

$$\chi^2=\frac{(ad-bc)^2\times n}{(a+b)(c+d)(a+c)(b+d)} \tag{6-32}$$

式中，a、b、c、d 分别是四格表中的 4 个实际数，n 表示 2 个样本的总例数，$n=a+b+c+d$。

4. 四格表的校正公式

①当样本总例数 $n\geq 40$，且所有格子的理论频数 $T\geq 5$ 时，可用 χ^2 检验基本公式或专用公式计算 χ^2 值。

②当样本总例数 $n\geq 40$，但有任一格子的理论频数是 $1\leq T<5$ 时，需用校正公式，具体如下：

$$\chi^2=\frac{(|A-T|-0.5)^2}{T} \tag{6-33}$$

或

$$\chi^2=\frac{\left(|ad-bc|-\frac{n}{2}\right)^2\times n}{(a+b)(c+d)(a+c)(b+d)} \tag{6-34}$$

③当样本总例数 $n<40$ 或 $T<1$ 时，即使采用校正公式计算仍有偏差，需用四格表确切概率法计算。

例 6.21　某医院儿科采用甲、乙两种方法治疗小儿腹泻，治疗结果如表 6-8，试问：甲、乙两种方法的治愈率是否相等？

表 6-8　甲、乙两组方法治疗小儿腹泻的治愈率比较

方法	发病患者数	未发病患者数	合计
甲组	26(28.8)	7(4.2)	33
乙组	36(33.2)	2(4.8)	38
合计	62	9	71

①建立检验假设,确定检验水准

$H_0:\pi_1=\pi_2$,即甲组与乙组的治愈率相同;

$H_1:\pi_1\neq\pi_2$,即甲组与乙组的治愈率不同;

$\alpha=0.05$。

②计算 χ^2 值。因上例中样本总例数大于40,有2个格子理论数小于5,故用公式(6-33)或(6-34)计算 χ^2 值。

$$\chi^2=\frac{\left(|26\times 2-7\times 36|-\frac{71}{2}\right)^2\times 71}{(26+7)(36+2)(26+36)(7+2)}=2.74$$

③确定 P 值,作出推断结论。自由度 $\upsilon=(R-1)\times(C-1)=(2-1)\times(2-1)=1$,查 χ^2 界值表得:$\chi^2_{0.05,1}=3.84$,本例中 $\chi^2=2.74<\chi^2_{0.05,1}=3.84$,则 $P>0.05$,按照 $\alpha=0.05$ 的检验水准,不拒绝 H_0,差异无统计学意义。因此,尚不能认为甲、乙两种方法对小儿腹泻的治愈率有差别。

本例如不校正,则 $\chi^2=4.06>\chi^2_{0.05,1}=3.84$,则 $P<0.05$,就会得出相反的结论。

(二)配对资料的 χ^2 检验

配对计数资料设计方法将观察单位配成对子,每一对分别采用甲、乙两种不同处理方法,观察处理结果。其结果可表现为4种情况,分别用 a、b、c、d 表示。

a:甲法(+) 乙法(+);

b:甲法(+) 乙法(-);

c:甲法(-) 乙法(+);

d:甲法(-) 乙法(-)。

将 a、b、c、d 4种情况填入四格表,即配对四格表,如表6-9。

表6-9 配对资料的四格表

乙处理方法	甲处理方法		合计
	+	-	
+	结果为a的数量	结果为b的数量	a+b
-	结果为c的数量	结果为d的数量	c+d
合计	a+c	b+d	n=a+b+c+d

例6.22 某医院对28例肿瘤患者分别在术前用 CT 和 MRI 检测病灶的数目,结果见表6-10,试比较两种检测方法有无差别。

表6-10 两种方法检测结果比较

乙法(MRI)	甲法(CT)		合计
	+	-	
+	11(a)	9(b)	20
-	1(c)	7(d)	8
合计	12	16	28

从上表可看出,a 和 d 是两种检测方法结果一致的情况,对于比较两种检测方法差异无统计学意义;b 和 c 是两种方法检测结果不一致的情况,配对资料的 χ^2 检验只考虑 b 和 c 对结果的影响。

配对资料的 χ^2 检验公式如下:

$$b+c \geqslant 40 \text{ 时}, \chi^2 = \frac{(b-c)^2}{b+c} \quad (6-35)$$

$$b+c < 40 \text{ 时}, \chi^2 = \frac{(|b-c|-1)^2}{b+c} \quad (6-36)$$

例 6.22 检验步骤如下:

①建立检验假设,确定检验水准。

H_0:两种检测方法效果无差别,即 $b=c$;

H_1:两种检测方法效果有差别,即 $b \neq c$;

$\alpha = 0.05$。

②计算 χ^2 值。

因本例中 b=9,c=1。b+c=10<40,故用公式(6-36)计算 χ^2 值。

$$\chi^2 = \frac{(|9-1|-1)^2}{9+1} = 4.9$$

③确定 P 值,作出推断结论。

查 χ^2 界值表,$\chi^2_{0.05,1} = 3.84$,$\chi^2 = 4.9 > \chi^2_{0.05,1} = 3.84$,则 $P<0.05$,按照 $\alpha=0.05$ 的检验水准,拒绝 H_0,接受 H_1,差异有统计学意义,即两种检测方法的检出率有区别。根据样本数据,MRI 检出的阳性率高于 CT。

(三)行×列表资料的 χ^2 检验

当行数和(或)列数超过 2 时,通常称为"行×列表资料",简记为"R×C 表"。R×C 表常用于多个率(或构成比)的差异性的比较。行×列表的计算常采用其专用公式:

$$\chi^2 = n \times \left(\sum \frac{A^2}{n_R n_C} - 1 \right) \quad (6-37)$$

式中, n——总例数;

A——每个格子的实际数;

n_R——与 A 相应的行合计数;

n_C——与 A 相应的列合计数。

例 6.23 某医院儿科采用 3 种疗法治疗 256 例小儿腹泻,治疗结果见表 6-11,试比较 3 种疗法在治疗小儿腹泻方面的疗效有无差别。

表 6-11 3 种疗法治疗小儿腹泻的疗效比较

疗法	有效患儿人数	无效患儿人数	合计	有效率(%)
甲疗法	44	57	101	43.6
乙疗法	33	18	51	64.7
丙疗法	84	20	104	80.8
合计	161	95	256	62.9

表 6-11 为 3×2 表,检验步骤如下:
①建立检验假设,确定检验水准。
$H_0:\pi_1=\pi_2=\pi_3$,即 3 种疗法的疗效相同;
H_1:3 种疗法的疗效不同或不全相同;
$\alpha=0.05$。
②计算 χ^2 值,将已知数值代入公式 6-37 得:
$$\chi^2=256\left(\frac{44^2}{101\times161}+\frac{57^2}{101\times95}+\frac{33^2}{51\times161}+\frac{18^2}{51\times95}+\frac{84^2}{104\times161}+\frac{20^2}{104\times95}-1\right)$$
$$=30.49$$
③确定 P 值,作出推断结论。
本例中自由度 $v=(3-1)(2-1)=2$,查 χ^2 界值表,$\chi^2_{0.05,2}=5.99$,
$\chi^2=30.49>\chi^2_{0.05,2}=5.99$,则 $P<0.05$。按照 $\alpha=0.05$ 的检验水准,拒绝 H_0,接受 H_1,差异有统计学意义。即 3 种疗法治疗小儿腹泻的疗效有差别。

行×列表资料 χ^2 检验的注意事项:

1. 理论数不宜太小　一般不宜有 1/5 以上格子的理论频数小于 5,或有一个理论频数小于 1。对理论数太小的情况有 3 种处理方法:①最好增加样本含量,以增大理论频数;②删去理论频数太小的行和列;③将理论频数较小的行或列与邻行或邻列合并,以增大理论频数。但后 2 种方法可能导致损失信息。

2. 当多个样本率(或构成比)比较的检验时,如果结论为拒绝检验假设 H_0,接受 H_1,只能认为各总体率(或总体构成比)之间不全相等,但不能认为彼此间都不相等。

第四节　统计表与统计图

统计表与统计图是重要的统计描述方法,能简洁明了、直观地用于表达统计资料,便于进行比较和分析。

一、统 计 表

把统计分析资料及其指标用表格列出,称"统计表"。制作统计表的目的是使资料能一目了然,便于计算、分析和对比。

（一）统计表的基本结构

统计表主要由表序(表编号)、标题、标目、表体(数字)和线条等组成,基本格式如下。

表序	标题	
	纵标目	合计
横标目	表体(数字)	数字
⋮	⋮	⋮
合计	数字	数字

图 6-4　统计表的基本结构

(二)统计表的种类

统计表分为2种,一种是简单表,另一种是复合表。

1. 简单表 只按一个特征或标志分组的统计表称"简单表",如表6-12。

表6-12 某地某年55岁以上男、女的心血管疾病患病率

性别	观察人数	心血管患病人数	患病率(%)
男	2780	563	20.25
女	3200	579	18.09
合计	5980	1142	19.10

2. 复合表 按2个或2个以上特征或标志结合起来分组的统计表称"复合表"或"组合表",如表6-13。

表6-13 某地某年不同致死原因、不同性别死亡率和构成比的比较

死因名称	男		女	
	死亡率(1/10万)	构成比(%)	死亡率(1/10万)	构成比(%)
恶性肿瘤	187.24	27.12	129.83	23.58
心脏病	166.20	24.07	147.62	26.81
脑血管疾病	158.13	22.90	126.23	22.93
呼吸系统疾病	67.19	9.73	54.56	9.91
损伤和中毒	28.79	4.17	17.04	3.09

(三)统计表的编制要求

编制统计表的总原则是结构简单、层次清楚、数据准确、便于比较,对各部分的具体要求如下:

1. 标题 标题位于表的上方中间的位置,能简明扼要地概括表的主要内容,一般需注明时间、地点、内容等。

2. 标目 标目是用于说明表内数字含义的部分,有横、纵标目之分,分别说明横行和纵行数字的含义,应做到文字简明、层次清楚。

3. 线条 线条应尽量减少,最基本的线有3条,即顶线、底线和纵标目与表体之间的分隔线。如需合计,则各组数字与"合计"数字之间也要有分隔线,其余线条一般均可省略。

4. 数字 表内数据一律采用阿拉伯数字,同一指标小数点位数要一致且位次要对齐。表内不应有空项,无数字用"一"表示,数字若为零则填"0",暂缺项或未记录用"…"表示。

5. 备注 备注不是表的必备内容,如有必要,可在表内用"*"号标记,然后在表的下方用文字加以说明。

二、统计图

统计图是利用点的位置、线段的升降、直条的长短或面积的大小等绘制成几何图形,以表示各种数量间的关系及其变动情况的工具。常用的统计图有直条图、直方图、百分构成条图、圆图、线图、散点图、统计地图等。

(一)绘制统计图的基本要求

1. 根据资料选择合适的统计图类型　间断性资料宜选用直条图、圆图等;连续性资料宜选用线图、直方图等;地域性资料宜选用统计地图等。

2. 标题　位于图的下方,标题应简明扼要地说明图的主要内容,必要时注明时间和地点,左侧注明图的编号。

3. 标目　建立在直角坐标系上的统计图,其纵轴尺度自下而上,横轴尺度从左到右,数字一律由小到大,某些图还要求纵轴尺度从 0 开始(如直条图、直方图)。纵横两轴一般应有标目并注明单位。纵横两轴长宽比例一般为 5∶7。

4. 图例　在同一图内比较不同事物时,需用不同的线条、颜色表示不同的资料,并附图例说明,图例一般放在图内右上角的空隙处。

(二)常用统计图

1. 直条图　直条图是以等宽直条的长短来表示各项指标的数值,可用来表示各相互独立指标之间的对比关系。直条图一般有单式(见图 6-5)和复式(见图 6-6)2 种。

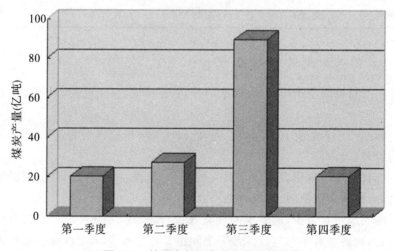

图 6-5　某国东部四个季度煤炭的产量

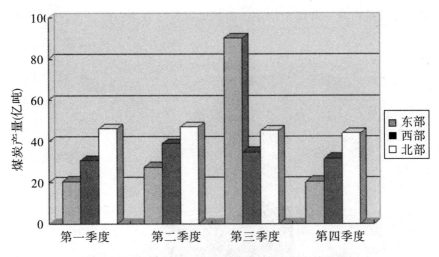

图 6-6　某国东部、西部、北部四个季度煤炭的产量

2. 直方图　直方图用于表示连续性资料的频数分布,各矩形面积总和代表各组频数的总和(见图 6-7)。

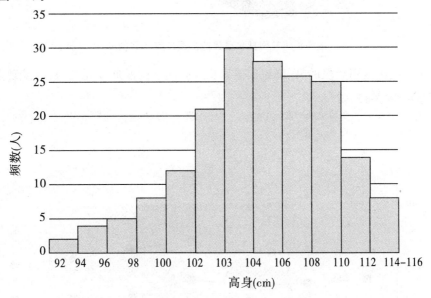

图 6-7　某市某年 183 例 4 岁男孩身高频数分布图

3. 圆图 圆图是用同一圆形中的扇形面积表示各部分所占的比重,适用于构成比资料(见图 6-8)。

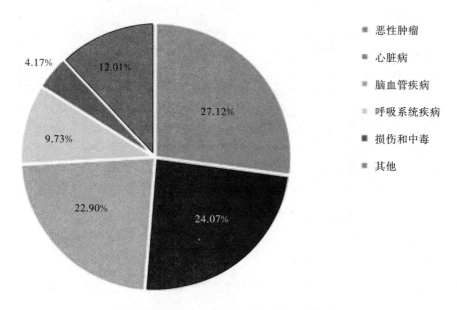

图 6-8 某国某年居民的主要疾病死因构成

4. 线图 线图是用线段的升、降说明某事物在时间上的发展变化趋势,或某现象随另一现象变迁的情况(见图 6-9)。

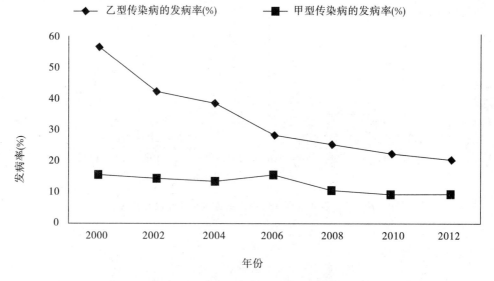

图 6-9 某地 2000—2012 年甲、乙两型传染病的发病率

5. 散点图　散点图是用点的密集程度和趋势表示两个变量之间的关系(见图6-10)。

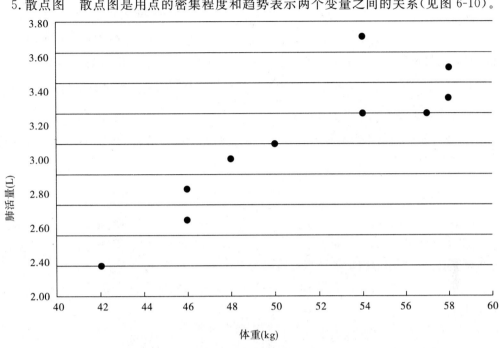

图6-10　10例初中女生体重与肺活量的关系

第五节　社区卫生统计常用的统计指标

一、人口统计指标

人口统计指标是反映人口自然和社会经济属性的统计尺度,是人口统计的基本要素。常用的人口统计指标包括:

1. 出生率　出生率是指某地1年内出生人口数与平均人口数之比,一般以千分数表示,说明1年内每千名人口中出生人口数,计算公式为:

$$出生率 = \frac{年内出生人口数}{年平均人口数} \times 1000‰$$

2. 死亡率　死亡率是表明某一地区的人口在一定时期内的死亡强度的相对指标,通常以年为时间单位计算,其计算公式为:

$$死亡率 = \frac{年内死亡人口数}{年平均人口数} \times 1000‰$$

3. 性别比　性别比是指男性人口数与女性人口数的比值,计算公式为:

$$性别比 = \frac{男性人口数}{女性人口数} \times 100\%$$

4. 老龄人口比　65岁及以上的人口称"老龄人口",老龄人口比是指65岁及以上的人口占总人口的比例,是说明人口年老程度的指标,计算公式为:

$$老龄人口比 = \frac{65\ 岁及以上的人口数}{总人口数} \times 100\%$$

5. 计划生育率 计划生育率是指某地区某时期(通常为一年)符合计划生育要求出生的所有活产婴儿数与该地同期出生活产婴儿总数的比率,以百分比表示,计算公式为:

$$计划生育率 = \frac{某年内计划出生人口数}{同时期出生总人口数} \times 100\%$$

6. 人口金字塔 人口金字塔是将人口的性别、年龄分组数据,以年龄(或出生年份)为纵轴,以人口数或年龄构成比为横轴,按左侧为男、右侧为女绘制的直方图。因其形如金字塔,故被称为"人口金字塔"。

二、疾病统计指标

疾病统计是指研究疾病在人群中发生、发展、流行的规律及分布特征,阐明各种社会因素、自然因素、生物因素等对疾病发生、发展的影响,从而为疾病的病因研究、防治、卫生保健等提供科学依据。常用的疾病统计指标有:

1. 发病率 发病率表示在观察期内,可能发生某种疾病的人群中新发病的频率。其计算公式为:

$$某病发病率 = \frac{观察期内新发病例数}{同期平均人口数} \times 1000‰$$

2. 患病率 患病率是指某一时间横断面上某病患病人数占受检人数的比例。其计算公式为:

$$患病率 = \frac{现患病人数}{受检人数} \times 1000‰$$

3. 某病死亡率 死亡率是指在规定的观察期内,人群中因某病而死亡的频率。其计算公式为:

$$某病死亡率 = \frac{观察期内因某病死亡人数}{同时期平均人口数} \times 1000‰$$

4. 治愈率 治愈率是指受治病人中治愈的频率,主要用于统计急性病的疗效。其计算公式为:

$$治愈率 = \frac{治愈人数}{受治人数} \times 100\%$$

5. 生存率 生存率是指观察对象能存活到某一时间点的概率,常用的是一年生存率、五年生存率和十年生存率。其计算公式为:

$$n\ 年生存率 = \frac{存活满\ n\ 年的例数}{观察例数} \times 100\%$$

本章小结

统计分析的基础是收集的资料要完整、准确,样本资料要能代表总体。收集的数据性质不同,采用的统计分析方法就不同。统计分析的内容主要是统计描述与统计推断,统计描述是对收集的资料用恰当的指标表达其数量特征,本章讲述了"总体"与"样本"的概念;"系统

第六章 社区卫生统计方法

误差"、"抽样误差"和"随机误差"的概念及区别；随机事件和概率、计数资料和计量资料之间的区别和联系；统计工作的4个基本步骤。计量资料和计数资料统计描述的内容和方法，包括医学正常参考值范围的确定、率、构成比和相对比；统计推断是由样本资料获得的信息对总体信息进行估计、推断，包括总体参数的估计和假设检验2种。统计分析的结果可使用统计表或统计图表达。

课后思考

1. 统计资料可以分成几类？有何区别？
2. 简述医学统计工作的步骤。
3. 计量资料中常用的集中趋势指标及适用条件各是什么？
4. 标准差和标准误有何区别和联系？
5. 常用相对数指标的公式及意义是什么？
6. 常用的统计图有哪几种？它们的适用条件是什么？
7. 某工厂在"职工健康状况报告中"写道："在946名工人中，患慢性病的有274例。其中，女性有219例，占80%；男性有55例，占20%。因此，女性易患慢性病。"问：此报告表述是否正确？为什么？

（刘丽娜）

第七章 社区疾病预防与控制

案例

某市为了了解儿童龋齿患病情况,从本市的幼儿园及小学中随机抽取10个单位的2124名学生进行了监测,结果患病率为35%。

问题:
1. 这次调查采取的是哪一种调查方法?
2. 为什么该调查计算的是患病率而不是发病率?

本章学习目标

1. 掌握疾病"三级预防"的含义、流行病学的研究方法、"突发公共卫生事件"的概念。
2. 熟悉疾病的流行病学监测、突发公共卫生事件的特点。
3. 了解突发公共卫生事件的应急措施和应急预案。

第一节 疾病的三级预防

21世纪以来,我国以控制传染病为主的第一次卫生革命的任务尚未完成,而以控制慢性病为主的第二次卫生革命却提前到来,这使我国面临着传染病和慢性病的预防和控制的双重任务。当前,不良生活方式导致的疾病已成为人类健康的头号杀手。例如:糖尿病患者中90%以上都是与不良生活方式有关的2型糖尿病。因此,切实可行的预防和干预措施,对于慢性病的预防具有举足轻重的作用。

预防是根据目前人类对疾病病因的认识、机体的调节功能和代偿状况,以及对疾病自然史的了解来进行的。因此,可根据疾病自然史,采取不同的措施来阻止疾病的发生、发展或恶化,即疾病的三级预防措施。

一、第一级预防

第一级预防又称"病因预防",主要是在疾病尚未发生时针对致病因素或危险因素采取措施,这是预防和消灭疾病的根本措施。它是采用宏观性根本措施、有目的地运用社区干预等方式来预防疾病发生的过程。其目的是使健康人免受致病因素的危害,防止疾病的发生。第一级预防是疾病预防控制中最积极、效益最高的预防措施。

二、第二级预防

第二级预防也称"临床前期预防",即在疾病早期采取早期发现、早期诊断、早期治疗的"三早"预防措施,目的是防止或减缓疾病发展。对于传染病的第二级预防,除采取"三早"措施之外,还应有早隔离、早报告措施,及早控制传染源,切断传播途径,阻止传染病的流行。

慢性病的病因大多不完全清楚,一般认为是多病因综合作用的结果,因此,采取有针对性的第一级预防效果多不明显。然而慢性病是致病因素长期作用的结果,且具有发病慢、病程长的特点,因此,早发现、早诊断、早治疗具有重要的意义。为保证"三早"措施的落实,可以根据人力、物力及财力的情况,参照成本—效益或成本—效果分析结果,选用普查、筛检、定期健康检查以及设立专门的防治机构等方法,达到早发现、早诊断、早治疗的目的。

三、第三级预防

第三级预防又称"临床预防",即在临床期或康复期对患者采取积极的治疗和康复护理措施,目的是防止疾病恶化及并发症和伤残的发生。对已丧失劳动能力或残疾者给予康复、心理、家庭护理指导,使患者尽量恢复生活和劳动能力,提高生活质量,延长寿命。三级预防的主要内容见表7-1。

表7-1 三级预防的主要内容

预防级别	服务对象	任务与措施
第一级预防	健康或易感人群	政策与组织措施(策略、法律、规章、卫生组织等)
		环境保护措施(职业安全、食品卫生、安全饮用水等)
		保护个体措施(健康教育、预防接种、合理营养、心理卫生、重点人群保护等)
第二级预防	无明显临床表现的早期患者	早期发现(定期体检、自我检查、普查、筛查等)
		早期诊断(早期诊断有利于疾病预后)
		早期治疗(早期用药、合理用药、心理治疗等)
第三级预防	确诊患者	改善预后(防残疾、防后遗症、防复发及转移等)
		促进康复(功能性康复、心理康复、回归社会等)

三级预防在疾病防制过程中是一个有机的整体,不同类型疾病三级预防的策略和措施应有所区别、有所侧重。疾病以哪一级预防为主,主要取决于疾病的病因是否明确、病变是否可逆。对病因明确的疾病,特别是病变不可逆的疾病,如矽肺病,主要采取第一级预防措施;对病因尚不够明确、危险因素众多且难以避免接触或第一级预防效果不显著的疾病,如肿瘤等,除尽量做好第一级预防外,要重点做好第二级预防;对已患慢性病的患者,应尽量做好第三级预防,促使患者早日康复。社区护理承担着社区中大多数无症状人群的健康照顾

任务,重点要做好第一级预防和第二级预防工作。

第二节 社区疾病监测

流行病学是预防医学的一门重要学科,主要从群体的角度研究人类健康状况的分布及其影响因素,探讨预防和控制疾病的措施。为达到从群体的角度预防和控制疾病、促进社区居民健康的目的,社区护士必须掌握疾病发生发展的规律及流行病学的基本知识和技能,以便能对社区常见病进行早期控制和预防,降低其发病率、伤残率和死亡率,保障及促进社区居民的健康。

一、社区流行病学监测

(一)流行病学监测的目的

1. 查明异常,及时干预　在监测过程中,如果发现社区内疾病的分布出现异常变化,就应该向有关卫生机构报告,进一步开展流行病学调查,以判断异常变化的原因,并采取干预措施来控制可能出现的疾病暴发或流行。

2. 识别危险因素　通过监测疾病在不同人群中的分布差异,提出病因假设,再结合各种研究手段进行推理论证,可确定疾病的危险因素。

3. 发现高危人群　要为干预选择合理的策略和有效的措施,高危人群的信息必不可少。通过了解居民的人口学特征,有助于确定高危人群。

4. 评价干预效果　由于监测是连续、系统地进行观察,所以在评价干预策略和措施的效果时,疾病的变化趋势能够提供最直接和最可靠的依据。例如:通过监测脊髓灰质炎发病率的变化可以评价脊髓灰质炎免疫规划的效果;广泛接种疫苗后,脊髓灰质炎的发病率急剧下降,说明接种疫苗有效。

(二)流行病学监测的步骤

流行病学监测一般包括资料收集、资料整理和分析、信息反馈和信息利用4个基本步骤。

1. 资料收集　监测资料的来源渠道广泛,可以根据监测的特定目标人群进行资料的收集工作。所需资料大致包括以下几个方面:

(1)人口学资料:该资料主要来自于户口普查、户籍登记和外来人口调查等。

(2)疾病资料:疾病资料包括医院住院及门诊病历、各种传染病的法定报告、医疗保险和公费医疗的记录等。

(3)危险因素调查资料:危险因素包括吸烟、酗酒、职业暴露等。

(4)实验室检测资料:实验室检测包括病原微生物的检测、抗体测定、水质检验等。

(5)专题调查报告:专题调查有暴发调查、漏报调查等。

(6)其他有关资料。

2. 资料整理和分析　资料整理和分析是把收集到的资料进行加工处理的过程,包括以下几个步骤：

(1)将收集到的原始资料认真核对、整理,同时了解其来源和收集方法,保证资料的及时性、完整性及准确性是得到正确统计分析结果的前提,分析不完整或不准确的资料不可能获得正确的结论,只有质量符合要求的资料才能进行统计分析。

(2)正确选用统计学方法把各种数据转变为统计指标。

(3)解释统计指标,说明监测的结果。

在分析资料的过程中,可以利用统计学方法,如显著性检验、标准化法、相关分析等,从而提高信息的利用率。同时,还要考虑各种因素对监测结果的影响,才能作出正确判断。

3.信息反馈　监测系统必须建立反馈信息的渠道,使所有应该了解信息的单位和个人都能及时获得信息,以便迅速作出反应。信息的反馈分为纵向和横向2个方向。纵向包括向上反馈给卫生行政主管部门及其领导,向下反馈给下级监测机构、其工作人员;横向包括反馈给有关的医疗卫生机构及专家、社区及其居民。反馈时应视对象不同而提供相应的信息。

4.信息利用　充分利用信息是流行病学监测的最终目的。通过监测获得的信息可以用来描述健康与疾病问题的分布特征、确定疾病流行的存在、预测疾病流行的趋势、评价干预的效果,为开展社区医疗卫生服务活动提供决策依据。

二、流行病学研究方法

流行病学研究方法较多,目前分为四大类,即描述性研究、分析性研究、实验性研究和理论性研究。

(一)描述性研究

描述性研究是利用已有的资料或对特殊调查资料进行整理归纳,按地区、时间和人群分布特征加以描述。通过对比发现分布的特点,然后提出关于致病因素的假设,是流行病学病因研究的首要环节。由于疾病状况和危险因素是同时得到的,无法获得因果关系的结论,所以这种调查方法只能为病因提供线索。常用的方法包括现况研究、生态学研究、筛检等。

1.现况研究　现况研究从时间上来看,是指在某一时点或短时间内,通过普查或抽样调查的方法,对特定人群中某种疾病或健康状况及有关因素情况进行调查,从而描述该病或健康状况的分布与其相关因素的关系。现况研究是描述性研究中最为常用的流行病学调查方法,适用于病程较长且发病率较高的疾病调查。由于所搜集的各种资料都是现在某一时点或某一段时间内的情况,故被称为"现况调查"。由于现在这个特定的时点相对于过去和将来而言,是时间上的一个断面,故又称"横断面研究",反映了现在这个特定时点的疾病或健康的一个断面,而不能说明过去或将来的情况。因现况研究的观察指标是患病率,故又称"患病率调查"或"现患调查"。

(1)现况研究的目的和用途:①描述疾病或健康状况的分布。通过现况研究可以描述疾病或健康状况的时间分布、空间分布与人群分布,发现高危人群,分析疾病或健康状况与哪些环境因素、人群特征等有关。②发现病因线索。描述某些因素或特征与疾病或健康之间的关系,以便提出病因假设,供流行病学研究。③适用于疾病的第二级预防,利用普查或筛检等手段达到早期发现患者、早期诊断和早期治疗的目的。④评价疾病的防治效果。在采取某项防治措施前与采取措施一段时间后,各做一次现况研究,比较采取措施前后某病患病率的变化情况,可判断防治措施的效果。⑤进行疾病监测。在某一特定的人群中定期进行某病的现况调查,可以掌握该病的分布规律和长期变化趋势。⑥现况调查还可用于衡量一个国家或地区的卫生水平和健康状况,用于卫生服务需求的研究;用于社区卫生规划的制定与评估;进行参数估计,用于有关卫生或检验标准的制定;为卫生行政部门的科学决策提供依据。

(2)现况研究的种类:①普查。普查是指在特定时间内对特定范围内的调查对象逐一进行调查或检查。特定时间为某一时点,一般为几天或十几天,大规模的普查可以在2~3个月完成。特定范围是指某一地区或某一单位。普查目的主要有早期发现和治疗患者、了解疾病或健康状况的分布等。普查的优点包括:确定调查对象比较简单;能发现特定人群中的全部或大部分病例,使其能及早得到治疗,达到第二级预防的目的;通过普查可较全面地描述疾病的分布特征,可以提供病因线索;通过普查可普及医学科普知识。普查的缺点包括:大型普查参加人员多,耗费大,组织工作复杂;由于普查对象多,易产生重复和遗漏,或者诊断不够准确,调查质量不易控制;普查不适用于患病率很低和现场诊断技术比较复杂的疾病。②抽样调查。抽样调查是指从全体被研究对象中,按照一定的方法随机抽取一部分对象作为代表进行调查分析,以此推论全体被研究对象的情况的一种调查。抽样调查的目的是根据调查所得的样本资料估计和推断被调查现象的总体特征,根据抽取样本所调查出的结果可以估计出该人群某病的患病率或某些特征的情况,是以少窥多、以小测大、以局部估计全体的调查方法。为保证样本的代表性,抽样调查必须遵循随机化原则,即保证总体内每个个体有同等机会,按预定的概率被选出来组成样本;抽样调查还必须有足够的样本含量来反映总体的情况。抽样调查是最常用的流行病学调查方法,主要适用于患病率较高的疾病调查。其用途包括:描述疾病分布;衡量一个国家或地区的卫生水平;用于研究疾病病因线索;用于研究卫生措施效果与检查医疗卫生质量。依照抽样调查的理论和特点,可将其分为单纯随机抽样、系统抽样、分层抽样、整群抽样和多级抽样。抽样调查的主要优点包括:节省人力、物力和时间;以样本推断总体的误差可以事先计算并加以控制;调查的精确度高。抽样调查的主要缺点包括:抽样调查的设计、实施与资料分析比较复杂,存在抽样误差和偏倚,不适用于变异过大的资料,也不适用于患病率过低的疾病。

2.生态学研究 生态学研究是以集体为基本单位收集和分析资料,进行暴露和疾病关系的研究,主要用于研究与疾病有关的病因线索,评价社区护理干预的效果。例如,若我们得到安徽省各地市食盐的消费量和高血压大致的患病率,就可以根据这些资料比较不同地市之间的食盐消费量和高血压患病率高低之间的关系。

3.筛检 筛检是指运用快速试验、筛查或其他方法,从表面上看上去正常的人群中发现可疑患者的过程,有助于早期发现患有某种疾病的人,另外,还可用来衡量新技术检查结果的真实性和可靠性,对新技术进行评价。筛检仅仅是一种初步检查方法,不能将筛检结果作为最终的诊断依据。筛检阳性者应接受进一步的检查与观察,然后作出最终诊断。

筛检的评价指标有灵敏度、特异度、漏诊率、误诊率、阳性预测值、阴性预测值等。灵敏度是指在确诊检查试验阳性者中,筛检试验阳性者检出的百分比。特异度是指在确诊检查试验阴性者中,筛检试验阴性者检出的百分比。漏诊率(假阴性率)是指在确诊检查试验阳性者中,筛检试验阴性者占的百分比。误诊率(假阳性率)是指在确诊检查试验为阴性者中,筛检试验阳性者占的百分比。阳性预测值是指在筛检试验阳性者中,确诊试验检查阳性检出者的百分比。阴性预测值是指在筛检试验阴性者中,确诊试验检查阴性检出者的百分比。具体计算公式见表 7-2。

表 7-2　筛检试验的结果

筛检试验	确诊试验		合计
	＋	－	
＋	a	b	a＋b
－	c	d	c＋d
合计	a＋c	b＋d	a＋b＋c＋d

$$灵敏度 = \frac{a}{a+c} \times 100\%$$

$$特异度 = \frac{d}{b+d} \times 100\%$$

$$漏诊率 = \frac{c}{a+c} \times 100\%$$

$$误诊率 = \frac{b}{b+d} \times 100\%$$

$$阳性预测值 = \frac{a}{a+b} \times 100\%$$

$$阳性预测值 = \frac{d}{c+d} \times 100\%$$

影响阳性检出率的因素有筛检试验的灵敏度、人群中该病的患病率和筛检的次数。灵敏度和患病率越高,发现的患者越多。首次筛检时发现的患者较多,以后每次筛查发现的患者会逐渐减少。

(二)分析性研究

分析性研究是对流行病学所假设的病因或流行因素进行检验的方法,用于探讨疾病发生的规律、验证所提出的假设。分析性研究主要有 2 种:病例对照研究和队列研究。

1.病例对照研究　病例对照研究是以现在确诊的患者作为病例,以不患有该病但具有可比性的个体作为对照,通过询问、实验室检查或复查病史,搜集既往各种可能的危险因素的暴露史,测量并比较病例组与对照组中各因素的暴露比例。经统计学检验,若两组差异有统计学意义,则可认为该因素与疾病之间存在统计学上的关联。在评估了各种偏倚对研究结果的影响之后,再借助病因推断该因素是疾病的危险因素。这是一种回顾性的、由结果探索病因的研究方法,是在疾病发生之后去追溯假定的病因因素的方法,是分析流行病学最基本的研究方法之一。

(1)病例对照研究的步骤:提出病因假设;制定研究计划;收集资料;对收集的资料进行

整理和分析;总结并提交研究报告。

(2)病例对照研究的优点:特别适用于罕见疾病的研究;省力、省时、省钱,容易组织实施;不仅用于病因的探讨,而且广泛用于其他许多方面;可以同时研究多个因素与某种疾病的联系,特别适合于探索病因对研究对象的损害。

(3)病例对照研究的缺点:不适用于研究人群中暴露比例很低的因素;选择研究对象时,难以避免选择性偏倚;信息的真实性难以保证,暴露于疾病的先后常难以判断;获取既往信息时,难以避免回忆性偏倚;不能测定暴露组和非暴露组疾病的发病率。

(4)病例对照研究的用途:探索疾病的可疑危险因素;验证病因假设;提供进一步研究的线索。

2.队列研究 队列研究是在一个特定人群中选择所需的研究对象,根据目前或过去某个时期是否暴露于某个待研究的危险因素或其不同的暴露水平,将研究对象分成不同组,如暴露组和非暴露组、高剂量暴露组和低剂量暴露组等。随访观察一段时间,检查并登记各组人群的预期结果,比较各组结局的发生率,从而评价和检验危险因素与结局的关系。

(1)队列研究的步骤:确定研究因素;确定研究结果;确定研究现场和研究人群;收集、整理和分析资料。

(2)队列研究的类型:根据研究对象进入队列时间及终止观察时间的不同,可分为前瞻性队列研究、历史性队列研究和双向性队列研究。①前瞻性队列研究。前瞻性队列研究是队列研究的常见形式。研究对象的分组是根据研究对象现时的暴露状况而定的,此时研究的结果还没有出现,需前瞻观察一段时间才能得到。②历史性队列研究。研究对象的分组是根据研究开始时研究者已掌握的有关研究对象在过去某个时点的暴露状况的历史资料作出的。③双向性队列研究。该研究又称"混合性队列研究",即在历史性队列研究的基础上,继续前瞻性观察一段时间。它是将前瞻性队列研究与历史性队列研究结合起来的一种模式,因此,兼有前瞻性队列研究和历史性队列研究的优点,且相对地在一定程度上弥补了两者的不足。

(3)队列研究的用途:检验病因假设;评价预防效果;研究疾病自然史;新药上市后的监测等。

(4)队列研究的优点:资料可靠,一般不存在回忆偏倚;可直接获得暴露组和对照组人群的发病率或死亡率,可直接计算 RR、AR 等反映疾病危险强度的指标;由于病因在前,疾病在后,所以检验假设的能力较强,一般可证实病因关系;有助于了解疾病的自然史,有时还可能获得多种预期以外的疾病结局资料,可分析一因多果的疾病关系。

(5)队列研究的缺点:不适用于低发病率疾病的病因研究;容易产生失访偏倚;研究耗费的人力、财力、物力和时间较多;在随访过程中,未知变量引入人群或人群中已知变量的变化等,都可能使结局受到影响,从而使分析复杂化。

(三)实验性研究

按随机分配原则将试验对象分为实验组和对照组,随机地给某一组以某种措施,另一组不给这种措施,其目的是研究病因、疾病的危险因素、防治措施效果等。实验性研究包括临床试验、现场试验和社区试验等。

1.实验设计 一个完整的流行病学实验应有研究因素、研究对象和实验效应3个基本要素。基本要素的确定是流行病学实验设计的主要内容。

(1)研究因素:研究因素一般是指外部施加的因素。从性质上说,它们是生物、化学和物理等因素,但有时研究对象本身的某些特征,如性别、年龄、某些遗传因素、心理因素等,不良的行为和生活方式,如吸烟、吸毒等,也可以作为研究因素。

(2)研究对象:根据研究目的确定研究对象,制定明确的标准,包括入选标准和排除标准。例如,以临床试验评价新药或新疗法的治疗效果,应该选择经统一、公认的诊断标准确诊的病例作为研究对象,同时对患者的年龄、性别、病情及有无并发症等作出严格的规定。

(3)实验效应:实验效应主要是指标选择问题,所选指标应能充分反映实验效应。具体要求包括:

①指标的关联性。所选指标必须与研究的目的有本质联系。

②指标的客观性。客观指标是通过客观测量或仪器检测获得的结果,不受主观因素的影响,在实验设计中应尽量采用客观指标。

③指标的敏感性。敏感指标比一般指标更能如实地反映轻微的效应变化,是增强实验效应的重要手段。

④指标的特异性。若某一指标只与一种对应的效应相联系,而与其他效应无关,则此指标为该效应的特异指标。

2.实验设计的原则 实验设计的主要原则有对照原则、随机化原则、重复原则以及盲法原则等。

(1)对照原则:设置对照的主要目的是排除非研究因素对实验结果的干扰。因此,应在实验组和对照组中均衡分配非研究因素,以达到充分展现实验效应的目的。根据研究目的和内容,可选择不同的对照形式:空白对照,即对照组不施加任何研究因素;安慰剂对照,即对照组施加安慰剂;实验对照,是指对照组不施加研究因素,但使用研究因素相关的实验措施;自身对照,即受试对象不分组,是对研究因素治疗前后进行对比。

(2)随机化原则:实验分组的随机化是指按照机会均等的原则将研究对象分配到实验组和对照组,通过随机分组使实验组和对照组的基本条件均衡,两组除研究因素不同外,其他条件均相同。随机是指每一受试对象都有同等的机会分到试验组或对照组。

(3)重复原则:重复是指各处理组与对照组的例数和实验次数要有一定的数量,例数或实验重复的次数越多,则越能反映客观规律;例数或实验次数太少时,有可能将个别事例误认为普遍现象,以至于将不可靠的实验结果错误地推广到更大范围。因此,在实验设计中必须科学估计样本含量,在保证实验结果具有一定可靠性的前提下确定最少的样本例数,以节约人力和经费。

(4)盲法原则:在实验中,研究者或研究对象的主观认识均可能给实验效应带来影响,造成偏倚。如研究者的心理偏于阳性结果,医生常重于新疗法组,患者对治疗效果常有夸大或贬低等。为消除实验中由于主观因素的作用而产生的信息偏倚,设计时应采用盲法。这项原则的具体方法是:研究对象、观察者和试验设计者中的一个、两个或三个都不知道研究对象接受什么治疗措施。在实验研究时,可根据条件选用不同的盲法形式:单盲法,即只有研究者了解分组情况,而研究对象不知道自己属于实验组还是对照组;双盲法,即研究对象和观察者均不知道每个对象被分配到哪个组中,不知道接受治疗措施的具体内容;三盲法,即研究对象、观察者和资料分析者均不知道分组和处理情况。

3. 实验实施与结果评价

(1)实验实施:①在正式实验前,特别在大规模实验前,应先做小规模预实验,以初步评价设计构思及假设的可行性,是否值得做下去。先取得一些资料和数据,以便在修订实验设计时参考。②无论是进行预防性实验、病因实验或临床实验,其实验对象都是人(患者或健康者)。一般认为,如果不能肯定某种新疗法是否比旧疗法更有效,进行临床实验验证是符合医德的。贸然给患者使用未经临床试验的新疗法则是不道德的。在实验中,应该严格遵循不使用增加患者痛苦或对健康有损害的手段这一原则,并尽可能使入选的研究对象从实验过程中受益。③依从性是指研究对象对所施加的干预或治疗措施接受和执行的客观行为及其程度。如患者忠实地执行医嘱,接受相应的治疗措施,为依从性好;否则,就是不依从。依从性是影响实验质量的重要因素。④研究对象可能因依从性或其他原因而失访,这极易造成实验结果的偏差,影响实验的准确性。在实验过程中,应尽量设法控制随访丢失的人数,保证90%以上的研究对象能坚持到实验结束。

(2)结果评价:对于治疗措施效果的评价,主要采用有效率、治愈率、病死率和生存率等指标;对于预防措施效果的评价主要采用保护率、效果指数、抗体阳转率、抗体几何平均滴度等指标;对流行病学实验结果的评价,主要是依据一定的标准探讨其真实性、正确性和实用性。不同实验类型对其结果的衡量标准不同。

(四)理论性研究

理论流行病学研究又称"数学流行病学研究",是将流行病学调查所得到的数据,以数学符号代表影响疾病分布的各种因素,建立有关的数学模型,反映病因、宿主和环境之间的关系,以阐明疾病的流行规律。

第三节 突发公共卫生事件的报告及处理

一、突发公共卫生事件概述

(一)"突发公共卫生事件"的定义

突发公共卫生事件,是指突然发生,造成或者可能造成社会公众健康严重损害的重大传染病疫情、群体性不明原因疾病、重大食物和职业中毒以及其他严重影响公众健康的事件,如饮用水污染事件、医源性感染暴发、生化恐怖袭击事件、免疫接种引起的群体性事件、重大医疗事故、医院水电及医疗设备事故、自然灾害事故等。

(二)突发公共卫生事件的特点

1. 成因的多样性 成因有各种烈性传染病、地震、水灾、火灾、环境污染、生态破坏、交通事故等,另外,还有动物疫情、致病微生物、药品危险、食物中毒、职业危害等。

2. 分布的差异性　在时间分布差异上,季节不同,传染病的发病率也会不同。分布差异性还表现在空间分布差异上,传染病的区域分布不同,此外,还有人群的分布差异等。

3. 传播的广泛性　当前正处在全球化的时代,某一种疾病可以通过现代交通工具跨国流行,而一旦造成传播,就会成为全球性的传播。

4. 危害的复杂性　重大卫生事件不但对人的健康有影响,而且对环境、经济乃至政治都有很大的影响。

5. 治理的综合性　治理需要4个方面的结合,第一是技术层面和价值层面相结合;第二是直接的任务和间接的任务相结合;第三是责任部门和其他部门相结合;第四是国际和国内相结合。只有通过这4个方面的结合,才能使公共卫生事件得到很好的治理。

6. 新发事件不断　2003年,"非典"疫情引起人们的恐慌。近年来,人禽流感疫情使人们谈禽色变。人感染猪链球菌病、手足口病等也都威胁着人们的健康。2014年8月,西非发生的埃博拉病毒出血热的病死率很高,引起世界各国的恐慌。

二、应急措施

《突发公共卫生事件应急条例》于2003年5月颁布,它的颁布和实施是我国公共卫生事业发展史上的一个里程碑,标志着我国将突发公共卫生事件应急处理纳入了法制轨道,其具体内容有:

1. 开展患者初诊、救治和转诊工作。

2. 指定专人负责突发公共卫生事件相关信息的报告与管理工作,按照相关法律、法规规定的报告程序,对各类突发公共卫生事件及时报告。

3. 配合专业防治机构开展现场流行病学调查,设立传染病隔离留观室。对传染病患者、疑似患者采取隔离、医学观察等措施;对密切接触者根据情况采取集中或居家医学观察;对隔离者进行定期随访;协助相关部门做好辖区内疫点、疫区的封锁管理;指导患者家庭消毒。

4. 按专业机构要求,对本乡镇或社区患者、疑似患者、密切接触者及其家庭成员进行造册登记,为专业防控机构提供基本信息。

5. 做好医疗机构内现场控制、消毒隔离、个人防护、医疗垃圾和污水的处理工作。

6. 开设咨询热线,解答相关问题,为集中避难的群众提供基本医疗服务。

7. 在专业防治机构的指导下,具体实施应急接种、预防性服药、现场消毒、杀虫、灭鼠等各项工作;分配和发放应急药品和防护用品,指导乡镇或社区居民正确使用。

8. 做好出院患者的随访与医疗服务工作,落实康复期患者的各项防控措施。

9. 根据本乡镇或社区突发公共卫生事件的性质和特点,对居民进行《突发公共卫生事件应急条例》等相关法律、法规知识的宣传;开展有针对性的健康教育和自救、互救、避险、逃生等个人防护技能的培训。

10. 指导乡镇或社区各单位突发公共卫生事件防控措施的制定与落实,协助做好对乡镇各单位突发公共卫生事件防控工作的监督和检查。

三、应急预案

为有效应对突发公共卫生事件,保障公众身体健康与生命安全,维护正常的社会秩序,卫生部根据《突发公共卫生事件应急条例》及其他有关法律、法规，参照国务院有关部门和单位制定和修订的《突发公共事件应急预案框架指南》，制定了《全国突发公共卫生事件应急预案》（以下简称"《预案》"）。

《预案》适用于突然发生，造成或者可能造成社会公众健康严重损害的重大传染病疫情、群体性不明原因疾病、重大食物和职业中毒以及其他严重影响公众健康的突发公共卫生事件的应急处理工作。

1. 应急组织机构及职责　突发公共卫生事件的应急处理指挥机构分为国家级、省级、地市级和县级4级。

(1) 国家级：特别严重的突发公共卫生事件发生后，由国务院有关部门和军队有关部门参与成立指挥部，国务院主管领导人担任总指挥，负责对全国突发公共卫生事件应急处理的统一领导、统一指挥，作出处理突发公共卫生事件的重大决策。

(2) 省级：特别严重或严重突发公共卫生事件发生后，由省级人民政府有关部门等参与成立指挥部，省级人民政府主要领导人担任总指挥，负责对本行政区域内突发公共卫生事件应急处理的协调和指挥，作出处理本行政区域内突发公共卫生事件的决策，决定要采取的措施。

(3) 地市级和县级：地市级和县级人民政府按照国家和省级突发公共卫生事件应急预案的要求，根据本级卫生主管部门的建议和突发公共卫生事件应急处理的需要，成立地方突发公共卫生事件应急处理指挥部，负责本地区突发公共卫生事件的协调和指挥，决定采取本行政区域内处理突发公共卫生事件的措施。

2. 突发公共卫生事件的报告、通报与分级

(1) 责任报告单位：责任报告单位包括县级以上各级人民政府卫生主管部门指定的突发公共卫生事件监测机构、各级各类医疗卫生机构、卫生主管部门、县级以上地方人民政府以及有关单位（主要包括突发公共卫生事件发生单位、与群众健康和卫生保健工作有密切关系的机构，如检验检疫机构、环境保护监测机构和药品监督检验机构等）。

(2) 责任报告人：责任报告人包括执行职务的医疗卫生机构的医务人员和个体开业医生。

(3) 报告时限和程序：突发公共卫生事件监测报告机构、医疗卫生机构和有关单位发现突发公共卫生事件后，应当在2小时内向所在地县级人民政府卫生主管部门报告。接到突发公共卫生事件信息报告的卫生主管部门应当在2小时内向本级人民政府报告，同时向上级人民政府卫生主管部门报告。各级地方人民政府应当在接到报告后2小时内向上一级人民政府报告。对可能造成重大社会影响的突发公共卫生事件，省以下地方人民政府卫生主管部门可直接上报国务院卫生主管部门；省级人民政府在接到报告的1小时内，向国务院卫生主管部门报告；国务院卫生主管部门接到报告后应当立即向国务院报告。

(4) 报告内容：首次报告未经调查确认的突发公共卫生事件或隐患的相关信息，应说明信息来源、危害范围、事件性质的初步判定和拟采取的主要措施。经调查确认的突发公共卫生事件应报告包括事件性质、波及范围、危害程度、流行病学分布、势态评估、控制措施等内容。

(5) 突发公共卫生事件的分级：根据突发公共卫生事件的性质、危害程度、涉及范围，将

突发公共卫生事件划分为一般(Ⅳ级)、较重(Ⅲ级)、严重(Ⅱ级)和特别严重(Ⅰ级)4级,依次用蓝色、黄色、橙色和红色进行预警。

3. 突发公共卫生事件的终结　突发公共卫生事件的终结需符合以下条件:突发公共卫生事件的隐患或相关危险因素已经消除,或末例传染病病例发生后经过最长潜伏期无新的病例出现。

突发公共事件应急预案是政府组织管理、指挥协调相关应急资源和应急行动的整体计划和程序规范,明确规定突发公共卫生事件事前、事发、事中、事后的各个进程中谁来做、怎样做、何时做,以及用什么资源做等问题。应急预案包括不同类型突发公共卫生事件应急专项预案。绝大多数突发公共卫生事件是发生在社区的,社区卫生服务中心作为公共卫生体系的最前沿,对突发公共卫生事件的应对工作负有重要的责任。制定应急预案是提高应对突发公共卫生事件能力的重要举措,社区应急预案的建立对健全突发公共卫生事件应急预案体系至关重要。

本章小结

要做好社区卫生服务工作,必须了解社区的基本情况,而这些资料的获得离不开流行病学研究。通过本章的学习,应掌握疾病三级预防的基本内容及流行病学的基本方法,并且熟悉疾病的监测工作,并了解我国突发公共卫生事件的应急处理,以更好地保护和促进社区居民的健康。

课后思考

1. 三级预防的名称、内容、目的和具体措施分别是什么?
2. 疾病监测的目的和步骤是什么?
3. 流行病学研究方法的种类及用途有哪些?
4. "突发公共卫生事件"的定义及处理措施有哪些?

(苏英)

第八章 社区儿童保健

案例

小明,男,5岁。因其父母在外打工,由爷爷奶奶代为照顾,而爷爷奶奶文化水平低,缺乏必要的育儿知识。他们因担心孙子受到伤害而从不放手让他自己出去玩,故小明很少与其他小朋友一起玩耍,缺乏必要的健康指导。据老师反映,在幼儿园,小明常常自己坐在一边,和小朋友交往很少,不爱跟大家说话,不肯参加班里的活动,大家玩玩具他也想玩,却不敢跟大家一起玩。小朋友不小心碰了他,他就放声大哭。小朋友跟他开玩笑,他也哭。老师让小朋友学着穿衣服,他不会,还是哭。据小明的爷爷说,小明的爸爸小时候也是这样胆小,很怕羞,长大后才改掉了原来的毛病。

问题:
1. 小明存在哪些方面的心理问题?其原因有哪些?
2. 社区护士如何对小明进行心理指导?

本章学习目标

1. 掌握"社区儿童保健"的概念、儿童各年龄分期的保健重点、新生儿家庭访视的主要内容、儿童常见健康问题及护理。
2. 熟悉儿童保健的常见策略。
3. 了解社区儿童保健的意义、托幼机构和学校保健指导的内容。

儿童是构成一个国家未来人口的重要群体,是国家的未来、社会的希望,他们的身心是否健康,不仅关系到他们的现在、未来,而且影响到国家和社会的发展和稳定。因此,加强儿童保健、促进儿童健康成长是社会的重大责任,而社区儿童保健则是儿童保健工作的重要组成部分。联合国《儿童权利公约》规定:儿童是指18岁以下的任何人。世界卫生组织明确指出,儿童保健的目的是保障每一位儿童能在健康的环境中成长,有爱有安全感,能得到足够的营养,接受适当的健康管理及健全的生活方式指导,并能获得合理有效的医疗卫生保健护理。社区儿童保健的基本任务是面向全体儿童,对不同年龄阶段的儿童及其家庭进行预防保健指导、免疫接种和健康监测,以达到增强儿童体质、促进儿童身心各方面正常发展、预防儿童常见病及多发病,降低儿童发病率和死亡率,提高儿童健康水平的目的。

第一节 儿童各年龄分期的保健重点

一、"社区儿童保健"的概念及意义

(一)"社区儿童保健"的概念

儿童保健是研究儿童各年龄分期生长发育规律及其影响因素,并采取有效措施,创造有利条件,防止不利因素,促进和保障儿童身心健康成长的综合性防治医学。儿童保健既有个体,又有群体;既有短期监督,又有系统的观察;既有预防,又有疾病治疗、护理和康复。

社区儿童保健是指社区卫生工作人员根据儿童不同时期的生长发育特点,对儿童进行整体、连续的健康管理,以满足儿童健康需求为目的,以解决社区内儿童健康问题为核心,为他们提供系统化的健康保健服务。

(二)社区儿童保健的意义

1. 促进儿童早期教育 社区儿童保健是对社区儿童实施统一集中管理,对家长统一集中指导,便于普及儿童早期教育。

2. 促进儿童生长发育 社区儿童保健不仅为家长提供咨询育儿知识的机会,监督及指导他们对儿童的养育,而且还能及时发现儿童的生长发育问题和社会心理问题,并采取有效的防治措施。

3. 减少儿童患病率及死亡率 社区儿童保健对社区儿童家长集中进行健康教育指导,宣传、普及儿童保健知识,推广科学育儿方法;定期对儿童进行健康监测,指导体育锻炼,从而增强儿童体质,减少各种疾病的发生率。

4. 控制或消灭儿科领域的某些疾病 通过社会综合防治措施,加强计划免疫,提高家长对疾病的防范意识,以控制或消灭儿童期的某些传染性疾病,如腮腺炎、天花、霍乱、脊髓灰质炎等。

二、儿童各年龄分期的保健重点

(一)胎儿期保健

从精子、卵细胞结合到小儿出生前统称为"胎儿期"。胎儿的发育与孕妇的健康、营养、疾病、情绪、射线、毒物等密切相关,因此,胎儿期保健应与孕妇保健紧密结合。孕妇应避免接触各种危险因子,如药物、烟酒、射线、感染等,尤其是妊娠早期更要注意。胎儿期保健要点包括:指导孕妇合理营养;营造良好的生活环境,注意劳逸结合,减少精神负担;定期产前检查,对高危孕妇应加强观察、随访,避免发生妊娠期合并症,预防流产、早产、先天畸形和死胎。

(二)新生儿期护理和保健

胎儿从母体娩出、脐带结扎时起到满 28 天为止,称"新生儿期"。从胎龄 28 周到生后足 7 天为围产期,又称"围生期"。新生儿期是小儿最脆弱的时期,需要特殊的照顾和护理,特别是出生后 7 天内的新生儿的发病率和死亡率极高。婴儿死亡中的 2/3 是新生儿,生后 7 天内新生儿的死亡数占新生儿死亡数的 70% 左右。因此,新生儿保健是儿童保健的重点,而生后 7 天内新生儿的保健是重中之重。

1. 出生时的护理和保健　措施包括:保持产房室温为 25~28℃;新生儿娩出后,应迅速清理口腔内黏液,保证呼吸道通畅;严格消毒、结扎脐带;记录出生时评分、生命体征、体重和身长;将新生儿送入新生儿观察室,观察 6 小时正常者可送入婴儿室,高危儿送入重症监护室;提倡母婴同室和母乳喂养;新生儿出院前,应进行先天性遗传代谢病筛查及听力筛查。

2. 新生儿居家护理和保健　措施包括:维持室内适宜的温度和湿度;提倡母乳喂养,指导母亲正确的哺乳方法,维持良好的乳汁分泌,以满足新生儿生长的需要;指导母亲做好新生儿脐部、皮肤及其他方面的护理;父母应多与新生儿说话、抚摸、摇、抱等,促进早期的情感交流;做好预防接种及定期检查的安排,预防各种常见的新生儿疾病。

(三)婴儿期保健

从出生后满 28 天到 1 周岁之前为婴儿期,又称"乳儿期"。婴儿期保健要点包括:提倡母乳喂养,合理添加辅食,护理人员指导断奶并帮助安排好断奶后的饮食;及时进行生长发育的监测及体格检查,便于早期发现缺铁性贫血、佝偻病、营养不良、发育异常等疾病,并及时进行干预和治疗;提倡婴儿坚持户外活动;重视促进婴儿感知觉、动作和语言的发育;保持皮肤清洁卫生;预防意外伤害;完成基础计划免疫。

(四)幼儿期保健

从 1 周岁到满 3 周岁之前为幼儿期。幼儿期是社会心理发育最为迅速的时期,是儿童智力开发的最佳时期。幼儿期保健要点包括:合理安排膳食,提供丰富的营养,注意训练幼儿主动进食的技能;重视与幼儿的语言交流,促进其语言的发育;合理安排好幼儿的生活,帮助幼儿养成良好的生活和卫生习惯;帮助幼儿加强体育锻炼,增强体质;每 3~6 个月体检 1 次,进行常见病的筛查与矫治。幼儿期是最易发生意外的年龄,应注意预防各种意外事故的发生。此外,还应加强免疫接种,预防感染性疾病。

(五)学龄前期保健

3 周岁后至 6~7 岁入小学前为学龄前期。学龄前期是儿童性格形成的关键时期,应特别注重学龄前期儿童的早期教育。学龄前期保健要点包括:培养儿童良好的学习习惯,发展想象与思维能力,使其具有良好的心理素质;通过体育活动、游戏的方式增强体质,并在游戏中教育儿童遵守规则,学习与人交往;每年体检 1~2 次,适当增加高危儿、体弱儿的体检次数;保证充足的营养;加强安全教育,注意预防外伤、触电、溺水、中毒等意外损伤;做好学前准备。

(六)学龄期保健

从6~7岁起到12~14岁进入青春期止为学龄期,保健要点包括:培养儿童良好的学习习惯及生活卫生习惯;加强素质及道德品质教育;定期进行健康体检,每年1~2次,做好近视、龋齿、缺铁性贫血、脊柱弯曲等常见病的预防和矫治;合理安排膳食,保证营养充足、比例恰当;保证充足的睡眠和休息,培养儿童独立生活能力;指导儿童进行体育运动,增强体质;做好免疫接种;教育儿童注意安全,防止意外伤害。

(七)青春期保健

一般女孩从11~12岁开始到17~18岁,男孩从13~14岁开始到18~20岁为青春期。青春期是儿童过渡到成年的时期,又称"少年期"。心理学家称此年龄阶段为"危险年龄阶段"。此期应对青少年进行青春期生理和心理卫生指导;加强品德教育,引导青少年树立正确的人生观;保证充足的营养,促进青少年体格快速增长;要求青少年加强体格锻炼;预防药物滥用、酗酒、吸烟等不良嗜好的发生。

第二节 儿童保健的常见策略

一、护 理

护理是儿童保健和医疗工作的重要内容。儿童年龄越小,越需要合适的护理。

(一)居室环境

居室应阳光充足、空气清新、通气良好,每日定时开窗通风,上午和下午各1次,冬季每次3~5分钟,夏季每次5~10分钟,避免长时间使用空调;室内温度保持在18~20℃,相对湿度为55%~60%,且应根据气温的变化随时调节环境温度,避免冬季室内温度过低、夏季室内温度过高;主张母婴同室,便于母亲哺乳和照顾婴儿;患病者不应进入小儿居室。

(二)衣着与尿布

应选择颜色浅、质地柔软、宽松、少接缝、吸水性好、便于穿脱的纯棉织物。小儿不宜穿得过多、过厚、过紧,要让小儿活动自如,有利于关节的发育。婴儿最好穿连衣裤或背带裤,裤腰不用松紧带,有利于胸廓发育。尿布宜采用柔软、吸水性好的棉布,衣着、尿布勤换勤洗。

(三)脐部护理

新生儿脐带残端要保持干燥,一般脐带在出生后7天左右脱落。观察脐部,如局部有发红、发硬、脓性分泌物等炎症表现时,应及时就诊。社区护士应指导家长在新生儿每次沐浴时不要弄湿残端,平时也不要捂盖,每天用75%酒精擦拭消毒,防止感染。

二、营养与饮食

(一)新生儿喂养

1. 鼓励母乳喂养　母乳是新生儿最理想的天然食品,母乳喂养是自人类出现以来就存在的一种天然、自然、合理的喂养方式。应提倡母乳喂养,大力宣传母乳喂养的优点,指导母亲学习正确的哺乳方法与技巧,以维持充足的乳汁分泌。

2. 混合喂养与人工喂养　因母亲乳汁分泌不足或其他原因不能按时哺乳,可指导母亲添加牛奶、配方奶粉或其他代乳品进行混合喂养。每次应先哺母乳,待乳汁吸尽后,再补充其他乳品,但每天母乳喂养不少于3～4次。如因各种原因不能进行母乳喂养,应按时挤出或吸出乳汁,否则会影响乳汁的分泌。人工喂养是指不能用母乳喂养而只能用其他代乳品进行喂养的方法。目前较好的代乳品为配方奶粉。用配方奶粉进行喂养时,应选择合适的奶嘴或奶瓶,并注意奶具的清洁消毒和奶浓度的调制,喂奶前应试温。

(二)婴幼儿喂养

婴儿膳食应以高能量、高蛋白的乳类为主,并注意补充维生素D。6个月以内的婴儿提倡纯母乳喂养,可用母乳喂养到1岁。4～6个月后的婴儿应添加辅助食品,辅食应遵循由少到多、由稀到稠、由细到粗、一种到多种的原则逐渐添加,同时,注意添加辅食的顺序。社区护士应提醒家长注意观察婴儿的粪便,以了解婴儿对食物的适应情况。断奶时间以选择秋冬季节为宜。开始断奶时,应逐渐减少每天哺乳的次数,以配方奶粉、粥等代替。断奶时不主张采用乳头上涂苦、辣味等措施或突然停止哺乳的方式,应逐渐断奶,以免突然断奶会使婴幼儿难以适应食物突然变化而造成婴儿心理压力,使其产生情绪变化。

断奶之后,幼儿期儿童仍以牛奶为主要食品,1～2岁时每天需500mL牛奶,2～3岁时每天需250mL左右牛奶。膳食应以"三餐二点制"安排为宜。食物制作要细、烂、软,食物品种应多样化,且经常改变口味。此外,社区护士适应指导家长掌握合理的喂养方法和技巧,安排规律的膳食时间,鼓励幼儿自己进食,以增加食欲。

(三)学龄前期饮食

学龄前期儿童的饮食结构接近成人,每天3餐,另加1餐点心即可,此外,每天饮用牛奶200mL左右。避免食品过于油腻、辛辣。膳食安排力求多样化、粗细交替、荤素搭配,以平衡营养,满足学龄前期儿童生长发育的需要。

(四)学龄期饮食

保证足够的营养摄入,既要有充足的主食,也要有富含优质蛋白质的副食,如鱼、肉、蛋、乳、豆类,还应有绿色蔬菜及新鲜水果。合理安排膳食时间,应特别注意早餐的质量和数量。减少含糖饮料和零食的摄入,纠正偏食,培养儿童良好的饮食卫生习惯。

(五)青春期饮食

青春期是体格生长发育的第二个高峰期,各种营养素的需求相对较成人高。应引导青少年多食富含钙的食物,并加强运动,以促进骨发育到最佳状态。青少年每天摄入的蛋白质、脂肪、糖、维生素、铁、钙、碘等营养物质的比例应满足青春期生长发育的需要。帮助青少年纠正不良的饮食行为,注意节制饮食,避免营养过剩,预防肥胖症。另外,青春期营养有个体差异及性别差异。

三、定期健康检查

0～6岁的散居儿童和已入托幼机构的集体儿童应定期进行健康检查,医务人员应系统观察儿童的生长发育情况、营养状况,及早发现异常并采取相应的预防措施。

(一)新生儿家庭访视

1.访视目的 访视目的包括早期发现问题,及时指导处理,降低新生儿的发病率,减轻发病程度。

2.访视前准备 准备工作包括建立新生儿连续性护理服务体系,及时登记社区内的新生儿;建立新生儿健康管理卡和预防接种卡;根据"出生报告制"合理安排时间,准备好访视用具,及时进行访视。

3.访视次数 新生儿出生28天内应家访3～4次。访视顺产新生儿应在产后3天、7天、14天和28天进行;访视剖宫产新生儿应在产后7天、14天和28天进行。对于具有高危因素的新生儿,家庭访视应提早并增加访视次数,如有需求随时访视。

4.访视内容

(1)了解出生情况:包括出生方式、有无窒息史、出生时体重以及哺乳、睡眠、大小便情况。

(2)了解喂养情况及进行护理指导:了解新生儿喂养、吸吮力、食欲等情况,并根据出生时的具体情况,有针对地对家长进行母乳喂养、护理和常见疾病的预防指导。

(3)了解预防接种与疾病筛查情况:了解新生儿是否接种卡介苗和乙肝疫苗、是否进行新生儿疾病筛查,如未接种和筛查,应提醒家长尽快补种和补筛。

(4)体格检查:观察新生儿的精神状态、面色、呼吸、哭声;测量身高、体重及体温;重点注意有无产伤、黄疸、皮肤与脐部感染、畸形等情况。

5.访视记录 每次要及时、详细地填写访视卡,做好记录,动态了解新生儿的情况。在访视结束前应预约下次访视时间,在访视结束后作出访视小结,并指导家长带新生儿到儿童保健门诊进行定期体格检查。

6.访视后沟通 访视结束后,医务人员应将访视情况与家长及时交流。

(二)儿童保健门诊

1.保健门诊的目的 其主要目的是让儿童按各年龄段保健需要,定期到社区儿童保健科进行健康检查,以获得个体儿童的体格生长和社会心理发育趋势,尽早发现问题并给予正确的健康指导。

2.保健门诊的内容

(1)体格测量及评价:了解儿童生长发育、感知觉、语音、运动、智力发育等情况。

(2)询问个人史及既往史。

(3)全身各系统体格检查。

(4)常见病的定期实验室检查:包括儿童缺铁性贫血、佝偻病、微量元素缺乏、生长发育迟缓等疾病。

3.保健门诊的次数 根据儿童生长发育的规律,定期检查的次数为"421",即0～1岁检查4次,1～3岁每6个月检查1次,3～6岁每年检查1次。高危儿、体弱儿应适当增加检查次数。

四、体格锻炼

体格锻炼是促进儿童生长发育、增强体质和促进健康的重要措施,同时,还可锻炼儿童的意志,促进德、智、体全面发展。儿童体格锻炼的原则:循序渐进、持之以恒、因地制宜、形式多样化、环境设施安全,并结合儿童的年龄特点和个性差异。

(一)新生儿抚触

皮肤是人体接受外界刺激最大的感觉器官,是神经系统的外在感受器。通过对新生儿皮肤的抚摸,可以刺激新生儿神经系统和淋巴系统,有助于神经系统生长发育和增强抵抗力。抚触还是一种爱的传递,能够加深母子之间的感情,是母婴间最好的情感交流方式。

1.抚触前准备 保证居室安静、清洁,室内光线适宜,放一些柔和的音乐;室温维持在25℃左右;确保15～20分钟不受干扰;为新生儿准备好毛巾、尿布、替换的衣服;在做抚触前家长应温暖双手,并涂上足够的润肤油,注意不要让婴儿的眼睛接触润肤油。

2.抚触的时间 抚触时间的选择直接关系到抚触的效果,最好选择在新生儿沐浴后或穿衣前且情绪稳定时进行。不宜在婴儿过饱、过饿、疲劳以及烦躁的时候抚触,否则婴儿会感到不适。抚触以每天2～3次,每次15分钟为宜。

3.抚触顺序 婴儿抚触从头面部开始,依次到胸部、腹部、上肢、下肢,最后到背部。

3.抚触步骤

(1)头面部:从前额中心处用双手拇指往外推压,划出一个微笑状,同样用双手拇指从眉头、眼窝、人中和下巴往外推压,也划出一个微笑状,从发际线轻轻往后抚摸直到耳后。注意要避开囟门的位置。抚触头面部可舒缓脸部紧绷,促进听力的发育,让孩子能够充分感受到快乐。

(2)胸部:双手放在两侧肋缘,右手向上滑至右肩,复原;换左手以同样方法进行抚触,可顺畅呼吸循环。

(3)腹部:在脐部外围按顺时针方向按摩腹部。但应注意,在脐痂未脱落前不要按摩该区域。按摩腹部有助于肠胃蠕动。

(4)上肢:双手下垂,用一只手捏住其胳膊,另一只手从上臂到手腕部轻轻挤捏,然后用手指按摩手腕部,并用相同手法按摩另一只手。注意,新生儿拳头都是握得紧紧的,要轻轻展开其拳头,轻捏其手腕和小手,可增加灵活性反应。

(5)下肢:按婴儿的大腿、膝部、小腿,从大腿至脚踝部轻轻挤捏,然后按摩足部。在确保脚踝不受伤的前提下,用拇指从脚后跟按摩至脚趾,能增加运动协调能力。

(6)背部：从颈部向下按摩，用指腹轻按脊柱两侧的肌肉，再从颈部向脊柱下端来回抚摸，能舒缓背部肌肉。

(二)"三浴"锻炼

科学、合理、及时地利用人类的3个自然因素——空气、阳光和水，对增强体质、预防疾病、促进中枢神经系统和呼吸循环功能，都有良好的作用。

1. 空气浴　利用气温和体表温度之间的差异刺激小儿的身体，使皮肤的血液循环加快，促进新陈代谢，有利于呼吸器官发育，增强心脏功能。从夏季开始逐渐过渡到秋冬季，先在室内进行，预先做好通风换气准备，使室内空气新鲜，习惯后可移于户外，冬季应在室内进行。一般在饭后1～1.5小时进行较好，每天1～2次，每次自几分钟开始逐渐延长至20～30分钟，夏天可加至2～3小时。如结合游戏、体操，可提高儿童的兴致。空气浴时，应尽量暴露儿童皮肤，并随时观察儿童的反应，如发现皮肤苍白、口唇发青、发冷等情况，应立即停止。如儿童身体虚弱、患有急性疾病等，则不宜进行空气浴。

2. 日光浴　日光浴利用了日光中的紫外线、红外线，可促进儿童心肺功能及生长发育，预防和治疗佝偻病。日光浴的场地最好选择清洁、平坦、干燥、绿化较好、空气流畅又避开大风的地方。对于日光浴的时间，春秋季宜选在上午10～11时，夏季宜选在上午8～9时，冬季宜选在上午10～12时。日光浴不宜在空腹或饭后1小时内进行。儿童应头戴白帽，眼戴遮眼镜。先晒背部，再晒身体两侧，最后晒胸腹部。开始晒半分钟，但每次日光浴时间不超过30分钟。日光浴后及时补充水分。日光浴时应避免日光直射，注意观察儿童的反应，如大汗淋漓、面色发红，应立即停止。注意预防因过度日光浴而导致的脱皮等不良反应。

3. 水浴　水浴是利用身体表面和水的温差来提高皮肤适应冷热变化的能力，可清洁皮肤，增加儿童的食欲，促进新陈代谢，有利于睡眠和生长发育。

(1)擦浴：擦浴适用于7～8个月以上的婴儿。水温由32～33℃逐渐降至26℃，从手臂、脚、腿做向心性擦抹，至皮肤微红为止，以7～12分钟为宜。动作要轻、柔、快，完毕后用干毛巾擦干后再穿衣服。

(2)淋浴：淋浴适用于3岁以上的儿童，效果比擦浴更好。水温自35～36℃开始逐渐降至26～28℃，每天1次，每次淋浴时间以20～40秒为宜。先冲淋背部，然后冲淋两肋、胸部和腹部，不可冲淋头部。

(三)体育活动

体育活动能改善全身血液循环，增加身体的灵活性，有利于改善各系统的功能状况，促进儿童的生长发育，增强机体的适应能力，提高抗病能力，可以减低儿童在成年后患心脏病、高血压、糖尿病等疾病的几率。体育锻炼不仅是身体的锻炼、大脑的锻炼，也是意志、品质与性格的锻炼，能使儿童的性格开朗、活泼、乐观，具有坚强的意志和顽强的品质。运动更有助于儿童增强自信心和成功感。适当的运动对儿童的人际关系发展有很大作用，使儿童养成与人合作的习惯和遵守规则的行为，有利于身心健康成长，同时，体育锻炼又是健美的最佳药方。根据儿童年龄的不同，可采取不同的运动方式和器具，如婴儿被动操、主动操、幼儿体操、儿童体操、游戏、田径与球类等活动。

五、计划免疫

儿童计划免疫是应用免疫学原理,根据儿童免疫特点和传染病发生的情况制定的免疫程序,有计划地进行免疫制剂的接种,以提高儿童的免疫水平,有效地预防相应传染病的发生。按照我国卫生和计划性育委员会的规定,婴儿必须在1岁前完成卡介苗、脊髓灰质炎疫苗、白百破三联疫苗、麻疹减毒疫苗、乙型肝炎疫苗等5种疫苗的基础免疫。此外,还可根据流行地区和季节或家长的意愿,接种自费疫苗,如乙型脑炎疫苗、流行性脑脊髓炎疫苗、风疹疫苗、流感疫苗、腮腺炎疫苗、甲型肝炎疫苗等。预防接种的途径包括口服、注射等。要做好预防接种前的准备工作和接种时、接种后应做的工作。要明确预防接种的对象、方法、禁忌证、预防接种的反应及护理措施。

六、习惯的培养

(一)睡眠习惯

充足的睡眠是儿童健康成长的保证。儿童每天需要的睡眠时间与年龄有关。年龄越小,睡眠时间越长。应自幼培养儿童有规律的睡眠习惯,睡前避免过度兴奋。儿童入睡或夜间醒来,不拍、不摇、不抱,任其自动入睡。培养儿童独自睡觉的习惯,使其睡眠时间相对固定,不要任意改变儿童的睡眠时间,避免养成口含乳头、奶嘴、手指及夜间醒来玩耍等不良睡眠习惯。

(二)进食习惯

从婴儿期开始就应注意训练儿童的进食能力,培养良好的进食习惯。随着年龄的增长,饮食逐渐过渡到多样化,使儿童适应多种食物的味道。进食中儿童应心情愉快,专心进食。尽早让儿童学习用勺进食,用勺进食可促进眼、手协调动作,有益于手指肌肉发育,同时也使儿童的独立性和自主性得到发展。对于年长儿童,培养定时、定位置、定坐姿、定量进餐。鼓励儿童和家人一起进餐。不要让儿童养成边吃边玩或边看电视等不良饮食习惯,使儿童不挑食、不偏食、不随意吃零食、不强行进食。

(三)排便习惯

随着食物性质的改变和消化功能的成熟,婴儿大便次数逐渐减少到每天1~2次,会坐时便可开始训练坐便盆,定时排大便。当儿童会走路、能听懂成人的语言并有一定的表达能力时,就可训练控制大小便。

(四)卫生习惯

注意口腔清洁卫生。培养2~3岁幼儿早晚刷牙、饭后漱口、饭前便后洗手的习惯。定时洗澡、勤换衣裤、勤剪指(趾)甲,不喝生水、不吃不干净的瓜果、不随地吐痰、不乱扔垃圾。

(五)用眼习惯

应从小培养儿童良好的用眼习惯:儿童在读书写字时保证良好的光线,眼睛要距离书本

30cm以上,并保持正确的姿势;读书写字的时间不宜太长,课间要到户外活动,定期更换座位;教会儿童简单有效的视力保健方法,每天做2~3次眼保健操;定期进行视力检查。

七、适应能力的培养

儿童的社会适应性行为是各年分期相应行为发育的综合表现,与家庭环境、育儿方式以及儿童的性别、年龄和性格密切相关。

(一)独立能力

日常生活中注意培养婴幼儿的独立生活能力,如自行进食、控制大小便、独自睡觉、自己穿衣、穿鞋等。协助学龄前儿童穿衣、刷牙、洗脸、进食、洗澡等,不溺爱、不包办代替、不过多限制儿童的活动。年长儿童可参与家庭的日常生活活动,如帮助做一些力所能及的家庭清洁工作、做好个人卫生、整理自己的物品、洗自己的衣物等,以培养其独立分析、解决问题的能力。

(二)控制情绪的能力

儿童的生活需要依靠父母的帮助,他们常因要求不能得到满足而控制不了自己的情绪,或发脾气,或发生侵犯行为。父母对儿童的要求与行为应按社会标准或予以满足、或加以约束、或预见性地处理问题,用诱导的方法处理儿童的行为问题可以减少用强制方法而产生的对立情绪,减少儿童产生消极行为的机会。

(三)社交能力

从小给予儿童积极愉快的感受,经常抚摸、拥抱儿童,与其微笑说话交流、讲故事、唱歌等,可增加儿童与周围环境和谐一致的生活能力。鼓励儿童积极参与群体活动,与同伴一起做游戏,创造条件让其适当表现自己,培养小儿良好的人际交往能力和语音交流能力。教育儿童遵守规则,互相谦让,礼貌待人,学会与人相处。

(四)毅力

在日常生活、游戏、锻炼、学习中,应该有意识地培养儿童战胜困难、吃苦耐劳、持之以恒的意志,增强其自觉、坚强、果断和自制的能力。

(五)创造能力

通过做游戏、讲故事、听音乐、表演、绘画、动手自制小玩具等培养儿童的智力,启发儿童提问题,引导儿童自己去发现问题和探索问题,可促进儿童想象力与创造力的发展。

八、安全防护

意外伤害是导致儿童和青少年死亡的头号杀手,社区护士对家长及儿童、青少年进行安全教育是社区保健的重要内容之一。社区护士应指导父母加强对儿童和青少年的监护力度,根据各自的发育特点加以防范。

(一)意外窒息与气管异物

意外窒息是3个月以内的婴儿最常见的意外伤害,多发生于寒冷冬季。母亲要注意哺乳姿势,避免乳房堵塞婴儿口鼻,切忌边睡边哺乳,应避免因溢奶、呕吐物吸入和包裹过紧、过厚、过严、被褥遮盖、母亲的身体挤压等造成的窒息。婴儿要远离小动物,避免因小动物身体堵住口鼻而引起窒息。较大婴幼儿应防止食物、果核、纽扣、硬物等异物吸入气管。不要让儿童在玩耍、哭笑和打闹时进食、进水,不得强迫喂药。

(二)意外中毒

药物应放置在儿童拿不到的地方,内服药和外用药应分开放置,避免儿童误服外用药造成中毒。剧毒药、鼠药、农药等要注意保管,以防儿童误服。保证儿童食物的清洁卫生,避免食用有毒的食物,预防食物中毒。

(三)意外损伤

儿童居室的窗户、楼梯、阳台、睡床等都应置有栏杆,防止儿童坠床和高处跌落。易燃易爆物品要妥善存放,打火机、火柴、开水、热油、热汤等要放置在儿童拿不到之处,避免烧伤、烫伤。妥善保管好刀、剪等锐利物品,以防锐器伤害。室内电器、电源应有防止触电的安全装置。下雨时不要在大树下、电线杆旁避雨,以免发生电击伤。在游戏场所要注意安全,以防儿童发生运动损伤。不能用力提拉儿童的手臂或用粗暴的动作给儿童穿、脱衣服,以免引起关节脱位。

(四)意外溺水

溺水是水域地区最常见的小儿意外事故的死亡原因,因此,要教育儿童不要独自或与同伴去无安全措施的江河或池塘玩水、游泳。水桶、水缸、水井、粪坑等要注意加盖。

(五)交通意外

加强交通安全管理,教育儿童严格遵守交通规则,过马路时要有大人陪伴,不要让儿童在道路上溜旱冰或玩耍嬉闹。乘车时避免儿童将头、手及身体其他部位探出窗外。

九、儿童教育

(一)新生儿早期教育

新生儿的视、听、触觉已初步发展,可通过反复的视觉和听觉等感觉综合训练,建立各种正常的条件反射,培养新生儿对周围环境的定向力及反应能力。母亲可通过哺乳、抚触、怀抱、多与婴儿说话逗笑以及选择色彩鲜艳、能发声转动的玩具刺激视、听觉等方式,增进母子间的情感交流,促进婴儿智力发育和心理发育。

(二)婴幼儿早期教育

婴幼儿时期是儿童心智发育的关键时期,其早期教育以感知、语音、动作训练为主,可通过让儿童多接触各种事物,如玩玩具、看图片、听音乐、听故事等,及通过折纸、画画、做游戏等活动,促进婴幼儿智力和动作的发育。培养婴幼儿良好的卫生、进食、睡眠、大小便等习惯,促进其独立性和自主性的发展。同时,注意婴对幼儿与周围人相互关系的培养,以提高其适应环境的能力。

(三)学龄前期教育

1.**安全教育** 学龄前儿童活泼好动且模仿力强,但机体发育尚不完善,动作协调性不好,缺乏生活经验,易发生意外。因此,应结合日常生活对他们进行安全教育,教导儿童遵守交通规则,不触摸电器或电源,幼儿阶段不触摸热水瓶,不要去河边、池塘边玩耍等。儿童家长和托幼机构应定期检修玩具、维护活动场所等,预防意外事故发生。

2.**学前教育** 学前教育是儿童教育的继续。安排动静结合的活动内容,使儿童在游戏中增长知识、开发智力,学习关心集体、团结协作、遵守纪律及如何与人交流。培养儿童分辨是非的能力,发展想象和思维能力。在日常生活中,锻炼儿童的毅力和独立生活能力,培养自尊、自强、自立、自信的品格。

(四)学龄期和青春期教育

1.**安全教育** 意外事故是青少年死亡的最主要原因。青少年与外界接触的范围不断扩大,好奇心和好胜心强,精力充沛,喜欢冒险、刺激,易冲动,易发生车祸、溺水、自杀及运动外伤等意外事故。因此,应对青少年进行安全教育,训练其预防和处理意外事故的能力,并教育他们互相友爱,遇到意外事故要互相帮助,共同克服困难。

2.**法律意识教育** 青少年的生理和心理发育特点决定他们易受外界不健康因素的诱惑,易做出一些缺乏理智的事。因此,有必要增加青少年的法律知识储备,使其提高法律意识,认识到遵纪守法的重要性,同时,培养其助人为乐、积极向上的品德,自觉抵制腐化堕落的思想。

3.**健康行为教育** 社区护士应与家长和学校老师一起关心青少年的心理成长,指导学校对青少年进行性生理、性心理、性道德和性疾病等的健康教育,排除他们的困惑,使青少年能正确对待自身的生理变化和心理状态,加强自身防护,避免对生理和心理造成不良影响。同时,应加强吸烟、吸毒的警示教育,使青少年远离毒品,避免不良行为的发生。

十、儿童常见健康问题

(一)儿童心理问题

1.**儿童自闭症** 儿童自闭症是一种因神经系统发育障碍而引起的精神障碍性疾病。其病因不明,多在3岁以前发病,发病率有增加趋势。男女患病率比例国外为(4~5):1,我国为(6~9):1。儿童自闭症的主要表现为表情淡漠、对亲人不依赖、缺乏交流、独自玩耍、对任何言语和拥抱均无反应等沟通障碍;会模仿语言,发音清晰,但用词及语言与正常儿童不同,与人难以交流;对人际关系漠不关心,但对机械事物很感兴趣。目前,自闭症无特效治疗药物,常采用以教育和多种训练为主、药物治疗为辅的方法。社区护士应做好对适龄儿童的家长进行自闭症相关知识的宣教工作,做到早发现、早就医、早确诊、早治疗;指导家长在日常生活中多创造与儿童交流的机会,与儿童多沟通,强化语言训练和良好的行为训练,克服异常行为;让患儿在集体生活中成长,在与正常儿童交往中接受帮助,从而获得社会交往能力。

2. 儿童多动症 多动症的原因可能与脑部受伤、铅中毒、感染、缺氧、家庭环境不融洽等有关,其行为特征主要表现为过度好动、注意力不集中、情绪不稳定、缺乏自制力,常伴有学习困难。儿童多动症的治疗方法有很多,关键在于治疗方案的个体化、综合化,即根据儿童的具体表现采取心理、饮食、环境、药物和学习指导等多种方法进行综合治疗。同时,家长应注意与教师多交流,密切配合,多与儿童交谈,儿童一旦有良好的行为表现即给予鼓励,增强儿童的自信心及自尊心,同时,注意培养儿童健全的人格。

3. 儿童被虐待与忽视 儿童被虐待是一个新的社会心理问题,忽视也是一种虐待。儿童被虐待的原因十分复杂,主要跟父母或家庭有关,如婚姻不合、单亲、再婚、生活困难、父母压力较大,或者儿童不是父母所期盼的性别等。被虐待的儿童不仅身体受到伤害,心理也受到很大的创伤。社区护士应掌握社区儿童的家庭情况,注意是否有儿童经常受父母责备、体罚或有挨饿、受冻等现象,观察儿童是否有缺乏自信、有自卑感、不诚实等行为。社区护士应尽早发现儿童被虐待的症状与体征,尽量使家长了解儿童的心理和生长发育的特点,教育家长不要将自己的负面情绪转嫁到儿童身上,尽量使其有正确的教育儿童的理念及科学的教育方式,必要时给予儿童医疗、心理疏导及法律援助,保证儿童身心健康成长。

4. 青春期焦虑症 青春期是焦虑症的易发期。由于缺乏生理卫生知识,所以青少年对自己在体态、生理和心理等方面的变化会感到不知所措,同时,又会产生一种神秘感。由于好奇和不理解,所以他们往往会感到紧张、焦虑、羞涩、困惑、烦恼、孤独,甚至产生恐惧和自卑,还可能伴发头晕、头痛、失眠多梦、眩晕乏力、精神不振、口干厌食、神经过敏、情绪不稳、体重下降等症状,甚至还会造成神经衰弱、记忆力下降。焦虑症既严重危害青少年的身心健康,又影响他们的学习。因此,社区护士必须及时给予心理健康指导,必要时辅以药物治疗。

(二)儿童感染性疾病

1. 急性呼吸道感染 气管炎、支气管炎和肺炎是儿童常见的急性呼吸道感染性疾病,是发展中国家儿童死亡最常见的原因之一。每年 5 岁以下死亡儿童中有 1/4 是由急性呼吸道感染引起,我国 5 岁以下儿童死亡的首位原因是肺炎。早产、低体重、先天性心脏病、人工喂养、营养不良、贫血及佝偻病婴幼儿更易患肺炎。引起儿童呼吸道炎症的致病因素及诱发因素较为复杂,用单一的方法难以预防和控制其发生。因此,社区护士必须采取综合性的预防措施,如开展健康教育、指导儿童增强体质锻炼,做到早期发现、及时治疗等来预防和控制这些疾病的发病率,降低儿童的死亡率。

2. 消化道感染 由于儿童的消化道功能尚不完善,机体免疫功能未发育成熟,所以易发生消化道感染。其中,婴幼儿腹泻、急性胃肠炎最为常见,是威胁儿童健康的主要原因。根据联合国儿童基金会 2007 年的调查,全球每年约有 150 万的 5 岁以下儿童死于腹泻。截至 2006 年的调查资料显示,我国 5 岁以下儿童腹泻的死亡率为 75.6/10 万。社区护士应采取综合性的预防措施,包括提倡母乳喂养,指导家长及时为儿童添加辅食,进行有关营养、饮水及卫生方面知识的宣传,控制并及时治疗儿童腹泻,以保护儿童健康,降低儿童的死亡率。

3.传染性疾病 传染病具有传染性、流行性、季节性、免疫性等特点,它的发生一般都有特定的病原体。儿童是传染性疾病的高危群体,儿童常见的传染病有水痘、麻疹、小儿脊髓灰质炎、流行性乙型脑炎、病毒性肝炎、百日咳、痢疾、结核病等。目前,我国虽然在控制儿童传染性疾病方面取得了很大的成就,但儿童传染病的发病率仍相对较高。因此,加强儿童传染病的预防和控制依然是社区儿童保健的重要内容。社区护士应在传染病流行期间加强对环境及生活用品的消毒;一旦发现传染病病人或疑似病人,应及时予以隔离治疗;根据传染病的不同传播途径采取相应的措施,以切断传播途径;加强预防接种,提高儿童免疫力,保护易感儿童;帮助儿童增强营养,加强体质锻炼,养成良好的个人卫生习惯,必要时进行药物预防。

4.寄生虫病 寄生虫病跟儿童不良卫生习惯有关。常见的寄生虫病包括蛔虫病、蛲虫病及丝虫病。这些寄生虫常寄生在儿童的肠道内,影响食物的消化及吸收,并可产生贫血、梗阻等多种并发症,严重危害儿童的身体健康及生长发育。切断传播途径是预防儿童寄生虫病的主要方法。社区护士应教育儿童养成良好的卫生习惯,如饭前、便后要洗手等,以减少这类疾病的发生。

(三)其他健康问题

1.小儿肥胖 体重超过同年龄、同身高小儿正常标准的20%,或超过同性别、同年龄健康儿童平均体重加2个标准差,即为肥胖。我国儿童肥胖的发生率为3%～5%,部分地区可达16%,并有增加的趋势。肥胖不仅影响儿童的自尊心和活动,而且与成年人的高血压、冠心病、糖尿病、肥胖症等有一定的关系。能量过剩及缺乏运动是常见的原因。因此,社区护士应定期进行儿童肥胖的筛查,加强儿童营养指导,倡导积极的生活方式,引导儿童进行体育锻炼,以预防肥胖的发生。如儿童体重超过标准或有肥胖倾向,应及时告知其父母,必要时提供饮食及运动指导,以达到控制体重的目的。

2.营养不良 目前,我国儿童的营养不良主要是由于膳食结构不合理、偏食、挑食及零食过多引起,导致营养素缺乏性营养不良,如维生素 B_{12}、铁、叶酸缺乏引起的营养不良性贫血,维生素 D 缺乏引起的佝偻病等。社区护士应指导家长合理喂养,教育家长和儿童纠正不良饮食习惯,及时调整饮食结构,做好生长发育监测,增强儿童的体质,预防营养不良的发生。

3.口腔卫生问题 由于生活水平的提高,糖的摄入量增加,加上不重视口腔卫生,所以儿童容易产生龋齿。社区护士应向家长及儿童进行口腔卫生的健康教育,使儿童养成良好的口腔卫生习惯;辅导家长及儿童掌握正确的刷牙方法,使用含氟化物的牙膏;提醒家长注意保持儿童营养的均衡,保证维生素 C、维生素 D 及钙质的摄入;教育儿童加强体育锻炼,全面提高身体素质;定期进行口腔检查,以及时发现并治疗龋齿,保证牙齿的正常发育。

4.视力问题 我国儿童的视力问题主要是近视、弱视,与儿童学习负担过重、用眼时间长及光线暗、坐姿不正确等有关。加上电视、计算机、游戏机等的应用,使儿童近视发生率逐年增加。社区护士应注重预防儿童近视,加强保护视力的宣传教育,积极开展眼保健活动,指导儿童用眼卫生,养成良好的读写习惯。家长应合理安排儿童的作息时间,注意劳逸结合,避免儿童写作业时间过长造成视力疲劳;为儿童定期监测视力,及时发现并治疗近视。

第三节 托幼机构与学校保健

一、托幼机构保健

(一)托幼机构保健的主要任务

托幼机构保健工作的主要任务是贯彻预防为主、保教结合的工作方针,为集体儿童创造良好的生活环境,预防和控制传染病,降低常见病的发病率,培养儿童健康的生活习惯,保障儿童的身心健康。

(二)托幼机构儿童保健

托幼机构可以为儿童提供更合理的生活作息、更系统的学前教育及锻炼儿童的独立生活能力,促进儿童的体格发育,为进入小学打好基础。但托幼机构儿童的食物中毒、心理问题、上呼吸道感染等发生率较散居儿童高。因此,社区护士需通过卫生监督、安全监督、营养监督等方式促进和确保托幼机构环境整洁、照明良好、锻炼安全、营养合理,并与家长、老师密切联系,为儿童提供安全、健康的教育环境,为托幼机构的儿童和工作人员管理提供信息或帮助。

1.儿童入学前的准备　社区护士要指导家长帮助儿童做好入学准备,帮助儿童和教师建立亲近的关系,教育儿童有礼貌地和教师打招呼、积极主动地和新同学交流,鼓励儿童相互介绍姓名、共同做游戏等,帮助儿童熟悉和适应学校环境,了解学校的一切规定和纪律,教导儿童自觉遵守校纪校规,每天按时起床、准时上学,放学后及时回家做作业,培养儿童每晚自己收拾书包、准备第二天学习用品的习惯。各种文具要适用,不要过于艳丽新奇,以免在上课时分散儿童的注意力。

2.托幼机构健康检查　社区护士除指导托幼机构保健人员做好晨间检查、落实卫生制度和安全制度外,重点要做好儿童及工作人员的健康检查。

(1)入园(所)儿童的体格检查:①入托儿所或幼儿园儿童必须到当地指定医疗卫生机构的儿童保健门诊,按体检项目和统一要求进行全面体格检查,医师应询问儿童的健康史、家族史,认真填写《儿童健康检查表》,体检结果1个月内有效。②儿童凭健康检查表和预防接种证入幼儿园或托儿所。③如儿童患传染性疾病或有传染病接触史,应暂缓入园,必须经过医学观察,观察期满且无症状时再复查,正常者方可入园。④儿童离园3个月以上,要求再入园时必须重新体检。⑤在园健康儿童要求转园不需要重新体检,只需持《儿童转园健康证明》即可直接转园。⑥有严重先天性心脏病、裂腭的儿童不宜入园。癫痫、中度以上智力低下的儿童可建议送专门机构进行系统康复锻炼。⑦患传染病的儿童应及时隔离,痊愈后必须递交医疗单位的证明。⑧定期进行体格检查,对患有营养不良、贫血、佝偻病等疾病的儿童及时治疗。⑨对体弱儿童应做好生活护理,指导他们进行适当的户外活动和体格锻炼,增强体质。

(2)托幼机构工作人员的健康检查:①托幼机构工作人员上岗前必须进行健康检查,持有健康检查单位签发的《健康合格证明书》。②托幼机构在岗工作人员必须按照规定的项目每年进行1次健康体检。③患有国家法定传染病、性病、滴虫性及真菌性阴道炎、化脓性或者渗出性皮肤病者应暂时离岗,经治疗痊愈后,须有医院或防疫部门出具的诊断证明,方可恢复工作。④工作人员如有传染病密切接触史,须向托幼机构负责人报告,暂时离岗,接受医学观察。

3.儿童生活管理　①儿童的膳食应有专人负责,定期研究膳食情况,及时解决问题,保证各种营养素的摄入,不断提高膳食质量。②据儿童年龄和生长发育的需求制定适合儿童的食谱。儿童膳食应与工作人员膳食严格分开。③每天按时用餐,保证儿童用餐时间不少于30分钟。为儿童提供符合卫生标准的生活饮用水,保证儿童按需饮水。④根据儿童年龄特点合理安排每天睡眠时间。⑤应保证儿童户外活动时间每天不少于2小时,寒冷、炎热季节可酌情调整。⑥加强体弱儿童的膳食管理,有条件的托幼机构可为患有贫血、营养不良、食物过敏、肥胖等疾病的儿童提供相应的保健膳食。⑦教师接受家长委托喂药者,家长和教师应做好药品的交接和登记,并请家长签字确认。

4.做好托幼机构教师和家长的健康指导　社区护士应定期向托幼机构的工作人员和儿童家长进行常见病、多发病的预防指导,维护儿童心理卫生,做好儿童口腔、视力、听力保健工作,培养良好的生活卫生习惯。强调正确的体格锻炼,增强儿童的抗病能力。加强托幼机构的环境卫生和个人卫生,做好消毒隔离。在传染病流行期间,尽量减少儿童去人口密集的地方,避免传染上疾病。在托幼机构开展预防儿童意外伤害的健康教育,儿童游戏场所及生活设施应经常检查和维护,避免儿童发生意外伤害。

二、学校保健

学校是学生聚集的地方,学生作为一个特殊群体,是学校保健的对象。社区护士应了解《学校卫生工作条例》,密切配合家长、学校以及社会工作者,保证儿童和青少年心理和身体健康成长。

（一）学校卫生保健工作的主要任务

学校卫生保健工作的主要任务是监测学生健康状况,对学生进行健康教育,培养学生良好的卫生习惯,改善学校卫生环境和教学卫生条件,加强对传染病、常见病的预防和治疗。

（二）学校儿童保健管理

1.建立学生健康管理制度　定期对学生进行体格检查,建立学生体质健康卡片,纳入学生档案。对体检中发现学生有器质性疾病的,应配合学生家长转诊治疗。

2.建立卫生管理制度　做好学生个人卫生、教室卫生、环境卫生、宿舍卫生、食堂卫生、饮水卫生等的管理工作。

3.开展卫生教育　宣传讲究卫生、预防疾病的重要意义。

（三）学校卫生保健的措施

1.培养良好的生活习惯

(1)培养良好的饮食卫生习惯:注意饮食卫生,教育学生定时、定量进餐,做到不偏食、不挑食、不暴饮暴食、不吃过期和变质食物、不喝生水。

(2) 注重口腔卫生：加强口腔卫生宣传教育，教育学生养成饭后漱口、早晚刷牙的习惯，预防龋齿。

(3) 培养良好的睡眠习惯：教育学生养成按时睡眠、按时起床、夏季午睡的良好睡眠习惯。

(4) 参加户外活动：鼓励学生课间到室外活动，呼吸新鲜空气，进行远眺，减轻眼睛疲劳，预防近视。

(5) 预防不良习惯：教育学生养成不吸烟、不喝酒、不随地吐痰的良好习惯。

2. 培养正确的身体姿势　少年儿童时期是骨骼成长发育的重要阶段，学生在听课、看书、写字、站立或行走时要保持正确的姿势，否则，可能影响正常生长发育，甚至造成骨骼畸形。

3. 学校要为儿童提供良好的学习环境　主要内容包括光线适宜、桌椅的高度合适，并且桌椅要配套，要根据不同年级配备适当型号的桌椅，且学生座位应定期更换，可开展眼保健操等活动。

4. 开设营养课程　学校可开设营养课程，进行营养卫生宣教，增加学生的营养知识，纠正不良习惯。

5. 开展心理咨询　学校应为学生开展心理咨询，解除学生在学习、生活和人际交往中所遇到的困惑和压力，帮助学生提高应对不良事件的能力，保持心理平衡。

6. 小学设课间加餐　小学生常因早晨赶着上课而进食不足，最好于上午课间加餐补充营养，以保证体格、智力的发育，同时，学校特别重视为学生补充强化铁食品，以减低缺铁性贫血的发病率。

7. 预防常见传染病　学校应帮助学生按时预防接种、定期体格检查，并向学生宣传预防常见传染病的知识。

8. 适宜的体育锻炼与劳动　系统的体育锻炼，如体操、赛跑、球类活动及游泳等均有助于少年儿童体力和耐力的增长，同时，培养学生爱劳动的好习惯还能促进身心全面发展。

本章小结

本章主要介绍了"社区儿童保健"的概念和意义、各年龄分期儿童保健的重点及常见策略、儿童常见健康问题的护理以及托幼机构和学校保健。通过对本章内容的学习，可使社区护士增加儿童保健知识，帮助家庭建立有益于儿童健康的环境和生活方式，为儿童及家庭提供优质的护理服务，更好地做好儿童保健工作，促进儿童身心健康发展。

课后思考

1. 简述"社区儿童保健"的概念。
2. 简述各年龄分期儿童保健的重点。
3. 简述新生儿家庭访视的内容。

4. 简述儿童常见健康问题的护理要点。
5. 简述托幼机构和学校保健的特点。

（钱云龙）

第九章 社区妇女保健

案例

某孕妇,妊娠33周,因上楼时心悸、气短就诊。查体:T 37℃,P 96次/分,R 20次/分,Bp 125/75mmHg;心尖区可闻及收缩期Ⅱ级柔和吹风样杂音,肺底偶有湿罗音,咳嗽后消失。水肿(+),血常规和尿常规检查结果无异常。

问题:
1. 该孕妇有无健康问题?
2. 社区护士应指导该孕妇采取哪些护理措施?

本章学习目标

1. 掌握围产期妇女保健的内容。
2. 熟悉"围婚期"、"围绝经期"妇女保健的概念及措施。
3. 了解老年期妇女保健的内容。

妇女在人类社会活动中肩负着建设国家、孕育后代的双重任务,其健康直接关系到国家的昌盛和民族素质的提高。当今世界,大力发展妇女保健事业、提高妇女的健康水平已是大势所趋,因此,扩展与加强社区妇女保健工作势在必行。社区妇女保健工作是社区卫生服务的重要组成部分,社区护理人员应掌握有关妇女保健的理论知识和护理技术,根据妇女不同时期的生理与心理特点,运用现代医学知识和护理技术,为妇女提供经常性的预防保健和护理服务,保护和促进妇女健康。

第一节 孕前保健

妇女从确定婚姻对象到婚后受孕为止的一段时期称"围婚期"。此期的预防保健工作重点是通过优生优育和计划生育,促进母婴健康及提高新生儿的出生质量。

一、优生优育

(一)婚前

婚前健康教育是实现优生优育的重要组成部分,是提高人们婚姻保健意识的有效方法和重要途径。社区护士是实施婚前健康教育的主要工作者,可通过举办讲座、咨询服务、发放宣传资料等形式进行婚前健康教育。

1. 配偶选择　优生始于择偶,择偶不仅要有感情基础,还要有科学的态度,要考虑遗传因素、健康因素及其他因素的影响。

(1)宣传婚姻法:要使恋爱双方懂得在婚姻与生育方面应遵守的法律和规定。我国婚姻法规定,直系血亲或三代以内的旁血亲之间禁止结婚。

(2)讲解疾病与婚姻和生育的关系:夫妻双方的健康是优生的根本条件,青年男女在交朋友时就应首先相互了解并介绍健康状况。社区护士要使护理对象明确:患有遗传性精神病者不宜结婚和生育;患有某些疾病者须暂缓结婚,如各种急性传染病等;另外,患有某些疾病者虽然可以结婚,但不宜生育,如严重的遗传病等。

2. 婚前检查　婚前检查是通过全身或专项检查,以确定有无影响结婚和生育的疾病。向婚检者提出医学建议,如是否可以结婚、是否可以生育和需要注意的问题,防止遗传性疾病在后代中延续,以提高人口素质。影响结婚或生育的常见疾病包括:严重遗传性疾病;《中华人民共和国传染病法》中规定的传染病;有关精神疾病;影响生育的心、肝、肺、肾等重要器官疾病及生殖发育障碍、畸形等。

3. 进行性生理卫生教育　除婚前检查外,社区护士还应通过集体上课、电化教育、发放宣传资料、个别咨询等形式,介绍生殖系统解剖及性生理知识,指导性生理卫生,介绍如何防病、如何达到性和谐及新婚避孕的方法等。

(二)孕前

在孕前,社区护士应指导未来的父母受孕的适宜时机。

1. 身体及经济状况　以双方身体状况良好、工作或学习都不紧张、家庭有了一定积蓄后再安排受孕为佳。

2. 避免有害物质　注意受孕前工作或生活环境。接触过放射线、有害化学物质者,需与有害物质隔离一段时间再受孕;服用避孕药者,应先停服药物,再改用工具避孕半年后受孕为宜。

二、计划生育

计划生育是指有计划的生育子女。实行计划生育是我国的一项基本国策,提倡和鼓励晚婚、晚育,实行少生、优生,达到有计划地控制人口增长、提高人口素质的目的。

(一)避孕知识

利用科学的方法使妇女暂时不受孕称为"避孕"。其原理主要有:抑制精子和卵子的产生；阻止精子与卵子结合；改变宫腔内的环境，使其不适于受精卵的植入和发育。常见的避孕方法有工具避孕法、药物避孕法及安全期避孕法等。

1. 工具避孕法　利用工具防止精子与卵子结合或通过改变宫腔内环境达到避孕的目的，称为"工具避孕"。

(1) 外用避孕工具：①阴茎套。阴茎套是男用避孕工具，性生活时套在阴茎上，精液排在套内不进入阴道，以达到避孕的目的。②阴道隔膜。阴道隔膜是女避孕工具，使用时放入阴道盖在子宫颈上，阻止精液进入宫腔，以达到避孕的目的。

(2) 宫内节育器：宫内节育器有带药物和不带药物2种。将避孕器安放在宫腔内，从多方面起到抗生育的作用，是一种安全、有效、简便、经济的可逆性节育方法。

2. 药物避孕法　我国自1963年开始推广使用人工合成的甾体激素避孕药，作用原理包括：通过药物抑制下丘脑GnRH，使垂体分泌FSH和LH减少，从而抑制排卵；改变宫颈黏液性状，不利于精子穿透；改变子宫内膜形态与功能，不适宜受精卵着床，以达到避孕的目的。制剂类型主要有：①复方短效口服避孕药。该药由雌激素和孕激素配伍而成，只要按规定服用且无漏服，避孕成功率可达99.95%。②长效口服避孕药。该药主要是利用长效雌激素(炔雌醚)，从胃肠道吸收后储存于脂肪组织内缓慢释放，起长效避孕作用。③缓释系统避孕药。该药主要是孕激素与具备缓慢释放性能的高分子化合物制成多种剂型，在体内持续进行微量释放，起长效避孕作用，主要类型有皮下埋植避孕、皮下注射微球与微囊和缓释避孕药阴道环等。

3. 安全期避孕法　排卵前后4~5天内为易受孕期，其余的时间不易受孕，被视为"安全期"。采用在"安全期"内进行性生活而达到避孕目的，称"安全期避孕法"。因此法单靠避开易孕期性生活而不用其他药具避孕，故又被称为"自然避孕法"。此法不扰乱夫妇双方正常的生殖生理过程，无副作用，较其他方法易于接受。采用此法避孕的妇女，应先确定排卵日期，但妇女的排卵往往会受情绪、生活环境、健康或性生活等影响而提前或推后，因此，安全期避孕效果并不十分可靠，失败率约为20%，最好与外用避孕药膜配合使用。

(二) 避孕指导

避孕指导是指对婚后不准备立即怀孕的妇女及已生育的妇女提供必要的避孕指导，避免不必要的人工流产。社区护士应根据每个育龄妇女的具体情况，选择最适宜的避孕方法。

新婚夫妇最好选择外用避孕工具(如避孕套)避孕，方法容易掌握，停用后对内分泌及生育功能无影响；已生育的妇女避孕首选宫内节育器，但有生殖道急慢性炎症、月经过多过频或不规则出血、生殖器官肿瘤、子宫畸形、宫颈口过松、重度陈旧性宫颈裂伤或子宫脱垂、严重全身性疾病的妇女不宜放置；不宜使用宫内节育器避孕的妇女，若月经周期规律，可选用安全期避孕与避孕药膜配合使用，月经周期不规律者则可选用外用避孕工具如避孕套、阴道隔膜或药物避孕法避孕。

第二节　围产期保健

围产期又称为"围生期"，是指妇女生产前、生产及生产后的一段时期。围产期预防保健是应用现代医学和护理学知识，采取监护、预防措施、组织实施与管理，以保证对母婴的系统管理和重点监护,保障母婴健康。

一、建立孕妇健康手册

为加强对孕产妇女的健康管理,降低孕产妇、胎儿和新生儿的发病率、死亡率和病残儿的出生率,我国已普遍实行孕产期保健三级管理,推广使用孕妇健康手册,要求对社区内的早孕妇女进行登记,开展早孕咨询、检查及健康指导,并着重对高危妊娠进行筛查、监护和管理。

二、产前检查

产前检查是监护孕妇的重要方式。产前检查的时间应从确诊为早孕时开始,一般在孕12周前进行,即为"初查"。若经初查未发现异常者,应开始接受系列产前检查。通常在孕28周前,每4周检查一次,孕28～36周每2周检查一次,孕36周后每周检查一次。

产前检查的内容包括:①一般性全身检查。通过全身检查,了解孕妇营养状况、身高、体重、有无水肿;重要器官如心、肝、肾有无病变;了解孕妇的生命体征。②产科检查。产科检查包括对胎儿的触诊,了解胎儿大小、胎产式、胎先露、胎方位及羊水情况;骨盆测量及阴道检查等。③实验室等辅助检查。常见检查包括血常规、肝功能、肾功能、血糖监测、B超检查等。

三、不同孕期的保健内容

(一)第一孕期

受精卵在第一孕期快速分化形成胚胎,开始进入胎儿期各组织器官形成的阶段。此期可出现胎儿畸形和流产。第一孕期的保健护理内容包括对孕妇生理和心理的护理、优生保健及产前检查。孕妇特别要注意避免接触致畸胎源,如药物、X射线、感染、酒精及香烟中的尼古丁等,预防先天性畸形儿和流产。

(二)第二孕期

第二孕期的保健护理内容包括指导孕妇合理安排膳食,摄入丰富、均衡的营养;教育孕妇母乳喂养的有关知识,指导其乳房护理及婴儿用品的准备。

(三)第三孕期

第三孕期的保健护理内容主要是预防早产,向孕妇介绍分娩前兆的有关知识,要求孕妇确定待产医院,了解及时就医的方法,指导产后家庭自我护理计划等。

四、保健及护理措施

(一)孕期自我保健

1.个人卫生　个人卫生包括口腔卫生、沐浴和会阴部清洁。孕期可选择小头软毛牙刷,每次餐后3分钟内刷牙,同时勤漱口。因孕期牙龈充血,应避免可能引起出血的操作。若有口腔疾病,首先应对症治疗,产后再进行处理。

怀孕期间孕妇机体新陈代谢旺盛,汗腺及皮脂腺分泌增多,阴道分泌物增多,孕妇要保持身体清洁,应勤洗澡、勤换衣,外阴以清水冲洗较好,沐浴尽量采取淋浴方式,避免上行感染,浴室地面铺防滑垫;衣服宜宽松、柔软、透气性好,不穿紧身衣、不束胸;鞋要适足,底有防滑纹,不穿高跟鞋。

2.休息与活动　健康的孕妇仍可参加工作,但应避免重体力劳动,对接触强噪声、有毒化学物质或放射线者应酌情调整岗位。孕妇不宜过度疲劳,宜保持充足睡眠,一般保证每日8～9小时的睡眠,并且尽量要有30分钟的午休,以保证体力。孕妇休息时宜采取左侧卧位,有利于改善子宫的血液供应,减轻子宫对动静脉的压迫。

孕妇可从事一般的日常工作、家务劳动、散步等体育活动,可起到增强体质、利于分娩的目的。散步是最佳的活动形式,在保证安全的前提下,孕妇可每天散步2～3次,每次约30分钟,以不感到疲劳为限。在整个孕期,孕妇最好进行一些盆底肌的锻炼,如缩肛运动、蹲踞活动等,以增强盆底肌肉的韧性,适应分娩需要。孕妇在运动时应避免关节过度屈曲和伸张,并避免跳跃、旋转和迅速改变方向的活动。

3.乳房护理　从孕20周开始,就应进行乳房的护理,为哺乳做准备。保持乳房的清洁卫生,每日用清水冲洗,并用手或软毛巾按摩乳房以增加乳头皮肤厚度和耐磨力。为防止哺乳后乳房疼痛和乳头皲裂,沐浴时应选择中性洗液擦洗乳头。乳头凹陷者可用右手的拇指和食指将乳头拉出,再轻轻地按摩乳头,每天3次,每次3～4分钟。但有早产史、流产史或在刺激乳头后出现宫缩的孕妇应避免按摩乳头。

4.孕期用药　妊娠期用药时应考虑到药物对胎儿的影响,尤其是孕早期。因多数药物可通过胎盘输送给胎儿,对胎儿产生毒性作用,因此,妊娠期妇女应遵医嘱用药,以免造成胎儿畸形或流产等意外。

5.性生活　孕期的性生活应根据孕妇的具体情况而定。怀孕早期,性生活的刺激可引起盆腔充血及子宫收缩而导致流产。临产前6～8周,性生活能诱发羊水早破及早产,并可能将细菌带入阴道导致产前、产时及产后的感染。对于有习惯性流产或早产史的孕妇要禁止性生活。

6.自我监测　社区护士应教授孕妇自己数胎动的方法。自妊娠18～20周开始孕妇有自觉胎动,正常情况下,胎动每小时3～5次。孕妇自妊娠30周开始,每天早、中、晚固定时间各数胎动1小时,并进行记录,将每天3次计得次数的总和乘以4,即为12小时胎动次数。如果12小时胎动次数在30次以上,反映胎儿情况良好;如果下降至20～30次,应提高警惕;若低于20次,则说明胎儿出现异常;少于10次一般提示胎儿宫内缺氧。

(二)孕期营养

胎儿所需要的物质都是从母体吸收的,如果母体的营养状况不良,可能导致胎儿发育不良。膳食是否合理不仅影响着胎儿的正常发育和日后婴儿的健康成长,也影响孕产妇健康和产后哺乳。整个孕期,孕妇营养要适当、均衡,粗细粮搭配,荤素菜比例适当,不偏食、不挑食、不忌口,少吃辛辣刺激食物,多食蔬菜、瓜果类的富含维生素的食物;蛋白质摄入以动物蛋白为主,同时增加丰富的植物蛋白,预防贫血;适当限制脂肪、糖类较多的食物摄入;出现水肿时应限制盐的摄入。

(三)孕期心理指导

不良情绪可导致胎儿发育不良、流产等,因此,孕妇应保持良好的心态。社区护士应了解孕期妇女的心理反应,并根据不同孕期孕妇的心理需要,给予适当的支持。

1. 孕早期　此期孕妇常有矛盾、不确定的感受,同时,因身体不适而感到焦虑。社区护士应给孕妇解释早孕的生理反应属正常现象,鼓励妇女尽快确定怀孕,建立对自己的信心。

2. 孕中期　此期的孕妇已接纳怀孕的事实,身体不适感也逐渐减轻,对怀孕及分娩的事特别感兴趣,并且由于胎动出现增加了孕妇对胎儿的期望,建立起母子一体的亲切感。此时社区护士应多给孕妇介绍怀孕、分娩的有关知识,指导孕妇进行胎教。

3. 孕晚期　随着预产期的临近,孕妇会出现期待而又恐惧的心理。社区护士应让孕妇了解分娩和怎样避免剖宫产的知识,消除孕妇的顾虑,稳定其情绪,帮助孕妇调整心态。也可让有经验的孕妇指导、帮助其他没有经验的孕妇,以减轻其焦虑和恐惧心理,释放压力。

(四)孕期常见症状及护理

1. 消化道症状　妊娠早期,约有一半以上的孕妇出现厌油、恶心、呕吐、食欲不振、嗜酸择食等早孕反应症状,一般于妊娠12周左右自然好转,此时可给予清淡、富含营养、高热量、少油、易消化食品。妊娠28周后,子宫增大、宫底增高,压迫胃部致胃内容物反流,刺激食管黏膜,引起烧灼感及消化不良症状;宫体压迫结肠和直肠影响肠蠕动及张力,易造成便秘。此时孕妇宜少量多餐,多吃富含维生素和纤维素的蔬菜和水果,少吃高脂肪食物及甜食,多饮水,养成定时排便的习惯。

2. 下肢水肿及静脉曲张　孕妇于妊娠后期因子宫增大,压迫下腔静脉而使血液回流受阻,可造成下肢浮肿及静脉曲张。此期孕妇不宜长久站立或久坐,应注意休息。休息时孕妇可抬高下肢,严重浮肿和静脉曲张者应卧床休息。

3. 仰卧位低血压综合征　在妊娠末期,孕妇较长时间取仰卧位休息时,子宫压迫下腔静脉,使回心血量减少,心搏出量减少,出现低血压、头晕、胸闷、心慌等症状。此时,孕妇宜改为侧卧位。

4. 痔疮　妊娠期盆腔血管分布增多,静脉回流受阻,易发生痔疮。孕妇应积极纠正便秘,有助于预防痔疮;若有痔脱垂,应立即复位;发生剧痛时可遵医嘱用药。

(五)识别临产先兆

分娩是妊娠中最重要的关头,分娩发动前,往往出现一些预示不久即将临产的症状,称"临产先兆",包括不规律的子宫收缩、见红和破水。

1. 不规律的子宫收缩　分娩前数天,子宫可出现不规则收缩,常于夜间出现,孕妇会感到下腹部有不规则的疼痛或不适,持续时间短、宫缩力弱、间隔长。

2. 见红　分娩开始前24~48小时,出现少量血性黏液自阴道流出,称"见红"。此为分娩即将开始比较可靠的征兆。若阴道出血量多,则属异常。

3.破水　有些孕妇可于正式临产前发生胎膜破裂，从阴道突然涌出清澈液体，即"羊水"。此时孕妇应采取卧位，减少站立或蹲踞姿势，还要保持外阴清洁卫生，并及时送往医院。

（六）产后家庭访视

家庭访视是社区护士为产妇提供护理的重要方式。社区护士可通过访视对产妇进行全面评估，及时发现问题，及时给予指导。

1.访视时间　产后访视一般至少3次，如有异常，可酌情增加访视次数，给予及时指导。第一次访视又称"初访"，在产妇出院后3天内，第二次访视在产后第14天，第三次在产后第28天。

2.访视的内容

（1）一般情况和生命体征监测：了解精神、睡眠、饮食及大小便等一般情况。产后产妇体温大多在正常范围内，偶尔产后24小时内出现不超过38℃的发热。如体温超过38℃，则考虑是否有产褥感染的可能。

（2）子宫复旧：评估前，护士嘱产妇排空膀胱，平卧，双膝稍屈曲，腹部放松，注意保暖及遮蔽。产后当天，子宫底为平脐，以后每天下降1~2cm，至产后10~14天降入骨盆内，耻骨联合上方扪不到子宫底。

（3）恶露：产后随子宫蜕膜的脱落，含有血液及坏死蜕膜组织的血性液体经阴道排出，称"恶露"。产后第1~3天为血性恶露，量多，色鲜红；3日后转为浆液性恶露，色淡红；约2周后变为白色恶露，较白而黏稠，产后3周左右干净。如恶露有臭味且持续时间长，说明可能有产褥感染。

（4）腹部、会阴伤口愈合情况：检查伤口有无渗血、血肿及感染情况，如有异常，须到医院就诊。

（5）排尿功能的检查：观察尿量，判断排尿是否通畅，尤其是剖宫产、滞产及使用产钳的产妇要特别注意排尿功能。指导产妇多饮水，预防尿路感染。

（6）乳房检查：检查产妇哺乳方法是否正确，乳头是否皲裂，乳腺管是否通畅，乳房有无红肿、硬结及乳汁的分泌等。

3.产后保健及护理

（1）环境：社区护士需指导产妇及家属保持环境安静、舒适、冷暖适宜、空气清新。

（2）活动指导：产后24小时内须卧床休息，产后2天可在室内走动并可按时做健身操。剖宫产或行会阴侧切术者活动可推迟。

（3）饮食：选择清淡、易于消化的汤汁类食物，保证足够的热量、蛋白质和维生素，可促进乳汁分泌。

（4）个人卫生：产妇要注意个人卫生，每天用温热水漱口、刷牙、沐浴，勤换衣被，保持清洁。

（5）会阴护理：社区护士应指导产妇每天冲洗外阴，勤换会阴垫，保持会阴部清洁，预防感染。

（6）喂养指导：社区护士应向产妇及家人宣传母乳喂养的好处，介绍母乳喂养知识，指导产妇顺利进行母乳喂养。开始哺乳前,先用温热毛巾擦拭乳头,观察乳头有无破损,然后用乳头刺激婴儿面颊部,当婴儿张大口时将乳头送进婴儿口中,这样婴儿可大口地吸进乳汁,促进乳汁分泌。观察婴儿吸吮含接及孕妇喂养姿势是否正确,防止婴儿鼻部受压。喂奶的次数可不固定,应按需哺乳,多少不限。如发现乳房有凹陷、损伤、肿胀、硬块等,应及时哺乳或排出乳汁,一旦发生乳腺炎,应及时去医院就诊。

(7)计划生育指导:产褥期不宜进行性生活,哺乳期虽无月经,但仍要坚持避孕,避孕工具以避孕套为好。

第三节 围绝经期妇女保健

围绝经期是指从绝经前一段时间,出现与绝经有关的内分泌、生物学改变等临床特征时到绝经后 12 个月内,包括绝经前期、绝经期和绝经后期。一般妇女在 50 岁左右进入围绝经期。

一、生理特点

(一)生殖系统的变化

随着年龄的增长,生殖器官失去卵巢性激素的支持,开始萎缩并发生退行性变。卵泡数目减少,子宫肌层和内膜层逐渐萎缩,子宫也随之变小。阴毛脱落、阴阜及大小阴唇呈萎缩状,阴道分泌物减少,盆底松弛。

(二)内分泌系统的改变

雌激素分泌量逐渐减少,主要是因为卵巢功能减退致内分泌系统发生改变。

(三)月经改变

随着卵巢功能衰退,月经周期逐渐不规则,表现为无排卵型月经。当卵泡停止发育,分泌的雌激素少到不足以刺激子宫内膜生长以致脱落时,即为无月经,又称"绝经"。绝经一般发生在 45 岁以后,绝大多数为自然绝经。

(四)骨质疏松

绝经后的妇女由于雌激素水平下降,导致骨质吸收速度快于骨质生成,促使骨质丢失,骨质变得疏松,骨小梁减少,引起骨骼压缩、体积变小,严重者可导致骨折。

二、心理特点

围绝经期随着内分泌系统的改变,会出现一些自主神经系统功能紊乱的症状,常表现为心理状态和精神状态的改变,包括注意力不集中、易激动、情绪波动大、紧张、焦虑、自我封闭、偏执、内心有挫折感、自责、悲观等;同时,还伴有头晕、头痛、失眠、乏力等躯体不适。这些症状是多变的,没有特异性,有波动,并不持续存在。

三、社区保健

社区护士应了解处于围绝经期的妇女会因逐渐老化而感到压力,形成不必要的负担,会因丧失生育能力、性能力减退、体型变化、魅力减低而忧虑,也可能因家庭空巢期而空虚。社区护士要帮助护理对象进行调适。

(一)提供心理支持

社区护士通过有针对性的指导,使护理对象了解围绝经期是一个正常的生理阶段,可通过神经内分泌系统的自我调节达到新的平衡,解除其不必要的顾虑。同时,社区护士还应对其家属介绍围绝经期妇女内分泌改变所引起的不适,使家属谅解护理对象出现的焦虑、忧郁等消极情绪,协助其度过困难时期。

(二)协助科学安排日常活动

社区护士应指导护理对象参加力所能及的劳动,保持良好的生活习惯,不吸烟,不酗酒,起居、饮食有规律,坚持适当的体育锻炼,鼓励其参与社交及娱乐活动。

(三)饮食指导

社区护士应指导围绝经期妇女多食用含钙丰富的食物,多进行户外活动,冬季多晒太阳,注意补充足够的蛋白质,以减慢骨钙的丢失。

(四)指导正确用药

围绝经期使用雌激素替代疗法可减轻围绝经期症状,预防骨质疏松症。护士应将用药目的、剂量、方法及可能出现的副作用详细告诉护理对象,并督促长期使用者定期接受随访,监测及防止不良反应。

(五)落实定期体检制度

此期妇女应进行妇科常见病、多发病的普查,重点筛查内容包括乳癌、宫颈癌等疾病。同时,此期也是心血管疾病的好发时期,要建立并执行护理对象定期接受检查的制度,达到早发现、早诊断、早治疗的目的。

第四节 老年期保健

一、压迫性尿失禁

尿失禁的类型众多,据统计,65岁以上的老年人约10%有尿失禁。老年期妇女因支持骨盆底肌肉群松弛,常在负重、咳嗽等造成腹压增大时尿液溢出,称"压迫性尿失禁",这种尿失禁在休息、睡眠时不出现。

社区护士可指导护理对象坚持适当运动,并有意识地进行收腹提肛动作,加强盆底肌肉群的紧张度,并告知老年女性在有尿意时应及时排尿,不要憋尿。

二、老年性阴道炎

老年女性因卵巢功能减退,雌激素水平下降,故阴道上皮内糖含量减少,pH 上升,局部抵抗力下降,故细菌易侵入繁殖而引起感染。

老年性阴道炎主要表现为阴道分泌物增多,呈黄水样或脓性。在排除恶性肿瘤后,处理措施以增强阴道抵抗力、抑制细菌繁殖为主。

社区护士应指导病人注意外阴清洁,勤换内裤,可采取阴道冲洗或坐浴控制炎症,必要时使用雌激素。

本章小结

本章介绍了妇女在不同时期的社区保健,包括孕前、围产期、围绝经期和老年期。孕前保健的主要内容是优生优育和计划生育;围产期保健主要是指导孕妇做好自我保健,重视产后的家庭访视;社区护士应根据围绝经期妇女生理和心理的变化特点进行针对性的保健护理指导;老年期妇女要对常见疾病做好防护。

课后思考

1. 对婚后不准备立即怀孕的妇女应如何进行避孕指导?
2. 孕妇如何做自我保健?
3. 临产先兆有哪些?
4. 简述产后家庭访视的时间及内容。

(储彬林)

第十章 社区老年人保健

案例

为了提高社区老年人的健康保健意识,增强社区老年人预防疾病的能力,某社区居委会与社区卫生服务机构联合举办了一场社区老年人保健知识讲座。主讲医师结合老年人的特点,就老年人的生活方式、饮食习惯、体质锻炼等知识进行了详细的讲解,并对老年人提出的问题一一作了回答,老人们听得非常认真。讲座结束后,老人们反响强烈,收获很大,社区工作人员的交流也非常亲切。他们希望以后社区能更多地开展老年预防保健知识讲座活动,社区工作人员也表示以后将为大家提供更多优质、便捷的健康保健服务,将社区卫生服务工作深入到居民生活之中。

问题:
1. 社区卫生服务机构如何做好社区老年人的预防保健工作?
2. 作为一名社区护士,应如何了解社区老年人的健康需求?

本章学习目标

1. 掌握"临终"、"临终关怀"、"死亡教育"的概念以及社区老年人的健康保健、临终病人的护理内容。
2. 熟悉老年人的患病特点、老年人常见的健康问题、临终关怀的理念、临终病人及家属的心理特点。
3. 了解老年人的年龄划分标准,老年人的生理、心理特点,临终病人的生理特点以及临终关怀和死亡教育的意义。

随着社会经济和医疗技术的发展,人民生活水平不断提高,健康意识不断增强,人类平均寿命日益增长,人口老龄化已经成为社会发展的必然趋势。我国已进入老龄化社会,老年人的生活质量不仅是个人和家庭的问题,还是一个重要的社会问题,关系到国家的经济发展与社会和谐。由于老年人大都生活在社区,所以社区将是老年人集预防、保健、医疗、康复为一体的重要场所。健康长寿人人追求,然而长寿并不等于健康。因此,开展社区老年人保健、提高社区护理服务质量,对促进和维护老年人的身心健康、提高老年人的生活质量有着重要的社会意义。

第十章 社区老年人保健

第一节 老年人的生理和心理特点

一、基本概念

(一) 老年人的年龄划分标准

联合国对老年人的年龄划分标准是：发达国家65岁以上者、发展中国家60岁以上者称"老年人"。世界卫生组织(WHO)对老年人的划分标准是：60(或65)~74岁为年轻老人；75~84岁为老年老人；85岁以上为高龄老人。我国划分老年期的标准是：45~59岁为老年前期，即中年人；60~89岁为老年期，即老年人；90岁以上为长寿期，即长寿老人，超过100岁的长寿老人又称"百岁老人"。

(二) 老年人口系数

老年人口系数又称"老年人口比例"，是指在某国家或地区的总人口构成中，老年人口数占总人口数的比例，是评价一个国家或地区人口老龄化的重要指标。

(三) 人口老龄化

人口老龄化又称"人口老化"，是指老年人占社会总人口的比例不断增长的发展趋势。影响人口老龄化的因素包括出生率和死亡率下降、平均预期寿命延长，这也反映了人类生命科学的发展和进步。同时，出生率下降跟我国特有的计划生育政策有关。

(四) 老龄化社会

WHO对老龄化社会的划分标准是：60岁及以上的人口占总人口的10%以上或65岁以上人口占总人口的7%以上。1999年底，我国60岁及以上老年人占总人口的10.09%以上，开始进入老龄化社会，预计到2025年我国老年人口系数将达到20%，成为超老型社会，2050年达到24%，约4个人中有1位老人。目前，我国是世界上老年人口绝对数量最多的国家，占全球老年人口总量的1/5。2004年底，我国60岁及以上老年人口数量为1.43亿，2014年将达到2亿，2026年将达到3亿，2037年将超过4亿，2051年达到最大值，之后将一直维持在3~4亿的规模。我国又是世界上人口老龄化速度最快的国家之一，65岁以上老年人口系数从7%上升到14%，发达国家大多用了45年以上的时间，而我国将只用27年，并且将长期保持很高的递增速度。

二、老年人的生理、心理及患病特点

(一) 老年人的生理特点

老年人随着年龄的增长，无论是外形还是内在的生理代谢、器官功能及形态结构都会出现慢性、进行性、退行性的变化。

1. 外形的变化　老年人外观形态的变化一目了然,如身高下降、躯干变短、弯腰驼背、体重减轻、关节活动不灵活、步履变慢;皮肤变薄、弹性下降、失去光泽、外观松弛、干燥而出现皱纹、出现老年斑;毛发变白、脱落、稀少或秃发;眼睑下垂,眼窝脂肪减少而出现眼球凹陷;牙龈组织萎缩,牙齿松动脱落;面部肌肉萎缩、皮下脂肪减少,脸形变窄、变短等。

2. 代谢及生理功能的变化

(1) 机体构成成分的改变:人体的主要成分有水、无机盐、蛋白质和脂肪等。老年人机体构成成分的变化主要是身体含水量减少,老年人体内水的减少主要是细胞内液体的减少,其次是脏器组织中细胞数量的减少。因为人体老化还可使脂肪组织增加,所以老年人易发胖,出现脂肪蓄积和血脂升高。

(2) 代谢功能改变:代谢功能的改变主要表现为基础代谢率下降、合成代谢降低、分解代谢增加。老年人体力活动减少,导致能量消耗减少。老年人骨骼的无机盐含量下降、骨密质降低,易患骨质疏松症,且骨脆性增加,易发生骨折。

3. 器官系统功能的变化

(1) 消化系统的变化:主要表现为唾液腺萎缩,唾液分泌减少,易致口干及食欲下降;牙质变脆,易碎易裂,食管收缩力减弱,导致吞咽困难;消化液分泌减少,胃肠蠕动减弱,导致消化吸收不良、便秘或失禁;肝脏代谢功能下降,胆汁、胰液分泌减少,对脂肪的消化吸收能力明显减退,易形成胆道结石,药物代谢速度减慢。

(2) 呼吸系统的变化:主要表现为胸廓前后径增大,形成"桶状胸",导致呼吸运动功能减弱;肺活量减少、残气量增加,气体交换功能显著降低;气管内的痰液不易排出,易发生肺部感染。

(3) 血液循环系统的变化:主要表现为造血功能明显降低,易发生感染;血管壁弹性纤维减少,胶原纤维增多,血管内膜增厚,动脉粥样硬化的程度逐渐加重;心脏传导系统功能老化,心脏传导阻滞,易发生各种心律失常;心房增大,心室壁肥厚,心室容积减少,心肌收缩力下降,导致心排出量减少;心脏瓣膜及瓣环增厚,发生纤维化,致使瓣膜关闭不全,产生心脏杂音;血管硬化,动脉压升高,静脉压下降,脉压增大,易发生体位性低血压及心脑血管意外。

(4) 感觉器官功能减退:主要表现为视力下降、视野变窄,眼的调节功能、暗适应和辨色功能减退;听觉功能下降甚至丧失,常伴有耳鸣;嗅觉减退;味觉敏感性降低;皮肤感觉迟钝,通常表现为皮肤触觉、温觉及痛觉的减弱。

(5) 神经系统的变化:主要表现为脑细胞的数量减少,脑组织萎缩,脑重量减轻,神经纤维变性,导致记忆力减弱;出现语言沟通障碍,注意力不集中;性格改变,反应迟钝,动作协调能力下降等。

(6) 泌尿系统的变化:主要表现为肾动脉硬化,肾血流量减少,肾小球滤过率下降,肾小管的浓缩功能减退,表现为尿液稀释、夜尿增多;膀胱容量变小,肌肉收缩无力,易致残余尿量增多,尿路感染的机会增加。另外,老年男性可因前列腺不同程度增生而致排尿困难或尿潴留、尿失禁。

(7) 内分泌系统的变化:主要表现为内分泌组织及内分泌细胞发生衰老性改变,如脑垂体、甲状腺、肾上腺、性腺等都发生程度不等的退行性变化,引起老年人的生理功能逐步减退,其中,最明显的就是生殖腺的萎缩和生殖功能的丧失。

(8)生殖系统的变化:男性主要表现为睾丸萎缩、纤维化、产生雄性激素的能力下降;女性主要表现为生殖器官萎缩、雌激素分泌减少、生育功能与性功能减退。

(9)免疫系统的变化:主要表现为免疫系统功能逐渐减退,免疫防御能力低下。

4. 对感染的防御能力降低 老年人的免疫功能减退,机体对内、外环境中各种刺激的应激能力降低,对抗感染的能力和机体的修复能力变差,容易合并感染,使疾病的恢复期延长。

5. 机体调控能力降低 老年人生活自理能力下降,免疫防御能力降低,容易患各种感染性疾病;免疫监视功能降低,易患各种癌症。

(二)老年人的心理特点

随着健康状况的减退和生活方式的改变,老年人可出现孤独、忧虑、怀旧、疑病、牵挂、性需求等心理改变。

1. 孤独 老年人因退休离开长期工作的岗位和相处的同事,回到家里,社会交往减少,很不习惯。子女外出打工或与子女分居而成为空巢家庭,久而久之便会产生孤独、空虚甚至有被疏远、冷落、抛弃和不被他人接纳的心理。失去配偶或子女者孤独感更为严重。

2. 忧虑 老年人体质较差,容易患病,由于子女忙于工作等原因,所以老年人在家庭获得的照顾不周,使患病身体和不良情绪相互影响,加重身心的不适感,认为自己在世的日子屈指可数,忧虑悲伤的心理不禁油然而生。

3. 怀旧 老年人常留恋过去的某些日子,留恋曾经工作的地方,留恋家里的旧物品,怀念已故的友人。面对失去工作、朋友及配偶,失去以往的权力和能力,回忆自己的一生,老年人的怀旧心理非常强烈。

4. 疑病 对疾病的恐惧、怕死常是老年人就医的原因。某些老年人因害怕或不承认自己有病,故也常表现为不积极就医、不配合治疗。

5. 牵挂 某些老年人对子女不放心、过分牵挂,尽管子女都已经长大成人或早已为人父母或已学有所成、有了自己的事业,但老年人对子女仍像过去那样,事事关心和牵挂,总希望子女按自己的要求去做,当得不到他们的认同和支持时,就会觉得不被人尊重,易产生自卑感。

6. 性需求 由于长期受传统观念"老人无性,不言性"的影响,压抑了许多老年人,尤其是丧偶老年人的性需求。其实,老年人需要性生活,性爱能帮助老人消除寂寞、自卑感和压抑心理,增强自信心,使老年夫妻双方更多地交流感情,产生相依为命的感觉,使晚年生活变得丰富,从而有效地减少孤独、寂寞、空虚等影响寿命的不良情绪。据统计,丧偶独居老年人的平均寿命要比有配偶同居者少7~8年。因此,子女应赞同丧偶老年人重新选择配偶。

(三)老年人的患病特点

老年人由于生理功能发生不同程度的变化,导致老年人对体内、外异常刺激的反应性、适应性及防御性有不同程度的减弱。各种疾病,尤其是老年性疾病的患病率增加,严重程度增高。因为老年人脏器功能改变的程度不同,存在个体差异,所以对老年人疾病的诊断不能仅仅以实际年龄来判断,应该全面考虑职业、家庭环境、经济状况以及与周围人的关系等情况并进行综合分析来判断。

老年人患病特点如下：

1. 疾病不易早发现　老年人由于身体老化、脏器功能衰退，所以机体反应不敏感，常常是疾病发展严重而自觉症状比较轻、无明显不适。另外，老年人常误认为所患的只是"老毛病"而不以为然，对自己疾病早期的细小变化往往不能及时发现，容易延误治疗。

2. 患病率与患病种类增加　调查资料显示，老年人的两周患病率为25%，慢性病患病率为54%，住院率为6.1%，以上3率均高于其他年龄段的人群。由于老年人各器官功能逐步衰退，不但患病率高，且患病种类也多。约70%的老年人同时患有2种或2种以上疾病，常发生一种疾病掩盖另一种疾病的情况，各种症状的累积效应随年龄的增长而增加。

3. 病史采集困难　由于老年人出现感知方面的功能减退，语音交流困难，加上一些老年人心理感受的改变，所以通常不能全面、正确地提供病史。而家庭成员或其他相关人员提供的病史往往不够全面、准确，通常缺乏真实性，参考价值有限，易造成对疾病的误诊或漏诊。

4. 发病缓慢但病程进展快　老年人多患慢性病，由于内脏出现生理性功能减退、感受性降低，所以老年人常自觉症状比较轻，对发热、疼痛等感觉不太敏感，发病缓慢，但如果没有及时发现和处理疾病，病情易迅速恶化。

5. 易发生意识障碍　老年人不论患何种疾病，均容易出现嗜睡、昏厥、昏迷、躁动或精神错乱等意识障碍和精神症状。有的老年性疾病常以意识障碍为首发症状，如脑卒中、脑水肿、急性心肌梗死等，可致血压下降、意识障碍。

6. 后遗症发病率高　老年人由于各脏器抵抗力下降，一种重大疾病往往可累及多个器官，所以易出现并发症和后遗症。

第二节　社区老年人的健康保健

一、老年人保健的基本原则

（一）预防为主的原则

老年人慢性病患病率、致残率、死亡率高，自理能力低下，老年人的保健应从群体水平关注老年人健康的决定因素，而不是仅看到个别人罹患疾病的不良后果。要集健康教育、预防、治疗、康复、保健于一体，充分发挥老年人的主观能动性，做到自我保健、家庭保健、社区保健相结合，共同承担起老年人保健的职责。

（二）全面性的原则

老年人健康包括身体、心理和社会3个方面的健康。因此，老年人保健应当是多维度、多层次的。老年人保健的内容不仅包括解决老年人躯体疾病、心理卫生、精神健康以及老年人在社会适应和生活质量方面的问题，还应包括疾病或障碍的治疗、预防、康复及健康促进。社区护士既要关注体弱、多病、残疾的老人，还应关注所有健康的老年人。

（三）区域化的原则

老年人保健的区域化是为了使老年人能更方便、快捷地获得保健服务，使他们保持良好的社会和心理状态。服务提供者应有效地组织保健服务,提供以一定区域为单位的保健服务,也就是以社区为基础来提供老年人保健服务。社区老年人保健的工作重点是针对老年人独特的需要,确保能在要求的时间和地点,向真正需要帮助的老年人提供社会援助。

(四)费用分担的原则

老年人保健服务实施的关键在于费用的筹集,而保健费用的筹集越来越成为一个严重的社会问题。老年人保健的费用应采取以多渠道筹集社会保障基金的办法,即政府税收承担一部分、保险公司的保险金补偿一部分和个人自付一部分。这种"风险共担"的原则越来越为大多数人所接受。

(五)功能分化的原则

老年人保健的功能分化随着老年人保健需求的增多而增加,在对老年人健康的多层次性有充分认识的基础上,对老年人保健的各个层面应有足够的重视,并在老年人保健的计划、组织、实施以及评价方面均有所体现,包括组织机构的建立和人力资源的配备。

(六)个体化原则

采用多学科的不同方法,在对老年人的躯体、心理、社会方面存在的问题进行多方面、个体化综合评估的基础上,制定适合个体的医疗保健计划和具体措施。

(七)其他保健原则

1991年12月16日,联合国大会通过了《联合国老年人原则》。该原则包括老年人的独立性原则、参与社会原则、保健与照顾原则、自我充实原则和尊严性原则。

二、社区老年人保健的重点人群

(一)高龄老年人

高龄老年人是指80岁以上的老年人。高龄老年人是体质脆弱的人群,他们的健康状况随年龄的不断增加而进一步恶化,同时患有几种疾病,易出现器官系统功能衰竭,住院时间较其他人群长。因此,高龄老年人对医疗、护理、健康保健等方面的需求量较大。

(二)独居老年人

随着社会的发展和人口老龄化、高龄化以及我国实行计划生育政策所带来的家庭结构的变化和子女数的减少,家庭已趋于小型化,只有老年人组成的家庭比例越来越大。尤其是在农村,青年人外出打工的人数越来越多,导致老年人独居生活的现象比城市更加严重。独居老年人很难外出看病,加上农村交通不便,这种问题更加突出,他们对社区卫生服务需求量增加。因此,对独居老年人定期巡诊、送医送药、开展家庭护理非常必要。

(三)丧偶老年人

老年人丧偶几率随年龄增长而增加,女性丧偶的几率高于男性。丧偶对老年人的生活影响很大,丧偶老年人的孤独感和心理问题的发生率均高于有配偶者,这种现象对老年人是有害的,常会使他们感到生活无望、乏味,甚至积郁成疾,导致原有疾病加重或复发,尤其是近期丧偶者。

(四)近期出院的老年人

近期出院的老年人因身体未完全康复,身体状况差,常需要继续治疗和及时调整治疗方案,如遇到经济困难等不利因素,疾病极易复发甚至导致死亡。因此,社区卫生服务人员应掌握本社区近期出院的老年人的情况,并根据具体情况定期随访。

(五)精神障碍的老年人

老年人主要的精神障碍是痴呆。随着老年人口的增加和高龄老年人的增多,痴呆老年人也在增加。重度痴呆老年人生活失去规律,且不能自理,常伴有营养障碍,导致原有疾病病情加重,平均寿命缩短。因此,痴呆老年人需要的社区卫生服务量明显高于其他人群,应引起全社会的关注。

三、社区老年人的保健措施

(一)老年人的健身运动

老年人保持适当的运动,不仅能促进躯体健康,延缓衰老过程,增强和改善机体各脏器的功能,增强抗病能力,还有助于保持积极的生活态度,起到调节精神、陶冶情操、愉悦身心、丰富生活的作用。老年人的运动锻炼应多种多样、因人而异,应该有目的、有计划地选用,科学安排,坚持有规律、有节奏、适合个体安全的运动。

1. 健身运动的原则

(1)应该重视有助于心血管健康的运动,如骑车、游泳、散步、慢跑等。

(2)应该重视适度的重量训练:老年人应选择适宜且安全的重量训练,每次时间不宜过长,防止受伤。适度的重量训练对减缓骨质丢失、防止肌肉萎缩、维持各个器官的正常功能都有重要作用,如握小杠铃、举小沙袋、拉轻型弹簧带等。

(3)维持体能运动的各种平衡:老年人平衡体能的运动包括伸展肌肉、重量训练、弹性训练等多项运动。如何合理搭配应根据个体状况而定,其中,最重要的因素之一是年龄。

(4)高龄老年人和体质衰弱者参加的运动:高龄老年人和体质衰弱者应尽量选择适宜自己且安全、较小的运动,如慢走代替跑步,游泳代替健身操等。

(5)关注与运动相关的心理因素:不少老年人在运动时会产生一些负面情绪,保健指导者在对老年人制定科学的运动计划时,应关注他们可能出现的负面情绪,以调整运动计划。

2. 运动项目　适宜老年人的运动项目较多,应依据老年人的年龄、性别、身体状况、锻炼基础、兴趣爱好和周围环境等因素进行综合考虑,选择合适的运动项目,如散步、慢跑、唱歌、跳舞、体操、游泳、太极拳等。对于卧床老年人,可在床上进行屈伸肢体、翻身、梳头、洗脸等活动,尽量坐起,借助辅助器具下床行走。

3. 运动的注意事项

(1)空腹、饱餐后不宜立即运动:老年人饮食量下降,且机体调节血糖的能力又低,运动会增加能量的消耗,可导致低血糖反应;进食后,消化系统血液循环增加,运动会影响营养物质的消化和吸收。

(2)运动着装宜合体:老年人在运动时应选择轻便、舒适、合体的运动衣和通气、防滑、舒适的运动鞋,以方便运动。

(3)运动环境、气候适宜:老年人在运动时应选择空气清新、安静清幽、污染少和噪声小的运动环境和场地,如公园、树林、操场、疗养院等,不仅可以提高运动效果,还可以保证老年人运动时的安全。另外,天气恶劣时应暂停运动。

(4)行走不宜过快:老年人身体的平衡稳定性差,加上老年人视力减退、反应迟钝、各关节活动灵活性降低,因此,行走时速度应慢,避免发生意外而摔倒。

(5)运动量不宜过大:运动量应视个体情况循序渐进,不能操之过急,急于求成。老年人在运动后如果感到乏力、头晕、胸闷、食欲下降、睡眠不佳,说明运动量过大,应适当减少运动量。

(6)合理安排运动时间:老年人应依自身状况安排好时间,每天运动1~2次,每次30分钟左右,一天运动总时间以不超过2小时为宜、运动时间可选择在天亮见光后1~2小时。

(7)自我监测运动强度:运动强度合适、运动量适宜对老年人的健康非常重要,尤其对患有心血管疾病、呼吸系统疾病或其他慢性病的老年人。老年人的运动强度可以通过心率来调节,最简单的监测方法是以运动后心率作为衡量标准,即:运动后最适宜的心率(次/分)=170-年龄;身体健壮者最适宜的心率(次/分)=180-年龄。若老年人在运动中出现严重的胸闷、胸痛或心慌、气促,应立即停止运动并及时治疗。

(二)老年人的营养与饮食

营养与饮食是维持生命的基本要素,也是恢复、促进健康的基本手段。对老年人来说,科学饮食、合理营养是健康长寿、防止衰老、保持活力、增强老年人机体抵抗力的重要因素。社区护士应在了解老年人生理功能已经减退的基础下,结合老年人活动量减少的情况,指导老年人选择合理的膳食,这样既能改善老年人的营养状况,又能避免因饮食结构不合理等引起高血压、高脂血症、糖尿病及肥胖症等。

1. 营养平衡与饮食搭配 老年人活动量减少,基础代谢率下降,能量消耗降低,机体内脂肪组织增加,每天应适当控制能量摄入,避免高糖、高脂食物的摄入,应多食蔬菜、水果等。老年人的体内代谢过程以分解代谢为主,需要丰富的蛋白质来补充组织蛋白质的消耗。因此,应给予优质蛋白质饮食,如蛋类、鱼类、瘦肉、奶类及豆类,提倡食用植物油和低盐饮食。老年人易发生钙代谢负平衡,尤其是绝经后女性,其内分泌功能减退,雌激素分泌减少,使得蛋白质合成减少、骨吸收增加,容易发生骨质疏松,骨折的发生率也明显增高。因此,老年人应多食用含钙丰富的食物,如奶类、豆类及其制品等,同时,可服用一定的维生素D,以增加老年人骨的密度,增强老年人的抵抗力。鼓励老年人多饮水,每天饮水量一般以1500 mL左右为宜。但心肺和肾功能不佳的老年人应适当控制水的摄入量,避免增加心肺和肾脏的负担。

2.饮食习惯　良好的饮食习惯应该符合老年人的生理特点。老年人在进餐前应先喝水湿润口腔,对于脑血管障碍的老年人更应如此。特别注意老年人饮食要定时定量、少食多餐,不宜过饱,要有规律、有节制、不偏食、细嚼慢咽、不暴饮暴食,避免进过硬、过黏、过冷、过热、过甜和辛辣刺激的食物,不吃或少吃油炸食品。一般早餐多食含蛋白质丰富的食物,如牛奶、鸡蛋、豆浆等;午餐食物种类丰富;晚餐以清淡食物为佳,但不宜吃得过饱。

3.饮食烹调　烹调时间不宜过长,以减少食物营养成分的破坏;选择容易消化吸收、清淡可口的食物,食物要细、烂、软、温;烹调时可用醋、姜、蒜等调料,做到色、香、味俱全,以增加老年人的食欲。

4.饮食卫生　饮食讲究卫生,严防病从口入。应保持食物、餐具的清洁,不吃烟熏、烧焦或发霉变质的食物。多进含纤维素的食物,可预防和减少肠癌的发生。

5.饮食环境　用餐环境应舒适、清静,室内空气新鲜,必要时通风换气,以排除异味。鼓励老人和家人共同进餐,可以让老年人感受到进餐的乐趣。

6.饮食方式　有自理能力的老年人应鼓励自己进食,对卧床的老年人要根据病情采取相应的措施,如帮助其坐在床上并使用特制的餐具进食,尽量维持老年人的进餐能力;不能自己进餐者应喂食,喂食速度不可过快,应与老年人配合;不能经口进食者应在医护人员的指导下,通过鼻饲或胃肠造瘘管等途径摄取营养。

7.饮食体位　吞咽能力低下的老年人很容易将食物误吸入气管,尤其是卧床的老年人,其舌控制食物的能力减弱,更易引起误吸。因此,进餐时老年人的体位非常重要,一般以采取坐位或半坐位比较安全。进食过程中应有照料者在旁观察,以防发生事故。

(三)老年人的休息与睡眠

1.休息　休息是使人从疲劳和疾病中恢复过来的最有效和最符合生理要求的方法。有效的休息应满足的条件是:睡眠充足、心理放松、生理舒适。休息与活动在老年人的生活中有着重要的地位。老年人要注意休息的质量,应按时作息、有规律地生活,但应注意卧床时间过长会导致运动系统功能障碍以及出现压疮、静脉血栓等并发症。老年人在改变体位时,应注意防止体位性低血压或跌倒等意外情况的发生,起床时应先在床上休息片刻,活动肢体后再准备起床。坐、站立、活动、看书、看电视等时间不宜过长。另外,休息并不意味着不活动,有时变换一种活动方式也是休息。有效的休息有利于老年人的康复,能促进老年人的健康。

2.睡眠　老年人的睡眠环境应安静、舒适、整洁。老年人应养成早睡早起和午睡的习惯,睡觉前应调整好情绪,勿进食或饮过多水,用温水泡脚可增加舒适感。对起床困难的老年人,可练习床上解小便,床边准备便器。有入睡困难的老年人,应查明原因,并采取相应的措施促进睡眠。社区护士应在尊重老年人的睡眠习惯的基础上,逐步调整老年人的睡眠,使其养成良好的睡眠习惯;应根据季节、气候的变化,合理安排老年人的日常生活,注意劳逸结合,提高其睡眠质量,改善健康状况。

(四)老年人的安全防护

危害老年人安全的主要问题有跌倒、呛噎、坠床、用错药、心理伤害及交叉感染等。因此,社区护士必须采取必要的措施,以保证老年人的安全。

1. **防跌倒** 意外事故是老年人死亡最常见的原因,而跌倒被认为是最常见的意外事故。跌倒在对老年人的身体产生严重伤害的同时,也给老年人的心理上带来负面影响,给家庭带来很大负担,应引起足够重视。老年人因机体各器官生理功能衰退、反应迟钝、行动缓慢、身体平衡功能失调、听力和视力障碍等内在因素,或居住环境的改变、地面潮湿或不平整、室内光线过暗或阳光过强、室内缺少扶手等外在因素,而易引起跌倒。因此,防止老年人跌倒是社区护士的一个重要任务。要通过健康教育让老年人意识到安全的重要性,同时,改善居住环境,与老年人或家属共同制定计划,采取预防跌倒的安全保护措施。

(1) 环境改善:保持室内地面平整、防滑无积水,门槛、石阶不宜过高;室内光线充足,空气清新,每天定时开窗通风1~2次,每次20~30分钟;夜间室内应有照明,特别是在卧室与卫生间之间应该有良好的夜间照明设施;室内布局应尽量符合老年人的生活习惯,保持经常行走的道路通畅,老年人的卧床应便于老年人上下及活动,不宜太高,床旁、浴室和楼梯应有扶手。

(2) 行动适当:老年人在改变体位时,行动要缓慢,不宜过快,特别是由卧位转到坐位、由坐位转到立位,以防止体位性低血压。在体位改变后,老年人应先休息片刻,行动不便者应借助辅助器,如拐杖、助步器等。

(3) 着装合体:衣着应考虑老年人的实际生理特点和需要,衣裤、鞋袜大小适中,不宜过长、过大,也不宜过小。老年人要维持走路时的身体平衡,尽量不穿硬塑料底鞋和拖鞋。

(4) 沐浴安全:提倡坐式淋浴。沐浴水温一般为42~45℃,浴室温度以22~24℃为宜,沐浴时间不应超过30分钟。饭后不应立即沐浴,间隔次数应适应季节的变化。注意不要紧闭门窗,以防蒸汽过多,室内出现缺氧情况。浴室门不应反锁,以便发生意外时家人及时提供帮助。

(5) 外出安全:老年人上下班高峰及气候恶劣时不应外出。鼓励老年人穿戴色彩鲜艳的衣帽,增加醒目感,以方便行人和驾驶员识别,减少受伤的危险性。

(6) 健身运动:鼓励老年人积极参加健身运动,以增加肌肉力量、身体的协调性和稳定性,以达到预防跌倒的目的。

2. **防呛噎** 老年人在进食时应选择合适的体位,尽量采取坐位或半卧位;注意力应集中,不要说笑或看电视;进食速度不宜过快;尽量少进干食,必要时应准备好水;进稀食容易呛者,可将食物加工成糊状。

3. **防坠床** 尽量选择宽大舒适的卧床;睡觉时床旁应有椅子拦护;夜间卧室内应有光线柔和的照明,防止老年人因看不清床沿而坠床。另外,老年人如有意识障碍,应加用床档或有专人陪护。

4. **用药安全** 老年人用药需要注意两方面的问题:老年人的生理变化对药物作用的影响;老年人患病种类多,需要多种药物治疗,应注意合并用药对药物作用的影响。因此,老年人用药应特别注意:先就医后用药;药物剂量宜小不宜大;用药种类宜少不宜多;用药时间宜短不宜长;药性宜温不宜剧;中西药不要重复使用;严格控制抗生素及滋补药的使用;有必要长期用药者,要坚持服用药物,注意观察药物的不良反应。社区护士应鼓励老年人多参加体育锻炼,增强体质,以预防为主,勿滥用药物。必要时社区护士应帮助老年人正确、合理用药,以防发生不良反应。

5.防止交叉感染　老年人免疫力低下、抵抗力差、抗病能力较弱,应注意预防感染,不宜过多会客,病人之间尽量避免相互走访,尤其是患呼吸道感染或发热的老年人,更不应串门,不去人多的公共场所。

(五)定期健康体检

为预防和控制疾病,老年人必须进行定期健康检查,主要包括体格检查、实验室检查、影像及心电图检查。老年人检查的次数视身体状况而定,一般每年进行1~2次体检。要注意保管好各种检查结果报告单,以便进行比较。

第三节　老年人常见健康问题的护理

老年人由于全身各个系统器官的生理功能衰退、机体免疫力降低、抗病能力下降,所以躯体的疾病增多,加上社会地位的变化、家庭角色的改变、生活方式和环境的变化等因素,导致老年人出现各种生理和心理的问题,严重影响了老年人的身心健康。社区护士应注意老年人的生理和心理反应,并积极加以健康指导,避免老年人的健康问题进一步加重,影响老年人的生活质量。

一、老年人常见生理健康问题的护理

(一)便秘

便秘是指正常的排便形态改变、排便次数减少(每周少于3次)或排便时间明显延长,排出过干、过硬的粪便,便后无舒畅感,且伴有排便困难。便秘是老年人的常见症状,约1/3的老年人出现便秘,主要原因包括老年人活动量减少、肠蠕动减弱、进食少或饮食结构不合理、环境改变、精神紧张、忽视便意以及服用某些药物等。便秘可导致腹部不适、食欲降低及恶心、头痛、乏力、坐卧不安,还会导致肠梗阻、结肠溃疡,且结肠、直肠肿瘤的发生率明显增加。此外,便秘严重者可因屏气排便而引发急性脑出血、急性心肌梗塞、心绞痛等严重并发症,给老年人带来很大的精神压力和痛苦。

护理措施:调整饮食结构是治疗便秘的基础,老年人应食用富含纤维素、容易消化的食物,多饮水;保证有良好的排便环境,消除老年人的精神紧张,保持心情舒畅;养成定时排便的习惯,不要忽视便意;适量运动,加强腹部肌肉的锻炼,多做腹部顺时针按摩,以促进肠蠕动;指导老年人使用通便药物,切忌自行滥用泻药,当粪块嵌顿于肛门时,可用人工法帮助取出粪块。

(二)睡眠障碍

老年人由于大脑皮质调节功能减退,以及其他因素的影响,常伴有睡眠障碍,出现睡眠减少、入睡困难、睡眠浅、易醒、早醒、醒后不易再睡、醒后感觉不适、疲乏等,在各种不良情绪等因素和心态的影响下,更易出现失眠、多梦、惊梦等现象,严重影响老年人的身心健康。

护理措施:尽量明确原因,以便针对病因采取措施;养成良好的睡眠规律,合理安排日间活动,不应过度疲劳;睡眠环境应安静、舒适、整洁;睡前避免不良因素的刺激,如晚餐过饱、饮水过多、喝浓茶或咖啡、从事过分紧张的脑力劳动等,可采取温水泡脚、喝一杯牛奶或热饮料,以便促进睡眠;指导老年人学习放松技巧,合理使用镇静催眠药;因疾病导致睡眠障碍者,应积极治疗原发病。

(三)口腔干燥

口腔干燥在老年人中很常见,健康老年人中约40%诉有口腔干燥。导致老年人口腔干燥的原因有唾液腺退行性改变、疾病及用药对唾液腺分泌产生的影响。

护理措施:主要是加强日常生活的调理,如保持口腔清洁,早晚正确刷牙,餐后漱口,重视对牙齿、牙龈的保健,以促进局部血液循环;对服药所致的唾液减少者,应减少药物剂量或更换其他药物;饮食以少食多餐、清淡为宜,多吃新鲜蔬菜水果,少量多次饮水,忌食辛辣、干燥、温热食品,严禁吸烟;如有糖尿病、慢性咽喉炎、涎腺炎以及维生素C缺乏等疾病所致者,应采取相应的治疗措施。

(四)皮肤瘙痒

由于老年人身体含水量减少,出现了慢性生理性失水现象,引起皮肤粗糙、干燥,易受周围环境冷热变化的刺激以及某些疾病等多种因素诱发而加重皮肤瘙痒,给老年人带来极大的痛苦。

护理措施:应去除病因,如因寒冷或炎热而致者,生活环境中应调适好温湿度;注意生活规律,保持心情舒畅;合理饮食,以清淡为主,忌辛辣、刺激性食物,禁烟酒;洗澡时水温不宜过高、时间不宜过长、次数不宜过勤、不用碱性强的肥皂;内衣应柔软宽松,以棉织品为好,避免贴身穿戴羽绒、尼龙及毛织品衣物,应做到勤换、勤洗、勤晒;避免用搔抓、摩擦、热水烫洗等方式止痒,应在专业人员的指导下选用药物治疗;因糖尿病、黄疸、尿毒症、疥疮等疾病造成皮肤瘙痒者,应积极治疗原发病。

(五)尿失禁

尿失禁是指不在排尿的情况下,尿液自尿道自动流出,是老年人中最为常见的疾病,可造成身体异味、皮肤糜烂、反复尿路感染,是导致老年人孤僻、抑郁的原因之一。

护理措施:让家属明白尿失禁是老年人因生理因素而引起的一种常见疾病,应予以理解;指导家属注意老年人的情绪反应,注意保护个人隐私,增加老年人的信心,帮助恢复其社交活动;指导老年人养成规律的排尿习惯;指导老年人训练骨盆底肌肉的肌力、耐力和反应力,以训练膀胱;正确使用引流装置,防止漏尿,保持皮肤干燥、清洁,及时清洗,勤换衣裤;指导病人养成喝水的习惯,不能因尿失禁而限制饮水,每天饮水量应在1500 mL左右,睡前2小时最好不饮水;针对引起尿失禁的病因进行药物治疗或手术治疗。

二、老年人常见心理健康问题的护理

(一)离退休综合征

离退休综合征是老年人在离退休后出现的适应性障碍,即不能适应新的社会角色和家庭角色。由于生活内容、生活环境、生活方式、家庭和社会地位、人际交往等方面都发生了很大变化,所以老年人在离退休后易出现情绪上的消沉和偏离常态的行为,出现焦虑、抑郁、悲观、失望、恐惧、性情急躁、易发脾气、行为反复、注意力不集中、做事常出事、对现实不满、容易怀旧等。这种心理障碍还常常引起其他生理疾病,严重影响老年人的身体健康。

护理措施:指导老年人在离退休前做好心理准备,正确看待离退休;指导老年人以积极心态接受现实、重新安排生活,与家属共同帮助和鼓励老年人增强生活的信心,使他们发挥余热、培养爱好、扩大社交、规律生活,使离退休老年人老有所为、老有所用、老有所乐、老有所教、老有所学;指导家属理解和体谅离退休老年人情绪上的变化,多沟通、多交流,应使他们在心理上得到满足、生活上得到关心、精神上得到尊重、情感上得到安慰;对不能适应的老年人,必要时给予药物和心理治疗。

(二)空巢综合征

"空巢"是指无子女或子女成人相继离开家庭后,只剩下老年人独自生活的家庭,特别是老年人单身家庭。也有学者认为,空巢家庭是指那些与子女包括孙子女不同吃、不同住达半年以上的家庭。"出门一把锁,进门一盏灯",是"空巢"家庭的真实写照。空巢综合征是指生活在空巢家庭中的老年人单独生活很不习惯而表现出的一组症状,如孤独、失落、悲观、寂寞、伤感、食欲减低、睡眠失调、愁容不展、叹气,甚至产生自杀行为。空巢家庭是家庭生命周期中的一个阶段,子女的临时回家可以减轻或暂缓老人的症状。

护理措施:老年人对子女"离巢",要有充分的心理准备,逐步减少对子女的依恋;帮助老年人摆脱中国传统文化思想的影响,建立新型家庭关系;鼓励老年人培养兴趣爱好,建立新的人际关系,调整生活方式,参与各种社会活动和公益性劳动;子女应常回家看看,生活上给予照顾,常与父母联系进行情感交流,在精神上给予关怀;社会对老人应多一点关心,由志愿者或社会工作者定期看望老人,陪老人聊天。

(三)高楼住宅综合征

高楼住宅综合征是指长期居住城市高层闭合式住宅内,与邻居互不认识来往、与外界极少接触而导致的一系列生理和心理上异常反应的一组症候群,可出现孤独、寂寞、空虚、无聊、伤感、抑郁、恐惧等心理反应。长期如此,老年人就会表现出虚弱、失眠、头痛、感冒、腰背痛等症状。这一综合征既损伤老年人的心理健康,也损害老人的生理健康,从而增加老年人患病的机会。

护理措施:改变居室环境,可在阳台、室内栽种绿叶植物和花卉点缀美化,可使老年人心情舒畅,陶冶情操;鼓励老年人坚持户外运动,活动身体,增强体质;鼓励老年人积极参加社区有益的活动,支持和鼓励老人到邻居家串门、聊天,增加人际交往的范围;家庭和社会应给老年人更多的关爱。

(四) 老年疑病症

老年疑病症是以怀疑自己患病为主要症状的一种神经性的人格障碍,常表现为患者长时间怀疑自己有病,就医时对自己病情的诉说不厌其烦,对自身变化特别敏感和警惕,且夸大和曲解,并将其作为严重疾病的证据,常感到忧郁、恐慌、焦虑,但其严重程度与实际情况极不相符。如果疑病症不能得到及时缓解和治疗,对老年人的健康将会产生更加严重的不利后果。

护理措施:对这类老年人健康问题的防治,心理调节最重要,社区护士应帮助查找病因,解除或减轻患者的精神负担;指导老年人学会转移注意力,支持他们积极参加有益的娱乐活动;鼓励老年人扩大交际范围,多交朋友,保持乐观开朗,增强自信;与老年人多沟通、多交流;必要时辅以药物治疗。

(五) 老年抑郁症

老年抑郁症是老年期最常见的功能性精神障碍之一,是影响老年人精神健康的重要疾病,高发于60岁以后,以持久的抑郁心境为主要临床特征。常见的临床表现为兴趣丧失、情绪低落、言行减少、喜欢独处、不愿意与人交往、自我评价低、自责内疚、悲观失望、有厌世心理,甚至有自杀倾向。

护理措施:指导老年人学会丰富自己的日常生活,学习新知识,培养兴趣爱好,多参加文体活动,多交朋友,要学会倾诉;鼓励子女与老年人同居,保持家庭气氛和谐,陪父母聊天,给予老年人心理上的安慰;社会必须重视和尊重老年人,给他们更多的关心和帮助;采取心理治疗和药物治疗。

(六) 老年性痴呆

老年性痴呆是由脑功能失调而出现以智力衰退、行为异常、人格改变为特征的临床综合征,以阿尔茨海默病最多见。老年性痴呆的基本特征是近远期记忆损害,伴有抽象思维、判断力及高级皮质功能障碍或人格改变。

护理措施:老年性痴呆重在预防,社区护士应对老年人进行有关老年性痴呆的健康宣教,增强老年人自我保健意识和能力;帮助老年人建立相对稳定的生活规律及安全的生活环境,保证足够的休息和睡眠时间,保持个人卫生;调整饮食结构,保证足够的营养,应注意维生素 B_{12} 的补充,不用铝制灶具;鼓励老年人多参加社会活动和交往,保持良好的心态和乐观性格;指导家属保管好药物并按时服药,预防和控制慢性疾病,如高血压、糖尿病、高血脂等;经常与患者进行言语沟通和感官刺激,通过智能康复训练,可以预防老年性痴呆的发生或减缓轻度老年性痴呆患者病情的发展;病人随身带卡,以防不慎走失;对丧失生活能力的患者应派专人护理。

(七) 丧偶

丧偶对老年人来说打击沉重,常会悲痛欲绝、不知所措,持续下去会加重原有的躯体疾病,甚至导致死亡。老年人丧偶后,心理反应一般要经过承认、内疚、怀念和恢复 4 个阶段。

护理措施:鼓励丧偶老年人通过各种方式宣泄情感;让老年人认识到人的生、老、病、死是不可抗拒的自然规律,应正确对待丧偶的现实;设法转移老年人的注意力,让其参加社交活动和一些有益的文体活动;劝诫老年人保重身体,愉快地生活下去;再婚也是建立新的依恋关系的重要途径之一。

第四节 临终关怀

随着人口老龄化的发展以及计划生育的开展,子女逐渐减少,社会对临终关怀的需求将越来越强烈,临终关怀在整个卫生保健体系中占有重要地位。社区临终关怀已成为护理领域的重要组成部分。如何让老年人在生命的最后阶段宁静地面对死亡,减轻其生理和心理上的痛苦,能舒适、安详地告别人生,走完人生的最后旅程;如何让患者家属得到情感支持,达到维持或增强身心健康的目的,是社区临终关怀的主要内容及社区护士的主要职责。

一、概 述

(一)临终的概念及界定

临终是临近死亡的阶段,指无论何种原因造成人体主要器官的生理功能趋于衰竭,各项体征显示生命活动走向终点的状态。关于临终时间范围的界定,各个国家有不同的标准:美国将临终时间界定为患者已无治疗意义,预期存活时间在 6 个月以内者;日本将临终界定为患者只有 2~6 个月存活时间;而英国将预后不到 1 年的患者称为"临终患者";我国不少学者提出,将处于疾病末期、预期存活时间 2~3 个月的患者称为"临终患者"。

(二)临终关怀的概念

临终关怀又称"善终服务"、"安宁照顾"、"终末护理"、"安息护理"等,是对现代医学技术治愈无望的临终患者及其家属所提供的一种全面支持和照顾,包括生理、心理及社会等方面。临终关怀的目的是尽最大的努力减轻患者的疼痛和其他令人痛苦的症状,使临终患者的生命质量得以提高,尽可能使患者安宁平静地度过人生的最后旅程,尽可能帮助家属和丧亲者平稳度过悲伤期,并使家属的身心健康得到保护。

(三)临终关怀的理念

1.以照料为主 对于临终患者,如各种疾病末期、肿瘤晚期等,治愈希望变得十分渺茫。对这些患者不是通过治疗使其免于死亡,而是通过全面的身心照料,为患者提供适度、姑息性治疗,从而达到控制症状、解除痛苦、使其得到最后的安宁的目的。临终关怀即是以无望延长患者生命为主的治疗转为以减少患者痛苦为主的全面护理。

2.尊重临终患者的尊严和权利 临终患者尽管处于临终阶段,但其尊严不应该因生命活力的降低而减少,个人权利也不可因身体衰竭而被剥夺。社区护士应尊重、维护和支持其个人权利,如患者有权知道预后、参与治疗护理方案的制定、选择死亡方式,保留个人的隐私和自己原有的生活方式,社区护士应尽量满足其合理要求。

3. 提高临终患者的生活质量　临终关怀是以丰富临终患者的有限生命、提高其临终阶段的生命质量为宗旨。正确认识和尊重患者最后生命的价值,为临终患者提供一个舒适、有意义、有尊严、有希望的生活,是对临终患者最有效的服务。临终关怀充分体现了人类对生命的热爱、对更高生命质量的追求。

4. 重视临终患者家属的心理支持　对临终患者提供全面照料的同时,社区护士对患者的家属也应提供心理、社会支持,帮助他们建立正确的死亡观,坦然地面对死亡、接受死亡。使家属既为临终患者生前提供照料,又为其死后提供居丧服务。

(四)临终关怀的意义

1. 体现人类追求崇高生命价值的客观要求　随着社会文明的进步及生活水平的提高,人们对生命的生存质量和死亡质量也提出了更高的要求。临终关怀的意义在于像迎接新生命的诞生一样,让临终患者在死亡时能够平静、安详、舒适、有尊严地抵达人生的终点,让家属在患者死亡后不留下任何遗憾和阴影。

2. 符合人类生存的客观规律　死亡和生存一样,都是生命的一部分,是人生必然的结果,是人的生命过程发展的最后归属。医学技术水平的提高尽管可以延长人的生命,但无法使人永生。通过临终关怀可以使患者坦然地面对死亡,接受现实,使其明白生命的意义不在于时间的长短,而在于生命的质量、价值和尊严。

3. 体现了崇高的医护职业道德　医护职业道德的核心内容就是尊重患者的生命价值和人格尊严。临终关怀则是通过对患者实施整体护理照顾,用科学的心理关怀方法、高超的临床护理手段,以及姑息、支持疗法,使患者接受即将到来的死亡现实,最大限度地帮助患者减轻或消除躯体和精神上的痛苦,提高生命质量,使临终患者能安详、平静地走完生命的最后阶段。社区护士作为具体实施者,充分体现了以提高生命价值、生命质量和维护人格尊严为服务宗旨的高尚职业道德。

4. 社会文明的标志　随着经济的发展,人们生活水平不断提高,人们对生活质量有了更高的要求,每一个人都希望生得顺利、活得幸福、死得安详。临终关怀正是为让患者有尊严、安宁、舒适地达到人生的彼岸而开展的一项社会公共事业,使临终患者体验到人间温情、感受到人道主义的光辉,这标志着人类社会文明的进步。

(五)死亡教育

1. 死亡教育的概念　死亡教育是指对死亡现象、状态和方法进行客观分析,引导人们科学、人道地认识死亡、对待死亡以及利用医学死亡知识服务于医疗实践和社会的教育。死亡教育不仅是针对临终患者及其家属进行教育,更重要的是对活着的人和整个社会进行教育,其目的是通过死亡教育帮助人们正确地面对自我之死和他人之死,理解生与死是人类自然生命历程的必然组成部分,是不可抗拒的自然规律,从而树立科学、合理、健康的死亡观。

2. 死亡教育的意义

(1)让临终患者平静地接受死亡:通过死亡教育可以帮助临终患者正确地认识死亡,明白死亡是不以人的意志为转移的自然规律,减轻临终患者心理上和精神上的压力,帮助建立适当的心理适应机制,消除他们对死亡的恐惧、焦虑等心理现象,从而能坦然地面对死亡、平静地接受死亡,度过生命的最后时光。

(2)让临终患者家属顺利度过居丧期:通过死亡教育,可以帮助家属适应患者的病情变化和死亡,从而帮助他们缩短悲痛的过程、减轻悲痛的程度、尽快恢复亲人逝世后的生活和工作。

(3)提高社区护士对死亡的认识:接受过死亡教育的护士,不仅可提高自身对死亡的认识,而且还可以提高对临终患者实施身心整体护理和对家属实行心理疏导的能力,并针对临终患者及家属面对死亡的生理和心理变化特点,实施最合适的临终关怀照顾,从而推动临终关怀事业的健康发展。

(4)让社会民众更加珍惜生命:通过死亡教育可以帮助全社会民众建立正确的人生观、价值观和伦理观,帮助人们更好地理解生命的强大和脆弱,以及生命是不可逆的、唯一的、有限的,让人们更加珍惜时间、珍惜生命,同时,还可以普及人们对死亡道德的认识,移风易俗,促进社会文明的进步,帮助人们了解自己作为公民的社会作用。

二、临终患者的生理和心理变化

(一)临终患者的生理变化

1.胃肠道功能的变化 胃肠道蠕动功能逐渐减弱,出现食欲减退、恶心、呕吐、腹胀、便秘或腹泻、脱水等症状。

2.呼吸功能的变化 呼吸肌收缩力减弱,分泌物黏稠不易咳出,表现为呼吸困难,呼吸由快转慢、由深转浅,甚至出现潮式呼吸、张口呼吸、点头呼吸等,最终呼吸渐渐停止。

3.循环功能的变化 心肌收缩无力,心排出量减少,脉搏由快到微弱而不规则,血压下降,皮肤苍白、湿冷,出现少尿、无尿等现象。

4.运动系统的变化 肌肉失去张力,全身肌肉松弛、软瘫,表现为眼球内陷、上眼睑下垂、吞咽困难等。若肛门及膀胱括约肌松弛,则可能出现大小便失禁。

5.语言功能及感知觉的改变 临终前患者出现发音困难、语无伦次,视觉模糊,只有光感甚至视力消失,但其听力往往存在,是临终患者最后消失的感知觉。

6.意识的改变 临终末期患者中枢神经系统受影响,出现意识障碍,对光反射、吞咽反射完全消失。

7.疼痛 临终前大部分患者会出现疼痛,特别是癌症患者,约有70%的晚期癌症患者会出现中度至重度疼痛,表现为表情非常痛苦、呻吟不止、牙关紧闭、大汗淋漓、辗转反侧及无法入眠。

(二)临终患者的心理变化

临终患者长期受到病痛的折磨,当感到自己的生命已走到尽头的时候,面对死亡的恐惧、对亲人的牵挂和对生命的眷恋等,其心理状态和反应复杂多变。临终患者面对死亡大多经历5个不同的心理发展阶段和心理变化过程:

1.否认期 患者还没有接受自己患有严重疾病的心理准备,对即将到来的死亡常常感到震惊和恐惧,一时无法面对事实,更难以接受这种现实。他们会怀着侥幸心理四处求医,希望是误诊,无法听进对病情的任何解释,不能理智地处理与疾病有关的问题或作出的任何决定。上述反应是人的一种心理防御机制。

2. 愤怒期　当患者得知自己确实患了不治之症之后,他们感到无助和绝望,继而出现的心理反应是愤怒、怨恨、痛苦等,并怨恨自己的命运。患者遇到不顺意的事会大发脾气或将怨气发泄到亲属、医护人员身上,甚至无理取闹、拒绝治疗。

3. 协议期　随着时间的推移,患者愤怒的情绪逐渐减退,逐渐开始接受现实,态度逐渐温和,求生的欲望使他们能够积极地配合治疗。有的患者为了能够扭转自己的命运,常常会许愿或做些善事,希望能延长自己的生命。

4. 抑郁期　随着病情的恶化,患者已意识到死亡不可避免,即将与亲人和整个社会诀别,就会产生强烈的失落感,表现为沉默、拒绝探视,有时候还会哭泣。此期患者很关心家人和自己的身后事,希望亲人能够陪伴,并不时作出交代。

5. 接受期　患者经历了强烈的心理痛苦和挣扎后,对病情不再有侥幸心理,已做好接受死亡的准备,不再恐惧、焦虑和悲哀,情绪显得平和、稳定,表现得异常平静,常处于昏睡状态,对外界反应淡漠,情感减退,静静地等待死亡的来临。

值得注意的是,在临床上,上述5个阶段的心理变化因人而异,绝非前后相继,也可能重合,持续时间长短不一,患者的心理反应也可能一直停留在某个阶段。

三、临终患者家属的心理变化

因为家属对患者的生活习惯、性格、心理状况最了解,他们的积极心态会给患者极大的安慰。因此,社区护士对临终患者进行护理的同时,也应注意对患者家属做好支持工作。另外,临终患者家属承受着巨大的痛苦和心理压力,也需要被人关心,社区护士应重视临终患者家属的心理护理。临终患者家属的心理变化如下:

（一）悲伤

当家属得知自己亲人的病情已经治疗无望时,他们的心情极度悲痛。家属虽然伤心难以自抑,但又不能在患者面前流露出悲哀的情绪,还要强打精神安慰患者。当面对亲人承受剧烈的疼痛和各种治疗后的不适反应但病情继续恶化时,其家属更是痛苦不堪。

（二）焦虑

由于照料临终患者时间长,家属得不到充分休息和睡眠,体力、精力消耗巨大,感到身心俱疲,故常常无精打采,从而影响到自己的工作和生活。再加上亲人的病情恶化,眼看其生命即将结束,家属内心充满了焦虑与无奈。

（三）委屈

临终病人不管处于什么样的阶段,其心理压力都非常大,甚至发生畸形的心理变化,对家属百般挑剔、无端指责、无故发怒、家属是他们发泄情绪和宣泄不满的主要对象。家属即便有对抗情绪,也会因担心影响患者的心情而加速病情恶化,所以只好忍气吞声、委曲求全,长期处于委屈、痛苦之中。

(四)内疚

在长期照顾患者的过程中,因为精力、体力和财力消耗极大,几乎拖累了整个家庭,所以临终患者的家属往往会产生非常矛盾的心理,有时欲其生,有时欲其死,以免人财两空。当这种心理产生时,家属内心又会产生强烈的内疚感。另外,当患者病情变化过快而无法挽回时,家属又会因自己未能照顾好亲人而感到内疚和不安。

(五)失望

随着疾病的进展,家属长时间地照顾患者,消耗了巨大的体力和精力,支付了巨额的医疗费用,然而希望逐渐破灭,家属悲观、失望的情绪也逐渐产生,在照顾患者时就会不由自主地流露出厌烦、不满的情绪,无形中加重了患者的心理负担。

(六)接受

当家属认识到逝者已矣,一切都已经成为过去,会逐渐接受现实并获得解脱,重新寻找新的生活方式,开始新的生活,并进行生活的重组。

四、临终患者及家属的护理

(一)临终患者的生理护理

1. 基础护理

(1)饮食照护:社区护士应视患者病情的不同,满足患者的饮食要求,最大限度地保证患者的营养。指导家属做好饮食搭配,做到色、香、味俱全,从而提高患者的食欲。患者饮食的选择以高热量、高蛋白、高维生素、易消化的饮食为宜。注意少食多餐,鼓励患者多吃新鲜水果、蔬菜。若患者吞咽功能障碍,可选择静脉补液、鼻饲或胃肠外营养来满足机体需要。若患者放弃进食和饮水,应理解患者的选择,给予心理安慰和口腔护理。

(2)保证充足的水分:临终患者要注意水分的补充,以满足机体最低的生理需要量。鼓励患者尽量经口饮水,当患者无法自己进水时,可通过静脉输液等方法给予补充水分,防止虚脱。对于昏迷的患者,可用湿棉球润湿口唇或用湿纱布覆盖于口唇上。

(3)排泄的照护:排泄是人的正常需要,又有很强的私密性。当患者有自理能力时,应保留其个人空间,尽可能保持患者如厕的独立性。当临终患者出现大便干结、便秘时,应给予通便治疗及护理,包括应用开塞露或灌肠,也可适当给予缓泻药物。当临终患者出现腹泻时,应使用收敛药物,同时,做好肛周皮肤的护理工作。对大小便失禁的患者,要及时清除排泄物,更换衣物,保持床单干净整洁。应做好会阴护理,保持患者会阴部的清洁。当患者出现尿潴留时,应保留导尿,从而提高其舒适感,使其有尊严地感受到人生的美好。

(4)保持皮肤和口腔的清洁:临终患者由于长期卧床,机体抵抗力差,容易发生压疮等并发症。要经常帮助患者擦浴、勤换衣物、更换体位,并指导家属正确的翻身方法,保持患者皮肤的清洁和干燥。进行口腔护理时,告知患者饭前饭后要漱口,如有口腔溃疡要及时治疗,防止继发感染。社区护士要指导并教会家属一些常见的护理操作技术。

(5)保持呼吸道通畅：当临终患者痰液堵塞、呼吸困难时，社区护士应及时吸出痰液和口腔分泌物。当出现呼吸不规则、潮式呼吸和点头呼吸时，应立即让患者取半卧位及吸氧，备好抢救物品及器械。当患者出现肺部感染时，给予抗炎治疗。

(6)保证足够的休息和睡眠：临终患者易疲倦，且因疼痛而常休息不好，睡眠可以帮助患者摆脱疾病的痛苦和面临死亡的焦虑，对临终患者有重要意义。因此，患者希望安静休息时，要限制探视，注意环境安静，帮助患者建立良好的睡眠习惯，不要打扰睡眠中的患者。治疗护理应在相对集中的时间进行，避免在患者熟睡时做护理操作。晚上尽量让患者少喝水、不喝茶、不抽烟，可以给患者喝一杯热牛奶，以利睡眠。

2.疼痛护理　临终患者最大的痛苦是疼痛，尤其是癌症晚期患者，约50%以上不能得到合适的止痛治疗。疼痛能否得到有效的控制，直接关系到临终患者的心理状况和生活质量。由于存在个体差异，所以，对疼痛的治疗和患者的护理必须个体化。目前，常用的控制疼痛的方法包括药物止痛和非药物止痛。

(1)药物止痛：目前，临床上控制疼痛用药普遍采用WHO推荐使用的"三阶梯止痛治疗方案"。第一阶梯止痛：对于轻度疼痛，一般选择非阿片类镇痛药，如阿司匹林、吲哚美辛等；第二阶梯止痛：对于中度持续性疼痛，第一阶梯不能止痛的，选择弱阿片类镇痛药，如可卡因、布桂嗪等；第三阶梯止痛：对于重度或剧烈性疼痛，第二阶梯不能止痛的，选择强阿片类镇痛药，如吗啡等。

一般来说，按照三级阶梯递增的顺序给药以控制疼痛，可以选择口服药物、针剂或栓剂等。在用药过程中，社区护士应注意观察病情，注意病人的止痛效果和是否发生药物不良反应，防止药物过量。

(2)非药物止痛：配合镇痛药能起到很好止痛效果的非药物止痛方法有：①音乐疗法，具有使人心情舒畅、心理放松、缓解压力、减轻疼痛和伤感、增强生活信心的作用。②注意力转移疗法，家长和社区护士通过与患者沟通交流等方式，引导患者转移注意力，从而达到减轻疼痛的目的。③冷、热疗法，通过冷、热的作用达到缓解疼痛的目的，是临床上常用的物理疗法。④放松疗法，通过按摩、调整体位等手段使肌肉松弛，减轻疲劳，有助于改善睡眠，并使镇痛药更好起效。⑤其他疗法，如针刺法、神经阻断法等。

(二)临终患者的心理护理

1.针对不同心理阶段给予相应的护理

(1)否认期：注意及时与患者进行沟通，耐心倾听，以坦诚、温和的态度及时回答患者的问题，维护患者的适度希望，缓解其心灵的创痛，引导患者逐步面对现实，能够积极配合治疗。

(2)愤怒期：社区护士要理解患者的这种心理反应是一种适应性反应，对临终患者表现的情绪激动和愤怒应保持克制和忍让，与家属配合，共同给予患者关爱、宽容和理解，让其发泄愤怒、宣泄情感，必要时辅以药物稳定患者的情绪。同时，还要注意防止发生意外。社区护士在护理时应尽量做到仔细、动作轻柔、态度和蔼可亲。

(3)协议期：社区护士应了解此期的心理反应对患者是有利的，应抓住时机，主动给予患者更多的关心,鼓励患者说出自己的内心感受和希望,尽量满足他们的需求。

(4)抑郁期:社区护士应允许患者用自己的方式表达悲哀,尽量安抚和帮助他们;鼓励家属在患者周围陪伴,让其有更多的时间和最亲近的人在一起,从而感受到亲情和温暖;尽量帮助患者完成未竟事宜,使患者不留任何遗憾。

(5)接受期:社区护士应为患者提供安静、舒适的环境;不要勉强患者交谈,但要保持适度的陪伴,注意患者言行所透露出来的信息,尽量给予安慰和支持。社区护士可通过一些非语言行为传递关怀、安抚的信息,如轻轻地握着患者的手,传递一个同情的眼神,就能使患者得到心理满足和安慰,会减轻患者面对死亡的恐惧,让其安详地离开人间。

2.触摸 触摸护理是现代护理的一项重要内容,是大部分临终患者愿意接受的一种方法。社区护士应针对不同情况,可以轻轻抚摸临终患者的手、额头、胳膊、胸腹部、背部等,能获得他们的信任和依赖,从而减轻孤独和恐惧感,使其具有亲切感、安全感和温暖感。

3.家属陪护 允许家属陪护并参与临终护理是一种有效的心理支持和感情交流,有利于稳定家庭情绪,且临终患者也容易接受、依赖亲人的照顾。

4.帮助患者保持社会关系 社区护士应鼓励亲朋好友、同事多探视临终患者,以体现患者的生存价值,让其多享受一份人间温情。

5.死亡教育 社区护士应在护理的整个过程中,在适当的时机适度地对临终患者进行死亡教育,有针对性地进行心理疏导和精神安慰,帮助他们树立正确的死亡观念、真正理解生老病死是自然界的规律、懂得生命的意义在于高质量地活着而不在于时间的长短,使其从心理上对即将来临的死亡做好准备,以平静的心情准备死亡、面对死亡、接受死亡。

(三)临终患者家属的护理

临终患者家属的护理是社区临终护理的重要组成部分,针对家属可能出现的一系列心理问题,社区护士应为临终患者家属提供精神支持和心理疏导,以提高他们的心理适应程度。

1.指导家属调整好心态 家属长时间照料临终患者,身心疲惫,加上患者的病情日益恶化,心情可能变得极度烦躁,压力也很大。因此,社区护士应指导患者家属稳定自己的情绪并调整好心态。

2.与临终患者家属建立相互信赖关系 社区护士应充分理解家属的心情,耐心、真诚地倾听家属诉说内心的悲哀和痛苦,充分表达自己的感情,回答他们提出的各种问题,对家属的过分要求表示理解,尽量满足他们的需求。

3.指导家属参与护理 家属对临终患者的生活习性、性格最为了解,也最能把握患者的心理变化,也就能更好地协助护士做好临终患者的护理工作。因此,社区护士应取得家属的配合,制定切实可行的护理措施,并向家属传授相关护理知识与操作技术,鼓励家属为临终患者做恰当的护理,使其在照料亲人的过程中获得心理上的安慰,同时,这也给予了患者极大的安慰和鼓励,使患者能够坦然地面对死亡。

4.调动患者的社会关系体贴家属 调动患者的社会关系,如亲朋好友、单位领导、同事等关心体贴家属,帮助其安排好陪护期间的生活,为家属分忧并尽量解决其实际困难,以维护家庭生活的完整性。

(四)临终患者的善后护理

1. 尸体护理　患者去世后,社区护士按照死者生前的心愿和家属的要求,以严肃认真的态度做好尸体的护理,并和家属一起向死者鞠躬告别,这既是尊重对死者的尊重,又是对家属的安慰。

2. 丧亲者护理

(1)安抚丧亲者:悲伤是丧亲者最突出的心理反应。社区护士应理解他们的悲伤,针对丧亲者的心理变化,给予心理疏导和情感支持;鼓励并耐心倾听丧亲者宣泄悲伤情绪,运用眼神、握手等非语音行为,表达对丧亲者情感的理解和心理支持;协助丧亲者做好善后工作。

(2)回访丧亲者:亲人逝世后,在较长一段时间内丧亲者的悲伤情绪可能难以恢复。因此,社区护士应帮助他们以积极的心态面对死亡并接受现实,指导丧亲者面对死亡的应对措施,使之认识自己继续生存的社会价值,树立生活信心;根据丧亲者的具体情况指导和建议他们的生活方式,使丧亲者能深切感受到人世间的情谊;鼓励丧亲者早日走出悲伤,重新面对生活;委托丧亲者的亲戚、朋友、同事、社区居委会等相关人员进行访问和照顾;鼓励丧亲者参加一些有兴趣的社会联谊和公益活动,使丧亲者在有助于社会、他人的活动中获得慰藉,淡化个人的不幸;采用电话、信件等形式与丧亲者保持联系,从而体现临终关怀工作的价值。直至丧亲者无新的问题出现,临终关怀方可结束,才算为临终关怀工作画上了圆满的句号。

本章小结

本章主要介绍了老年人的生理、心理和患病特点,老年人的健康保健措施和常见健康问题的护理,"临终关怀"和"死亡教育"的概念及意义,临终患者的生理、心理以及家属的心理特点,临终患者的护理措施。通过对本章内容的学习,可以使社区护士在日常工作中更好地开展社区老年卫生保健服务工作,促进老年人的身心健康。

课后思考

1. 简述"临终"和"临终关怀"的概念。
2. 简述老年人的患病特点。
3. 简述老年人的健康保健措施。
4. 老年人的常见健康问题有哪些?
5. 为临终患者提供的基础护理的内容有哪些?
6. 如何做好临终患者及家属的心理护理?

(钱云龙)

第十一章 社区传染病的预防与控制

案例

黄先生,40岁,因乏力伴上腹隐痛、皮肤黄染5天而入院治疗,否认既往肝炎病史,无输血史和血吸虫疫水接触史。实验室检查:ALT 1 100U/L;血白蛋白40g/L,球蛋白27g/L;HBsAg(+),HBeAg(+),抗 HBc－IgG 弱阳性,抗 HBc－IgM 强阳性。

问题:
1. 黄先生患哪种疾病的可能性大?
2. 如何对该病人进行健康指导?

本章学习目标

1. 掌握社区常见传染病的护理、管理及计划免疫。
2. 熟悉传染病的流行特点和预防措施。

第一节 传染病概述

传染病是由病原微生物感染人体后所产生的有传染性的疾病。传染病的流行必须具备3个条件,被称为"流行的3个基本环节",即传染源、传播途径和易感人群。只有当这3个基本环节同时存在并相互联系时,才会形成传染病的传播和蔓延。如果其中任何一个环节缺乏或者被阻断,传染病就无法流行。另外,传染病的流行还受自然因素与社会因素的影响。

一、流行过程的3个基本环节

(一)传染源

传染源是指体内有病原体生长、繁殖并能排出病原体的人和动物。病人、病原携带者和染病动物均是重要传染源,在传染病流行过程中扮演着重要角色。在多数情况下,病人体内有较大量的病原体,向周围环境播散。病原携带者是指没有任何临床症状,但能排出病原体的人,可以分为病后病原携带者和健康病原携带者 2 种,包括带菌者、带毒者和带虫者。人对部分动物传染病也具有易感性,这类传染病被称为"人畜共患病"。例如,鼠疫在鼠类之间传播流行,当人类接触病鼠所排出的鼠疫杆菌时也可被感染,病鼠就成为人鼠疫的传染源。

(二)传播途径

病原体自受感染的机体排出后,至侵入新宿主前,在外界环境中所经历的全部过程称"传播途径"。每一种传染病可通过一种或数种途径传播。常见的传播途径有空气、水、食物、接触和虫媒等。例如,麻疹病毒通过空气传播,炭疽杆菌则可以通过接触、食物或空气等数种途径传播。

(三)易感人群

人群易感性是指人群对某种病原体容易感染的程度。人群中有免疫力的人数多,则人群易感性就低;反之,有免疫力的人数少,则人群易感性就高。

人群易感性的高低受多种因素的影响,如自然因素和社会因素等。自然因素包括气候、地理、土壤和动植物等。有些地区的气候和地理条件适宜病原体生长繁殖、媒介昆虫的生长和活动,这些地区就容易发生传染病流行。社会因素包括社会制度、文化、宗教信仰、风俗习惯等。社会制度影响人民的文化生活水平、卫生设施和卫生管理政策。例如,某山区经济不发达,人民文化水平低,有生吃、半生吃蟹、虾的习惯,就易引起肺吸虫病流行。

二、传染病的预防措施

(一)控制传染源

对于传染性疾病要做到早期发现和报告、早期诊断和治疗,以及按照该病的传染期对病人认真隔离和管理。对于有病动物,根据其经济价值大小采取相应的措施。

(二)切断传播途径

对于有些传染病,切断其传播途径是起主导作用的预防措施。应根据疾病不同的传播途径,制定不同的有效切断措施,如对肠道传染病要重视粪便管理、饮食卫生管理,保护水源,对用具进行消毒,注意个人卫生及消灭苍蝇和蟑螂等。消毒是指杀灭或清除各种传播媒介上的病原微生物。各种不同病原体对不同消毒方法的敏感性不同,应按照具体情况选用。

(三)保护易感人群

提高人群免疫力可以从增强特异性和非特异性免疫力两个方面进行。个人保健、体育锻炼等可提高机体非特异性免疫力,但对预防传染病起关键作用的主要还是采取人工免疫方法,使易感者产生免疫力,从而不患传染病。

1. 人工主动免疫　人工主动免疫是指以免疫原物质接种人体,使人体自行产生特异性抗体的免疫方法。自动免疫制剂有:活疫苗,如麻疹疫苗、脊髓灰质炎疫苗、流感疫苗等;死疫苗,如乙脑疫苗、狂犬病疫苗等;活菌苗,如卡介苗等;死菌苗,如百日咳菌苗等;类毒素,如破伤风毒素、白喉类毒素等。死菌(疫)苗是由死菌体或灭活后的病毒制成,它们的抗原刺激时间短,免疫效果差,且维持时间一般较短,需要多次注射才能获得较好的免疫效果。活菌(疫)苗是由无毒或减毒活菌(病毒)体制成的,具有接种剂量少、接种次数少、免疫效果好、维持时间长等优点。

2. 人工被动免疫　人工被动免疫是指以含有抗体的血清或制剂接种人体,使人体获得现成抗体的免疫方法。此法一般只在有疫情时应用。人工被动免疫制剂包括:免疫血清,如白喉抗毒素等;免疫球蛋白,如丙种球蛋白、胎盘球蛋白等。

第二节　免疫预防

一、"计划免疫"的概念

计划免疫是根据儿童的免疫特点和疫情监测结果,按规定的免疫程序,有计划和有针对性地实施基础免疫及随后适时的加强免疫,达到控制和消灭某种传染病的目的。

二、计划免疫的内容

目前,我国计划免疫工作的主要内容是"五苗防七病",主要计划免疫疫苗预防接种实施程序如表10-1所示。

表10-1　计划免疫预防接种实施程序表

预防疾病	结核病	乙型肝炎	脊髓灰质炎	百日咳、白喉、破伤风	麻疹
免疫原	卡介苗	乙肝疫苗	脊髓灰质炎减毒糖丸疫苗	百白破疫苗	麻疹减毒活疫苗
接种方法	皮内注射	肌内注射	口服	肌肉注射	皮下注射
初种次数	1	3	3	3	1
初种月龄	出生时	出生时 1个月 6个月	2个月 3个月 4个月	3个月 4个月 5个月	8个月
加强年龄			4岁	1.5~2岁 6岁	1.5~2岁

三、预防接种的实施

(一)建立儿童预防接种证或预防接种卡

预防接种证或预防接种卡按照接种者的居住地实行属地化管理,监护人应在儿童出生后到儿童居住地的接种单位为其办理预防接种证。户籍在外地的7岁及以下儿童寄居本地时间在3个月及以上的,由寄居地的接种单位及时建立预防接种卡。当儿童户口转移、地址变动、进出托幼机构、入学、转学时,要及时随转预防接种卡,儿童凭预防接种卡或预防接种证入托、入学。

(二)接种前的准备工作

1. 确定接种对象　根据免疫规划疫苗规定的免疫程序,确定接种对象,包括本次应种者、上次漏种者和流动人口等特殊人群中的未接种者。

2. 通知儿童家长或其监护人　采取预约、口头、电话、通知单、广播通知等适当的方式,通知儿童家长或其监护人接种疫苗的种类、时间及地点,嘱其提前给儿童洗澡,换上干净内衣,携带接种证,陪同儿童按时到指定地点进行接种。

3. 领取疫苗　接种单位应根据各种的疫苗接种人数,计算领取疫苗数量,并做好登记和冷链管理。

(三)接种时的工作

1. 环境要求　接种环境要求宽敞、明亮、清洁、通风且温度适宜。准备好接种工作台、坐凳。分区合理,登记、咨询、接种、记录有序进行。同时接种多种疫苗时,接种工作台应分别设置醒目疫苗接种标记,以免错种、重种和漏种。

2. 核实接种对象　查验儿童预防接种证,核对姓名、性别、出生日期及接种记录,确认本次接种疫苗的品种。

3. 接种操作　操作前应再次核对,无误后予以接种。注射接种疫苗时必须严格无菌操作,消毒只能用75%酒精。

4. 记录、观察与预约　医务人员应及时在预防接种证或预防接种卡上记录所接种疫苗的年、月、日及批号,书写工整,告知家长或监护人留在现场观察15~30分钟,若出现异常应及时处理和报告,并预约下次接种疫苗的种类和时间。

(四)接种后的工作

1. 整理用物,记录疫苗的使用及废弃数量,处理剩余疫苗。已开启安瓿的疫苗进行焚烧处理;冷藏器内未打开的疫苗做好标记后放入冰箱保存。

2. 统计本次接种情况和计划下次接种疫苗需要量,按规定上报。

四、预防接种常见的反应及处理原则

(一)一般反应及处理

一般反应是指在预防接种后发生的,由疫苗本身所固有的特性引起的,对机体只造成一过性生理功能障碍的反应。

1. 局部反应　接种后24小时,注射部位出现红、肿、热、痛,可持续2~3天,有时伴有局部淋巴结肿大。轻度的反应不需任何处理,较重的可用毛巾热敷,但卡介苗除外。每日热敷数次,每次15分钟左右。

2.全身反应　全身反应主要是低度或中度发热,一般发生在接种后24小时内,患儿有时伴头痛、恶心、呕吐、腹泻等反应。嘱家长给患儿多喝水、冬季注意保暖、休息,高热不退者应至医院就诊。

(二)异常反应及处理

1.晕厥　儿童由于空腹、紧张等原因,在接种时或接种后数分钟内可能出现头晕、心慌、出冷汗等表现。此时应立即使患儿平卧,注意保暖,喝些热水或糖水,重者可经皮下注射肾上腺素。

2.过敏性休克　过敏性休克在注射后数分钟内发生,患儿出现血压明显下降、脉搏细速、面色苍白、四肢湿冷、胸闷、呼吸困难等症状。应立即使患儿平卧,头部放低,给予吸氧和保暖处理,在注射肾上腺素后将患儿送至医院观察,及时抢救治疗。

3.过敏性皮疹　过敏性反应一般发生在接种后数小时至数天内,用抗过敏药物后患儿即可痊愈。

第三节　传染病的管理

一、掌握信息

(一)传染病报告的病种

根据《中华人民共和国传染病防治法》,传染病报告的病种分甲、乙、丙3类,共39种。

1.甲类　鼠疫、霍乱。

2.乙类　传染性非典型肺炎、病毒性肝炎,细菌性痢疾和阿米巴痢疾、伤寒及副伤寒、艾滋病、淋病、梅毒、脊髓灰质炎、人感染高致病性禽流感、麻疹、百日咳、白喉、流行性脑脊髓膜炎、猩红热、流行性出血热、狂犬病、钩端螺旋体病、布鲁氏菌病、炭疽、流行性和地方性斑疹伤寒、流行性乙型脑炎、黑热病、疟疾、登革热、肺结核、甲型H1N1流感。

3.丙类　血吸虫病、丝虫病、包虫病、麻风病、流行性感冒、流行性腮腺炎、风疹、新生儿破伤风、急性出血性结膜炎,除霍乱、痢疾、伤寒和副伤寒以外的感染性腹泻、手足口病。

国务院卫生行政部门根据传染病暴发、流行情况和危害程度,可以决定增加、减少或者调整乙类、丙类传染病病种并予以公布。对乙类传染病中的传染性非典型肺炎、炭疽中的肺炭疽和人感染高致病性禽流感,采取甲类传染病的预防和控制措施,其他乙类传染病和突发原因不明的传染病需要采取甲类传染病的预防和控制措施的,由国务院卫生行政部门及时报经国务院批准后予以公布和实施。

(二)传染病报告及访视时间

各级医院门诊医师在就诊病人中发现传染病后,应立即填报传染病报告卡,由医院保健科收集,并按病人居住地址或所在地址分发给地段责任医务人员。社区护士于24小时内对病人进行访视管理,甲类传染病应立即先用电话通知区疾控中心,由区疾控中心会同社区护士进行防疫处理。

二、传染病访视管理的内容与要求

(一)初访

1. 调查传染来源　查清该传染病患者何时感染、在何地感染、如何感染及传播,判断疫情的性质及蔓延情况。

2. 采取切实可行的防疫措施　遵循传染病传播流行的3个环节,按照传染病的传播特性,实施有效的、适合现场具体情况的措施,以口头或示教的方法教给家属,以达到治愈病人、控制传播的目的。

3. 做好疫情调查处理记录　认真填写《传染病调查表》,以备分析、总结之用。

(二)流行病学复访

1. 了解病人病情的发展或痊愈情况,进一步确诊或对原诊断提出修正,必要时完成订正报告。

2. 了解病人周围的继发情况,并对继发病人立案管理。

3. 了解防疫措施的具体落实情况,进一步进行卫生宣传教育。

4. 填写《流行病学复访表》。

5. 病人痊愈或死亡即结束本案管理。

第四节　常见传染病的社区管理

一、艾滋病的护理与管理

"艾滋病"是获得性免疫缺陷综合征(AIDS)的俗称,由人免疫缺陷病毒——HIV引起,通过血液、性接触和母婴垂直传播。该病目前尚无有效治愈办法,病死率极高。

(一)艾滋病的流行过程

1. 传染源　艾滋病的传染源是艾滋病病毒感染者和艾滋病病人。人感染艾滋病病毒4~8周后,才能从感染者血液中检测出HIV病毒的抗体,但在测出抗体前该感染者的体液已具有传染性。已感染HIV的人平均经过7~10年的潜伏期才发展为艾滋病病人,出现原因不明的长期低热、体重下降、盗汗、慢性腹泻、咳嗽等症状,继而发生难以治愈的感染和肿瘤,最终导致死亡。

感染者的血液、精液、阴道分泌液、乳汁及伤口渗出液中含有大量的HIV,具有很强的传染性。病人在发病前看上去正常,可以没有任何症状,但能够将HIV传染给他人。

2. 传播途径

(1)血液传播:共用注射器吸毒是传播艾滋病的主要途径。在调查已知感染者及艾滋病病人中,有70%以上是注射毒品传播的。输入未经艾滋病病毒监测的血液及血制品,使用未经严格消毒的医疗器具,如注射器、拔牙器械、针灸、纹身美容等器械或使用污染艾滋病病毒的牙刷、剃须刀等,都会通过伤口感染 HIV。

(2)性接触传播:性自由的生活方式、婚外性行为等都是造成传播的温床,有性病者比无性病者更容易感染艾滋病。

(3)母婴传播:母婴垂直传播是指通过胎盘、产道或哺乳等途径传播。1/3 感染了 HIV 的婴儿会在 3 岁前死亡。

(4)其他途径:偶有医护人员被污染的针头刺伤而感染。移植病毒携带者的器官或人工授精亦可感染。

3. 易感人群　人群普遍易感。高危人群有同性恋者、性乱者、卖淫嫖娼者、吸毒者、带毒母亲所生婴儿等。因为至今还未研制出可以有效预防艾滋病的疫苗,所以要求个人做好自我保护,防止感染。

(二)艾滋病的临床表现

本病潜伏期较长,一般认为感染 2~10 年可以发病。典型的艾滋病临床表现分为 4 期:

1. 急性感染期　原发 HIV 感染后,小部分病人可以出现发热、乏力、全身不适、头痛、关节痛和淋巴结肿大,持续 3~14 天。此时病人血液中可检出 HIV。

2. 无症状感染期　急性感染后,病人进入无症状感染期,该期持续 2~10 年或更长,临床上没有任何症状,但血清中能检出 HIV 以及 HIV 抗体。

3. 持续性全身淋巴结肿大综合征(PGL)　病人的主要表现为除腹股沟淋巴结肿大以外,全身其他部位也有 2 处或 2 处以上淋巴结肿大。肿大的淋巴结直径为 1cm 以上,质地柔韧,无压痛、粘连。

4. 典型艾滋病期

(1)机会性感染:病人由于严重的细胞免疫缺陷而出现多种条件致病性微生物感染,如肺结核、病毒感染等。

(2)恶性肿瘤:最多见的伴发恶性肿瘤为卡氏肉瘤,常侵犯下肢皮肤和口腔黏膜,表现为深蓝色浸润斑或结节,可融合成大片状,表面出现溃疡并向四周扩散,可向淋巴结和内脏转移。

(3)神经系统症状:部分艾滋病病人出现头痛、进行性痴呆等表现。

(三)艾滋病的社区护理与管理

1. 掌握信息,关心感染者和病人　社区护士可通过疫情报告等渠道,掌握本社区 HIV 感染者和艾滋病病人的信息,给感染者和病人营造一个友善、理解、健康的家庭和社区环境,鼓励其采取积极的生活态度,改变高危行为,配合治疗,从而延长生命、提高生活质量。社区护士应认识到 HIV 感染者也是疾病的受害者,不得歧视病人,让病人得到基于人道主义的同情与帮助。

2. 体检及治疗　HIV 感染者应每半年左右在指定医院检查健康状况,确诊的病人应住院治疗。密切接触者或怀疑接触艾滋病者要做病毒感染检查,分别在接触后 3 个月、6 个月及 1 年各进行一次血液检测。

3.高危人群的监测

(1)受到公安机关处理的暗娼、嫖客、性病病人及吸毒者要强制做 HIV 血清检查。

(2)在国外居留 1 年以上的各类出国人员,在回国后 2 个月内到指定卫生专业机构做 HIV 血清检查。

(3)导游、酒店从业者、医护和检验人员等高危人群,每年常规采血检查。

(四)健康教育

1.宣传艾滋病相关知识

(1)艾滋病病毒对外界环境的抵抗力较弱:艾滋病病毒离开人体后如不立即进入受体,在常温下只可生存数小时至数天,对高温、干燥以及常用消毒剂敏感。

(2)与艾滋病病人及病毒感染者的日常生活和工作接触不会感染艾滋病:在工作和生活中,与艾滋病病人或感染者的一般接触,如握手、拥抱、共同进餐、共用工具和办公用品等,不会感染艾滋病;咳嗽、打喷嚏、蚊虫叮咬不传播艾滋病;HIV 不会经马桶圈、餐饮具、卧具、游泳池或公共浴池等公共设备传播。

2.切断传播途径

(1)在日常生活中,防止共用可能被血液污染的物品,如牙刷、牙签、剃须刀片、注射针头等。医务人员也应加强自身防护,防止已污染的针头、器械刺破皮肤。

(2)洁身自爱,遵守性道德,树立健康积极的恋爱、婚姻、家庭的性观念是预防和控制艾滋病传染的根本;正确使用质量合格的避孕套,避孕套不仅可以避孕,还能减少感染艾滋病的危险。

(3)拒绝毒品,珍爱生命。

二、病毒性肝炎的护理与管理

病毒性肝炎是由肝炎病毒所致的以肝损害为主的全身性传染病。我国肝炎患病率较高,常见的肝炎有甲、乙、丙、丁、戊等多种类型,其中,仅慢性乙型肝炎病毒感染者就多达 1.2 亿。本节主要介绍甲型和乙型病毒性肝炎(简称"甲肝"和"乙肝")的社区护理与管理。

(一)病毒性肝炎的流行过程

1.传染源 甲肝的主要传染源是急性期病人和亚临床感染者。急、慢性乙肝病人与病毒携带者是乙肝的传染源。

2.传播途径

(1)甲肝是典型的肠道传染病,主要经粪—口途径传播。日常生活接触是散发病例的主要传播方式,而经水和食物的传播,特别是水生贝类和毛蚶等,是暴发性流行的主要传播方式。

(2)乙肝的传播途径主要有 3 种:血液传播,如通过输血、血液制品以及使用被污染的注射器针头等传播;母婴传播,包括经胎盘以及分娩、哺乳、喂养等方式所引起的感染,约占我国婴幼儿感染的 1/3;生活密切接触,乙肝病毒可通过唾液、精液和阴道分泌物排出,因此,性接触和家庭成员之间的生活密切接触也是重要传播途径。

3.人群易感性

(1)甲肝的人群易感性:未感染过甲肝病毒的人对甲肝普遍易感,隐性感染率高,感染后可产生持久的免疫力。

(2)乙肝的人群易感性:人群普遍易感,我国是乙肝高发区之一,总感染率较高,多发生于婴幼儿及青少年。

(二)病毒性肝炎的临床表现

1.甲型病毒性肝炎　甲肝的潜伏期为15~45天,平均30天,分为急性黄疸型、急性无黄疸型、淤胆型和重症型4种。

(1)急性黄疸型:主要分为黄疸前期、黄疸期和恢复期3个阶段,总病程为2~4个月。黄疸前期病人起病急,出现寒战发热、乏力、食欲不振、厌油、恶心、上腹部饱胀不适,继而尿色加深,一般持续5~7天。黄疸期病人自觉症状好转,热退黄疸现,肝大有压痛,尿色深,此期持续2~6周。恢复期病人黄疸逐渐消退,症状好转,肝回缩,肝功能逐渐恢复正常,此期持续2~4周。

(2)急性无黄疸型:起病较慢,除无黄疸外,病人其他表现基本同黄疸型,但一般较轻,且多在3个月内恢复。

(3)淤胆型和重症型甲肝临床表现类似于乙肝病人。

2.乙型病毒性肝炎　乙肝的潜伏期为6周~6个月,一般为3个月左右。乙肝的临床表现是多样化的,包括急性、慢性、淤胆型和重症型4种。

(1)急性乙型病毒性肝炎:分为黄疸前期、黄疸期和恢复期3个阶段,与急性甲型病毒性肝炎各期表现类似。

(2)慢性乙型病毒性肝炎:病程超过半年或隐匿发病,常在病人体检时被发现,根据临床表现可分为轻度、中度和重度。轻度病人症状不明显或有症状、体征,但生化指标仅1~2项轻度异常;重度病人有明显或持续的乏力、纳差、腹胀等症状,伴肝性面容、肝掌、肝肿大等;中度病人表现介于轻度和重度之间。

(三)病毒性肝炎的社区护理与管理

1.调查传染来源

(1)对于甲肝病人,社区护士需询问病人在发病前1~2个月内是否接触过同类病人,何时、何地接触,或到过何处旅行、就餐,并了解个人卫生情况。

(2)对于乙肝病人,社区护士需了解其半年内是否曾接受过手术治疗、输血及输入血制品,是否进行过注射、针灸等损伤皮肤的治疗,以及是否密切接触过慢性乙肝病人或乙肝病毒携带者。

2.切断传播途径

(1)甲肝病人自发病之日起隔离3周,按肠道传染病的有关环节,做到饮食用具分开,单独洗刷、消毒;饭菜分食或使用公筷、公勺;病人饭前便后用流动水洗手。食具、碗、毛巾、餐巾等可以用0.3%~0.5%优氯净或1%~5%含氯消毒剂浸泡15分钟,再用清水冲净药液。病人的吐泻物要用漂白粉、20%漂白粉乳液或5%优氯净混合后静置消毒1~2小时再倾倒。

手的消毒可以用75%酒精或含氯消毒剂。病人的衣服、床单要与其他人的分开使用,单独消毒后清洗。

(2)乙肝病人的隔离期视情况而定,一般隔离至肝功能正常、抗原消失方可解除。因为乙肝病毒经血液传染,所以要做到病人的牙刷、剃须刀、指甲刀、修脚刀等专用,或病人用后及时消毒。

3.免疫预防

(1)甲型肝炎的接触者使用甲型肝炎疫苗进行预防。甲型肝炎疫苗有2种:减毒活疫苗,皮下注射,1个月后产生抗体,1年后抗体逐渐减少,价格便宜;灭活死疫苗,第1次注射后隔6个月再注射一次,7~10天可产生抗体,可维持20年或终身免疫,价格略贵。

(2)乙型肝炎的接触者使用乙型肝炎疫苗进行预防。对肯定有明显感染者,可尽快用高效价乙型肝炎免疫球蛋白及时接种。第1次接种后,需隔1个月进行第2次接种。密切接触者需进行血液抗体筛查,凡乙肝表面抗原、乙肝表面抗体、乙肝核心抗体阴性者,均进行乙肝疫苗接种。初种后隔1个月和6个月各复种1次,共接种3次,完成后1个月左右可产生抗体。

4.一般护理 急性肝炎病人早期应卧床休息,症状减轻后要控制活动,最好在饭后能卧床休息1~2小时。病人饮食应以清淡为主,不宜吃大量的蛋白类食物和过量的糖,并且要绝对禁酒。迁延性、慢性肝炎患者要适量补充蛋白质与各类维生素。

(四)健康教育

1.社区护士应积极宣传各型病毒性肝炎的发病及传播知识,指导病毒性肝炎的预防,以降低其发病率。

2.社区护士应向病人及家属介绍病毒性肝炎自我疗养的知识,强调急性肝炎彻底治愈的重要性和迁延不愈对个人、家庭及社会造成的危害。

3.社区护士应介绍各型病毒性肝炎的预后及影响因素,如一般甲型肝炎不会发展为慢性肝炎,乙型肝炎可发展为慢性肝炎、肝硬化甚至肝癌,过度劳累、暴饮暴食、酗酒、不合理用药、感染、不良情绪等可致乙肝反复发作。

4.凡接受输血、应用血制品、接受大手术的病人,出院后应定期检测肝功能及肝炎病毒标记物。

三、肺结核的护理与管理

结核病是由结核杆菌感染引起的慢性传染病,可累及多个器官,以肺最为常见,称"肺结核病"。近年来,国内外肺结核发病率呈上升趋势,我国约有600万肺结核病人,其中,具有严重传染性的约150万人,每年因结核病而造成死亡的约23万人。在全球22个结核病高负担国家中,我国位居第二。

(一)肺结核的流行过程

1.传染源 排菌的肺结核病人是主要传染源。凡是患有开放性肺结核的病人,都可成为肺结核的感染来源。

2.传播途径 肺结核经空气传播,在病人咳嗽、打喷嚏或大声谈笑时,以飞沫的形式造成传播,当飞沫蒸发后形成飞沫核,能较长时间地悬浮在空气中,被易感者吸入,可造成感染。结核杆菌具有很强的抗干燥能力,病人的痰液干燥后随尘埃进入空气也可引起感染。

3.易感人群 人群对结核菌普遍易感,但是否发病取决于结核菌的毒力、数量及人体抵抗力的强弱等。

（二）肺结核的临床表现

1.症状 肺结核多数起病缓慢,病人常有午后低热、夜间盗汗、乏力、食欲不振、体重下降等表现。呼吸系统症状多为干咳、咯血、胸痛,严重者可出现呼吸困难。

2.体征 病人可无阳性体征或仅在锁骨上下、肩胛间区闻及湿罗音,病变范围大而浅表时,可有肺实变体征。

（三）肺结核的社区护理与管理

1.掌握社区肺结核疫情 社区护士应从本地区结核病防治机构了解本社区肺结核病人的情况。对本社区内的肺结核病人,社区护士需要登记、追踪、记录诊断时间,监督化疗及康复情况,家属成员的续发情况等。此外,社区护士也应配合结核病防治机构进行预防肺结核的宣传工作,劝告可疑病人到医院或结核病防治机构接受检查,以便尽快确诊、及时治疗。

2.指导隔离消毒 痰结核菌阳性的新发病人,在化疗2个月内传染性强,因此,社区护士要认真做好隔离消毒工作。另外,对久治不愈的病人要进行隔离消毒。

（1）隔离：病人咳嗽、喷嚏时要用手绢捂住口鼻,不大声喧哗,以免细菌污染空气;有条件的病人在家中可单独住一室,饮食用具、衣服、卧具、手绢等要与家人分开独用。

（2）消毒：对病人的痰液要进行消毒;病人的食具要单独使用、单独洗刷消毒。

3.接触者的检查及预防

（1）家庭成员的检查及预防：结核病有家庭聚集性,家庭成员要进行全面检查,儿童少年是重点人群,15岁以下儿童要做结核菌素试验,结果呈强阳性者需服用抗结核药物预防。15岁以上少年及成人要进行X线检查,以便早发现、早诊断、早治疗。

（2）学校中如有结核病人,病人所在班级的学生都应做结核菌素试验,对结果呈强阳性者也要进行药物预防。

4.肺结核病人的护理指导

（1）饮食与活动：肺结核是一种慢性消耗性疾病,在治疗过程中若辅以合理的饮食和营养,则能提高机体的抗病能力,达到彻底治愈的目的。要保证病人摄入足够能量,选择高蛋白、高维生素饮食,必要时可服用维生素D、维生素K,促进钙的吸收及控制咯血。没有并发症的肺结核病人可以进行适当的体育锻炼,如散步、打太极拳、做保健操等。

（2）指导病人及家属观察病情发展：教会病人及家属测体温、脉搏、呼吸的方法,注意咳嗽及咳痰情况,有无咯血出现,痰中带血丝或血量不多提示病灶接近微血管,病人卧床休息即可康复,在咳嗽剧烈时可服镇咳剂。咯血量突然增多时,社区护士应劝导病人不要紧张,避免因窒息而导致死亡,因此,大量咯血者应立即送医院救治。

（3）督导抗痨治疗：按照联合、足量、全程的抗痨原则,加强肺结核的长期治疗,须严格按照疗程服用药物,社区护士需强调规律服药的重要性,了解病人每日服药的情况,并督促病人复查。

(四)健康教育

肺结核病人需戒酒,活动期病人应休息,维持好营养。一般情况下,合理用药2～3周病人便可恢复正常生活。不规则服药或过早停药是治疗失败的主要原因,为彻底治愈肺结核,督导病人坚持规律的全程化疗是最重要的教育内容,并定期随诊,让病人接受X线胸片等检查。在用药过程中,社区护士应注意药物的副作用,一旦出现应及时就诊。

本章小结

传染病流行的3个基本环节分别是传染源、传播途径和易感人群,社区护士可针对这3个环节进行传染病的预防。对儿童进行预防接种是一种有效的预防办法。需要报告的传染病分为甲、乙、丙3类。另外,本章也介绍了艾滋病、病毒性肝炎、肺结核等常见传染病的社区护理及管理。

课后思考

1. 简述传染病流行的3个基本环节。
2. 传染病的预防措施有哪些?
3. 预防接种的常见反应有哪些?应如何处理?
4. 乙型病毒性肝炎的传播途径有哪些?
5. 如何指导肺结核病人进行隔离消毒?

(储彬林)

第十二章
社区常见慢性病的管理

案例

某社区居民李某,男,51岁,在单位体检中发现血压为155/95mmHg,平时时常感到头晕。未问及家族病史,无吸烟史,饮食正常。查体:身高170cm,体重85kg,心肺未见明显异常。心电图检查未见异常,但未进行其他检查。

问题:
1. 根据已知信息,李某的高血压属于哪个分级?
2. 为对李某进行规范的高血压病人管理,还应补充采集哪些信息?
3. 社区护士应如何对李某进行高血压病人管理及健康指导?

本章学习目标

1. 掌握慢性病的流行病学特点和社区管理原则。
2. 掌握高血压、糖尿病的危险因素。
3. 掌握高血压、糖尿病的管理流程与随访监测内容,以及尿糖试纸、快速血糖仪的使用。
4. 能够在教师指导下对社区高血压、糖尿病、冠心病以及精神疾病病人等进行管理。

慢性病即非传染性慢性疾病,简称"慢病"。它是一类病程较长、病因复杂且有些尚未被确认的疾病的总称。慢性病是一种长期性的状况,病人表现为正常生理功能逐渐地、进行性地减退,需要持续性的治疗和护理。我国常见慢性病主要有心脑血管疾病、糖尿病、恶性肿瘤和慢性阻塞性肺疾病等。随着社会经济的发展和城市化进程的加快,人们的生活水平逐渐提高,慢性病已逐渐取代急性传染性疾病成为影响我国社区居民健康的主要问题。慢性病通常是终身性疾病,疼痛、伤残、昂贵的医疗费用等都影响着慢性病病人的健康状况和生活质量,也给社会带来巨大的经济负担和压力。在社区中加强对慢性病的干预和预防,对促进社区慢性病人群的健康、控制慢性病的发病率和死亡率、提高病人的生存质量具有积极和深远的意义。

第一节 概 述

一、"慢性病"的概念及特点

(一)概念

慢性病一般是指由物理、化学、生物及社会等多种因素长期作用于机体引起的起病缓慢、病程较长、治愈较难的非传染性疾病的总称。我国常见的慢性病主要有心脑血管疾病、糖尿病、慢性阻塞性肺疾病、恶性肿瘤等。我国卫生部《全国慢性病预防控制工作规范》指出,"慢性病"是慢性非传染性疾病的简称,是对一类起病隐匿、病程长且病情迁延不愈、缺乏明确的传染性生物病因证据、病因复杂或病因未完全明确的疾病的概括性总称。

WHO的调查显示,在西太平洋地区,每天约有2.65万人死于慢性病,近半数的慢性病死亡发生在70岁以下的人群。不健康的生活方式和环境变化是慢性病的常见危险因素。慢性病的危险因素大多可通过有益的干预措施加以预防。据估计,约80%的早发心脏病、脑卒中和2型糖尿病以及40%的癌症,可以通过调节饮食、定期锻炼和避免吸烟等生活行为方式的干预加以预防。

(二)特点

1. 病因复杂、潜伏期与病程长 慢性病的发病原因复杂,往往是由许多复杂的因素交互影响而逐渐形成的。慢性病病人早期没有明显症状,难以发现,且疾病的潜伏期很长,患病后的持续时间也较长,可达数年、几十年甚至伴随终生。

2. 发病初期病人的症状和体征不明显 一般慢性病病人的症状和体征在发病初期不明显,往往被忽视,通常在病人体检或因患感冒等疾病而就诊时被发现,或者在某些症状反复迁延出现并不断加重,病人自觉严重而就医才得以确诊,此时多数已伴有并发症或进入晚期。

3. 具有不可逆转的病理变化而不易治愈 慢性病不能根治,是因为它有不可逆的病理过程,如糖尿病、原发性高血压、心脑血管疾病等。虽然这些疾病不能治愈,但经过长期用药和治疗,通过良好的自我健康管理或良好的护理和照顾,是可以控制病情或暂时终止病情发展、减轻症状、延缓并发症出现的,从而降低伤残的发病率或阻止疾病的进一步恶化,降低死亡率。

4. 需要长期的治疗和护理 慢性病由于疾病本身或病人长期卧床的影响,可致机体不同程度的残障,使病人日常生活自理能力降低或丧失。病人需要长时间用药和康复治疗,日常生活需要进行自我健康管理或需要他人的护理及照顾,对个人、家庭或社会造成沉重的负担。

二、慢性病的分类

根据慢性病对人产生影响程度的不同,将慢性病分为以下3类:

1. 致命性慢性病 此类慢性病包括各种恶性肿瘤等。

2. 可能威胁生命的慢性病　此类慢性病包括肺气肿、老年性痴呆、糖尿病、高血压、镰状细胞性贫血、脑出血、脑梗塞、心肌梗死、慢性肾功能衰竭等。

3. 非致命性慢性病　此类慢性病包括慢性支气管炎、支气管哮喘、消化性溃疡、骨关节炎、偏头痛及帕金森病等。

三、慢性病的危险因素

（一）自然环境和社会环境

自然环境中空气污染、噪声污染、水源和土壤污染等，都与恶性肿瘤或肺部疾病等慢性病的发生密切相关。社会环境中健全的社会组织、教育程度的普及、医疗保健服务体系等都会影响人群的健康水平。

（二）不良生活方式

1. 不合理膳食　均衡饮食对健康来说至关重要。不合理膳食主要表现在饮食结构不合理、加工或烹饪方式不当、不良饮食习惯等。膳食结构不合理包括高能量饮食、高脂饮食、高胆固醇饮食、低纤维素饮食、高盐膳食等；不当的加工或烹饪方式如腌制食品、烟熏食品、烧烤食品等；不良饮食习惯可表现在进食时间无规律、暴饮暴食等。

2. 缺乏运动　运动可以增加心脏收缩力、锻炼心脏功能、加速血液循环、增加肺活量、促进机体新陈代谢，维持年轻活力。但是由于现代社会物质水平的提高、交通工具便利、生活节奏加快，人们常常以车代步，活动范围狭小，运动量缺乏。缺乏运动是造成超重和肥胖的重要原因，也是许多慢性病的危险因素。

3. 吸烟　吸烟是慢性阻塞性肺疾病、恶性肿瘤、心脑血管疾病等慢性病的重要危险因素。吸烟者心脑血管疾病的发病率比不吸烟者提高 2~3 倍。吸烟量越大、吸烟起始年龄越小、吸烟史越长，对身体的损害越大。WHO 将吸烟作为全球最严重的公共卫生问题并将其列入重点控制范围。

4. 酗酒　过量饮酒有害健康，特别是长期酗酒，危害更大。酗酒与脂肪肝、酒精性肝炎、肝硬化、高血压、心脑血管疾病、胃癌及老年性痴呆等多种疾病有关。酗酒同时大量吸烟，具有协同致癌作用。

（三）遗传和生物因素

慢性病可以发生于任何年龄，但发生的比例和年龄呈正比。年龄越大，机体器官功能老化越明显，发生慢性病的概率也越大。家庭对个体健康行为和生活方式的影响较大，许多慢性病如高血压、糖尿病、乳腺癌、消化性溃疡、精神分裂症等都有家族聚集现象，一般认为这与遗传因素或家庭共同的生活习惯有关。

（四）精神心理因素

生活及工作压力会引起紧张、焦虑、恐惧、失眠甚至精神疾病。长期处于精神压力下，可使人血压升高、血胆固醇含量增加，还会降低机体的免疫功能，增加患慢性病的可能性。

四、慢性病的社区管理

(一)慢性病社区管理的意义

1. 改变不良生活方式,提高治疗效果　不良生活方式是慢性病的主要危险因素之一,社区卫生服务机构对慢性病病人进行健康管理,可以有目的地改变其不良生活方式,改变导致慢性病的危险因素,可以从根本上提高慢性病的治疗效果。

2. 有利于增进社区居民的健康　社区卫生服务机构在社区开展健康管理,可以利用慢性病的一些相同的危险因素,对全社区居民开展健康教育,针对全体人群和不同疾病的高危人群,预防和控制一组慢性病的共同危险因素,从而提高社区居民的健康水平。

3. 有利于降低医疗费用,减轻经济负担　社区健康管理的投资小、效益高。在社区卫生服务机构开展慢性病健康管理,不仅可以缓解医疗费用的不断增长,而且可以减轻慢性病病人的家庭经济负担。

4. 有利于更好地发挥社区卫生服务机构的优势,充分利用医疗资源　在防治慢性病方面,社区卫生服务机构有很多优势,如慢性病病人居住地距离社区卫生服务机构比较近,社区卫生服务机构提供的服务价格较低,有相对完善的卫生组织与一定的卫生人力资源等。这些都有利于慢性病病人持续稳定的治疗,能促进防治效果的提高;另一方面,也有利于分流病人,缓解医院的接诊压力,达到合理利用卫生资源的目的。

(二)慢性病社区管理的工作方式

慢性病社区管理的工作任务主要由3部分组成,即健康调查、健康评价和健康干预。健康调查即收集社区居民的健康资料;健康评价即根据所收集的健康信息对居民的健康状况及危险因素进行评估和分析;健康干预即针对居民的健康状况和危险因素,制定并实施合理的健康改善计划,以达到控制危险因素、促进健康的目的。由于慢性病病种多样,进行慢性病的社区管理首先要由社区卫生服务机构通过健康体检、健康调查等方式收集健康信息,再在收集信息的基础上,确定居民的健康状况和危险因素,筛选出患病人群和高危人群,最后针对不同人群进行重点干预。

第二节　高血压病人的保健护理

高血压是以体循环动脉血压增高,即以收缩压≥140mmHg和(或)舒张压≥90mmHg为主要临床表现的一种常见病、多发病。病人早期多无临床症状,不易被发现。大多数高血压病人的病因不详,称"原发性高血压",占所有高血压患者的90%以上,是社区居民中最常见的高血压类型;约5%的高血压为继发性高血压,如肾性高血压。高血压具有病因复杂、患病率高、知晓率低、服药率低、控制率低、致残率高、死亡率高的特点,因此,被认为是危害社区居民健康最严重的疾病之一,被列入国家社区慢性病管理和预防的重点疾病。

一、社区管理

1. **健康人群保健管理** 高血压的预防和控制具有双重意义,控制高血压的危险因素实际是对心脑血管疾病危险因素的全面控制,使心脑血管疾病的发病率得到控制。对健康人群实施保健和健康促进,能获得最大的经济效益。健康人群的保健是高血压的第一级预防,管理措施是收集健康群体的体检资料,建立健康档案;通过开展健康教育,使人群认识到高血压发病的危险,积极主动地采取有效的预防措施。

2. **高危人群管理** 高危人群管理即对高危人群进行高血压筛查,即要求对辖区内35岁及以上常住居民在首诊时为其测量血压。对第一次发现收缩压≥140mmHg 和(或)舒张压≥90mmHg 的居民,在去除可能引起血压升高的因素后,预约其复查,非同日3次血压高于正常,可初步诊断为"高血压"。如有必要,建议居民转诊到上级医院确诊,2周内随访转诊结果,将已确诊的原发性高血压病人列为高血压健康管理对象。

3. **高血压病人管理** 对原发性高血压病人,每年要至少提供4次面对面的随访。随访内容包括:

(1)测量血压并评估是否存在危急情况,如出现收缩压≥180mmHg 和(或)舒张压≥110mmHg、意识改变、剧烈头痛或头晕、恶心、呕吐、视力模糊、眼痛、心悸、胸闷、呼吸困难等危急情况之一,须在处理后紧急转诊。对于紧急转诊者,乡镇卫生院、村卫生室、社区卫生服务中心应在2周内主动随访转诊情况。

(2)若不需紧急转诊,询问上次随访到此次随访期间的症状。

(3)测量体重、心率,计算体质指数(BMI)。

(4)询问疾病情况和生活方式,包括心脑血管疾病、糖尿病、吸烟、饮酒、运动等情况。

(5)了解病人服药情况。

图11-1 高血压患者分级评价标准

类别	收缩压(mmHg)	舒张压(mmHg)
1级高血压(轻度)	140~159	90~99
2级高血压(中度)	160~179	100~109
3级高血压(重度)	≥180	≥110

二、家庭治疗

1. **降压药的选择** 近年来,抗高血压药物研究进展迅速,根据不同病人的特点可单用或联合应用降压药。目前,常用降压药可归纳为利尿药、β受体阻滞药、钙拮抗药、血管紧张素转换酶抑制剂、血管紧张素受体竞争性拮抗药、抗肾上腺素药和复方制剂7类。降压药的选择主要取决于药物对病人的降压效果和不良反应,能有效控制血压并适宜长期治疗的药物就是正确选择的药物。高血压病人一般需要终身治疗,若病人的血压已长期得到控制,可以在严密监测下逐步地减少服药次数或剂量。在家庭治疗中,病人及家属应观察药物治疗效果和不良反应,注意血压降低不宜过快、过低,预防直立性低血压。

2. **血压升高后的处理方法** 如果血压突然比平时升高 20 mmHg,病人只感不适,没有其他症状出现,可按时吃药并注意休息,消除引起血压升高的诱因,如过度紧张、疲劳、激动等;如果血压突然升高,出现头痛、心悸、恶心、呕吐等症状,应保持镇静,病人平卧,舌下含服硝苯地平10mg,若半小时后血压仍未下降,则应立即拨打120急救电话,及时去医院就诊。

三、高血压病人的健康指导

1. 生活方式指导　对正常人群、高危人群、处于血压正常高值者以及所有高血压病人,无论是否接受药物治疗,均需针对危险因素进行改变不良行为和生活方式的指导。《中国高血压防治指南》指出,针对高血压发病的3个主要危险因素的预防措施是减重、限酒和低盐。肥胖者应注意限制能量和脂类的摄入,增加体育锻炼。体育锻炼的强度应根据个人健康状况而定,以力所能及为宜,如散步、慢跑、打太极拳、做广播操等。有饮酒习惯的高血压病人最好戒酒,特别是超重者,更应戒酒。高血压病人的食盐摄入量应低于健康人群,建议每日低于5g。此外,高血压病人生活方式指导的内容还包括合理膳食、戒烟、保持良好心态、大便通畅、提高服药的依从性、规范检测血压等,并持之以恒,以预防和降低高血压及其他心血管疾病的发病风险。

2. 药物治疗的指导　药物治疗指导的主要内容包括:

(1)检测服药与血压的关系:指导病人及家属测量血压,并记录血压与服药的关系。

(2)强调长期药物治疗的重要性:用降压药使血压降至理想水平后,病人应继续服用维持量,以保持血压相对稳定,对无症状者更应加以重视。

(3)要求病人必须严格遵医嘱按时按量服药:如果病人根据自己感觉来任意增减药物,就会导致血压波动,甚至发生高血压急症。如血压长期过高,会导致靶器官受到损害,出现心、脑、肾并发症;如血压下降过快,会导致心、脑、肾等重要脏器供血不足,病人出现头晕,甚至发生休克、急性脑血管病、肾功能不全等。

(4)要求病人不能擅自停药:经治疗血压得到满意控制后,病人可以逐渐减少服药剂量,早期高血压病人在夏季甚至可考虑停药,不得突然停药,否则,可导致血压骤增,出现停药综合征,如冠心病病人突然停用β受体阻滞剂会诱发心绞痛、心肌梗死等。

3. 心理指导　高血压病人的心理健康与否将决定治疗与康复的成败。病人的心理康复与护理的主要内容是使病人提高对高血压的认识和对治疗的重视程度,树立长期服药的信心,保持积极乐观的生活态度,消除各种不良因素对情绪的影响,保持心情愉快,积极地参与治疗与护理,从而能有效地控制血压、预防并发症,提高病人的生活质量。

心理护理是非药物治疗的重要内容,主要有支持性心理治疗、情绪宣泄、松弛疗法、音乐治疗等。上述不同的治疗与护理方法均需根据病人的具体情况而定,如病人的年龄、性别、人格特征、家庭功能等,综合分析后制定适合病人的个体化、有针对性的心理调适与护理方案。通过心理护理使病人保持良好的心境,以应对其他内外因素对机体造成的不利影响。

第三节　冠心病病人的保健护理

冠状动脉粥样硬化性心脏病又称"缺血性心脏病",简称"冠心病",是由冠状动脉狭窄或阻塞引起的心肌缺血、缺氧或坏死的一种心脏疾病。

根据 WHO 1979 年提出的分型标准,冠心病分为 5 型:无症状型冠心病、心绞痛型冠心病、心肌梗死型冠心病、缺血性心肌病型冠心病、猝死型冠心病。冠心病临床表现各异,以心绞痛、心肌梗死、缺血性心肌病最为常见,是当前国内外最常见和危害最大的心血管系统疾病。

冠心病的发病率随年龄增加而上升,病人多数在 40 岁以后发病。男性发病率高于女性,一般来说,脑力劳动者较体力劳动者冠心病多发。20 世纪 50 年代后,冠心病是许多发达国家第一位的死亡原因。与西方国家相比,我国属冠心病低发地区,但随着人们生活水平的提高、膳食结构的改变,冠心病的发病率和死亡率随年龄增长而增加。冠心病的患病率有地区差异,南方低、北方高,城市高于农村。

一、社区管理

1.健康人群保健管理　由于心脑血管疾病存在共同的危险因素,所以以这些共同的危险因素为中心开展多种疾病的综合预防和管理,就能获得很好的预防效益。《维多利亚宣言》提出了心脏卫生的"四大基石":心理平衡、合理膳食、适量运动和戒烟限酒。心脑血管疾病的综合预防应从社区实际情况出发,以健康教育为主导,针对不同人群进行三级预防管理。

在社区要加强早期预防,特别是对高血压进行早期预防具有重要意义。健康人群的早期预防是心脑血管疾病的第一级预防。第一级预防应从儿童开始,包括养成健康的生活方式和生活习惯,预防超重及高血脂。管理措施:收集社区人群的健康体检资料并建立健康档案;通过媒体宣传进行有效的健康知识传播,使人们认识到心脑血管疾病发病的危险性;有针对性地设计危险因素并进行干预,使人们能积极主动地采取有效的预防措施;定期评估健康教育效果,不断完善教育方法。

2.高危人群管理　目前,已达到共识的冠心病危险因素包括:早发冠心病家族史、吸烟、高血压、血脂异常、糖尿病、有明确的脑血管或周围血管阻塞的既往史、重度肥胖。除性别与家族史外,其他均为可预防的危险因素。针对危险因素采取预防措施是预防冠心病的第一级预防。

冠心病的第二级预防是通过对高危人群定期体检筛查,早期发现、早期干预。筛查内容有血压、血脂、血糖、心肌酶、心电图等,发现早期心脑血管疾病病人,积极治疗以预防并发症、防止病情发展、降低死亡率。管理措施包括降低血压、血脂,控制血糖,戒烟,减肥等。对高危人群应加强有针对性的健康教育,开展健康咨询,帮助他们控制情绪,消除紧张状态,鼓励他们参加力所能及的社区活动,合理安排工作与生活,改变不良生活方式和习惯,将有助于减少脑卒中发生的危险。

3.冠心病病人管理　对已确诊的冠心病病人,主要工作重点是第三级预防:通过健康教育与指导,使病人坚持药物治疗,控制病情发展和防止并发症,最大限度地改善病人的生存质量,其措施可参照高血压病人管理。

二、家庭治疗

冠心病治疗的目的是减轻或缓解症状,恢复心脏功能,延长病人生命,提高生存质量等。

药物治疗主要是控制高血压、减轻心脏负荷、合理应用血管扩张剂和利尿剂。常用药物有硝酸酯类、钙拮抗剂、β受体阻滞剂和抗血小板药物等。

不同的病人对同一药物的反应不同,用药时要考虑药物反应的个体差异。根据病情可采取联合用药方法。联合用药的指征主要有:单一用药不能很好地控制疾病,为了增加药物的疗效而采取联合用药,多采用有协同作用的药物联合,如用硝酸酯类制剂和β受体阻滞剂联合应用治疗冠心病心绞痛;为了减轻药物的毒副作用,如氢氯噻嗪和螺内酯联合应用,即排钾利尿药和保钾利尿药联合应用,防止出现电解质紊乱等。

三、冠心病病人的健康指导

1. 预防冠状动脉粥样硬化的危险因素 这是控制冠心病进展的重要方面。病人应坚持低盐、低脂、低胆固醇、低热量饮食,戒烟,积极治疗高血压病、糖尿病及高脂血症,定期进行心电图、血糖、血脂及血压的检查。

2. 合理安排运动锻炼 保持经常适度的体力劳动,或进行步行、轻便体操等锻炼,可提高耐力,促进侧支循环的建立,减少心绞痛发作。

3. 注意避免引发心绞痛的诱因 引发心绞痛的诱因有过度的体力劳动、屏气用力动作、情绪激动、饱餐、寒冷等;对于有些可能会诱发心绞痛但又不得不去做的事情,进行之前可先服1片硝酸甘油。

4. 学会识别急性心肌梗死的先兆症状 急性心肌梗死的先兆症状有心绞痛发作频繁、程度加重、持续时间延长,服用硝酸甘油效果差等。有些心绞痛病人表现为上腹部不适、胸闷、颈背疼痛、牙痛等,使病人及家属误以为其他疾病,应告诉他们先按心绞痛处理,以免延误病情。

5. 自我保健 自我保健的主要内容包括:
(1)随身携带保存在深色密封瓶内的硝酸甘油类药物,注意过期药物需更换。
(2)硝酸甘油应固定放在家中容易拿取的地方,家人也应知道位置。

6. 掌握心绞痛的紧急处理方法 病人应立即就地休息,含服1片硝酸甘油或异山梨酯,如症状不缓解,可再次含服;保持镇静,必要时可口服安定1~2片;如疼痛发作持续时间大于30分钟、用药效果不好、疼痛加剧,应考虑发生心肌梗死,及时拨打120急救电话,就近就医,以免延误抢救时机。

7. 掌握心肌梗死的紧急处理方法 病人应立即停止一切活动,就地休息,即刻含服1片硝酸甘油或异山梨酯,疼痛仍不缓解可加重药量;含药时最好采取卧位或坐位,以免发生直立性低血压;如有条件可立即吸氧;保持情绪稳定,全身放松;立即拨打120急救电话;在转运时,病人不可主动用力。

第四节 糖尿病病人的保健护理

糖尿病是一组由遗传和环境因素相互作用而引起的临床综合征。因胰岛素绝对或相对不足以及靶细胞对胰岛素敏感性降低,导致糖、脂肪、蛋白质和继发性水、电解质代谢紊乱,以高血糖为重要临床特征,久病可引起多个系统损害,对病人的生命和健康构成严重威胁,已成为慢性非传染性疾病的第三位健康杀手。近年来,随着人们生活条件的改善和生活方式的改变,我国糖尿病患病率呈逐年迅速上升的趋势,农村发病率也明显增加。糖尿病已成为全球性重大公共卫生问题,治疗糖尿病及其并发症需要高额的医疗费用,因此,预防和控制糖尿病已经成为全世界急待完成的重要任务。

糖尿病的病因至今尚未明确,一般认为是由于遗传因素和后天的环境和行为因素联合作用,导致机体以持续高血糖为基本生化特征的综合征。糖尿病可分为胰岛素依赖型糖尿病(即1型糖尿病)和非胰岛素依赖型糖尿病(即2型糖尿病)。糖尿病的主要危险因素包括遗传、不良饮食结构和饮食习惯、肥胖、高血压、高血脂、缺乏体力活动或体育锻炼、病毒感染和自身免疫反应、多次妊娠、分娩巨大胎儿、接触化学毒物、精神心理压力及家庭生活事件等。

糖尿病病人的主要特征是血糖增高、葡萄糖耐量减低和出现尿糖,典型的症状是"三多一少",即多尿、多食、多饮和体重减轻。临床上,30岁以下的儿童和青少年患糖尿病多为胰岛素依赖型,占糖尿病总人数的10%;成年患糖尿病大多数为非胰岛素依赖型,占糖尿病总人数的90%。老年人患糖尿病因缺少典型的"三多一少"症状而漏诊,常在其就诊其他疾病时被发现,如经常反复发作的各种感染等。糖尿病合并症主要有心脑血管疾病、视网膜疾病、肾病、神经病变、肢端坏死等,危害极大。

一、社区管理

1. 健康人群保健管理　社区健康人群以第一级预防为主,目的是减少糖尿病的发病率。通过健康教育,使社区健康人群提高对糖尿病的认识,加强自我保健,保持良好的生活习惯,如均衡膳食、控制总能量、适当体力活动、控制体重、保持良好的情绪、防止过度紧张、注意保持个人卫生、预防各种感染,以减少糖尿病的发生。

2. 高危人群管理　糖尿病的高危人群主要是有遗传家族史、不良生活方式、肥胖、多次妊娠、病毒感染和精神心理压力事件等因素的人群。目前,这一人群正在逐年迅速壮大,且每年绝大多数新诊断的糖尿病病人都来自这个群体。因此,社区必须采取必要的管理措施,帮助该群体改变不良生活习惯,延缓或防止糖尿病的发生。社区高危人群健康管理主要以第一级和第二级预防为主:通过健康教育,提高人群对糖尿病危险的认识,使人们认识到糖尿病是终身疾病,难以治愈,预防重于治疗;加强监测,通过定期体检和筛查血糖,早期发现糖耐量异常的病人并及时干预。

3. 糖尿病病人管理　在糖尿病的社区管理工作中,应重视社会、家庭支持作用,鼓励病人积极参与管理,并明确控制目标;对现患病人采取降糖治疗、预防病情恶化、防止伤残和加强康复护理等措施,延缓或防止并发症,降低糖尿病的病死率,提高病人的生活质量。

二、家庭治疗

糖尿病治疗的目的在于纠正代谢紊乱、长期控制血糖、使血糖接近正常水平、防止或延缓各种并发症的发生及发展、改善生活质量、延长寿命。糖尿病是终身疾病,需长期坚持。对糖尿病病人应采取综合性治疗措施,包括饮食治疗、运动治疗、药物治疗、自我血糖监测和健康教育。其中,糖尿病教育是提高病人自我管理能力和促进糖尿病长期管理的主要手段。

饮食治疗是最基本的治疗措施,应以控制总能量为原则,实行高纤维素、富含维生素的饮食,同时,强调少量多餐、定时、定量进餐。运动治疗的原则强调因人而异、循序渐进、长期坚持、适可而止。口服降糖药物或胰岛素治疗是糖尿病血糖控制的主要手段,前者包括双胍类、磺脲类及非磺脲类胰岛素促泌剂、α-葡萄糖苷酶抑制剂、胰岛素增敏剂等,后者又分为超短效、短效、中效及长效制剂等。自我血糖监测是判断血糖控制效果的有效手段。

三、糖尿病病人的健康指导

1. 一般健康指导　社区护士要对糖尿病病人进行切实可行的健康指导,使其能积极地自我调养,配合治疗和护理,严防并发症。主要措施包括建立健康手册,对生活起居、个人卫生、足部保健护理等方面的指导。

2. 心理护理　糖尿病病人因疾病的慢性过程而常存在精神紧张、忧郁、恐惧、愤怒、孤独、绝望等心理问题。护士应针对病人的具体情况给予支持和指导,帮助病人摆脱不良情绪的困扰,保持乐观、稳定、积极向上的情绪。

(1) 对病人进行心理评估并分析评估结果:社区护士应指导病人处理常见情感问题,可采取散步、听音乐和放松训练等措施。

(2) 指导病人学会情感宣泄和转移:社区护士应指导病人通过看电影、电视、书籍等使自己转移情绪,保持精神愉悦。

(3) 不轻视生活中极小的活动:往往小的行为可解决大的情感问题,很小的成功即可增加病人对生活和健康的信心。

3. 饮食治疗　饮食控制的目的是控制血糖、维持理想的体重,超重的病人逐渐减轻体重,消瘦的病人逐渐增加体重,尽最大限度减少或延缓各种并发症的发生。

饮食治疗的原则是合理控制总能量,保证营养供给;更好地控制血糖和血脂水平;合理膳食,每日至少进食3次,且应定时、定量,两餐间隔4~6小时。尊重个体饮食习惯和满足能量的需求;强调特殊需求,如妊娠的膳食计划;满足治疗需要,如糖尿病肾病的无盐或低盐饮食。糖尿病病人的主食可选用大米、玉米面、小米、小麦面粉等,副食可选用瘦肉、鸡蛋、鱼、牛奶、豆类等富含蛋白质的食物,禁止使用红糖、白糖及含糖过高的糖果,限制高脂、高胆固醇食物,如动物内脏、蛋黄、鱼籽、肥肉等。

4. 运动指导　运动可加强肌肉细胞对能量的运用。运动开始阶段,细胞的能量来自肌糖原和血糖;15分钟之后,人体开始利用肝糖原以及由氨基酸转化来的糖;运动30分钟后,脂肪酸成为主要的能源。

规律运动可促进血液循环,有助于2型糖尿病病人减轻体重、提高胰岛素的敏感性、减轻胰岛素抵抗、改善糖代谢。有氧运动是指在运动过程中,通过呼吸所得到的氧能够连续不断地供给运动肌肉,如步行、慢跑、游泳、爬楼梯、跳舞、打太极拳等。规律的有氧运动是指永恒、有序、有度的有氧运动形式:永恒是指坚持每周3~5次,不少于3次,每次15~30分钟的运动;有序是要循序渐进,由轻度到中度逐渐过渡到高强度的训练;有度应是掌握一定的运动量。中等强度运动量计算法:运动时每分钟脉搏次数＝170－年龄,中青年心率不超过130~140次/分,老年人不超过120次/分。

5. 自我监测　糖尿病病人应了解血糖、尿糖值的意义,掌握血糖、尿糖的自我监测方法和要求,以便有效地控制病情,做到有的放矢。目前,越来越多的病人使用血糖监测仪作为血糖监测的主要手段。血糖测试主要有以下2种方法:

(1)试纸比色法:这种方法不需要血糖监测仪,价格相对便宜,但缺点是仍为半定量测试方法。

(2)血糖监测仪法:与试纸比色法相似的是,血糖监测仪也需要血糖试纸,而且某些种类的试纸包装也标有比色板,因而在没有血糖监测仪时也可以用此法。血糖监测仪所测定的毛细血管血糖更加准确。

6.低血糖的护理

(1)低血糖的表现:糖尿病病人出现下列表现时应怀疑低血糖反应:心慌、手抖、冷颤;头晕或头痛;出汗过多,脸色苍白;饥饿,全身软弱无力;反应迟钝、发呆,昏昏欲睡;走路不稳,视力模糊,个别病人会发生全身抽搐。

(2)低血糖的应急处理:清醒的病人应尽快吃一些含糖高的食物或饮料,如糖果、果汁、蜂蜜、饼干等;意识不清的病人,则应使病人侧卧,并拨打急救电话,尽快送到医院抢救,有条件者可先静脉推注50%葡萄糖20~40mL。

(3)低血糖的预防:①按时进食,生活规律化。糖尿病病人应按时进餐,不能延迟进餐,若不得已延迟进餐,应预先吃些饼干、水果或巧克力等食物。②应在专科医生指导下调整用药。药物量不能随意增加,须在医生指导下,根据血糖作适当调整。胰岛素应在饭前30分钟左右注射,病人要按时进食,每次注射胰岛素时仔细核对剂量。从动物胰岛素换用人胰岛素时,根据病人的情况,可将剂量适当减少。③运动量保持恒定。每天的运动时间及运动量应基本保持不变。病人在大量运动前宜适当进食,或适当减少胰岛素的用量。④经常测量血糖。注射胰岛素的病人,应自备血糖仪,保证每天自测血糖,若有低血糖的感觉应即自测血糖,每次血糖结果应记录下来,以便医生参考,为治疗提供依据。

第五节 重性精神疾病病人的保健护理

精神疾病是一类严重威胁人类健康的疾病,大多属于慢性疾病。病人在急性发作期住院治疗,其他时期则生活在社区中,需要社区的包容和家庭的精心照顾。因此,精神疾病的护理是社区护理工作的重要内容。

社区精神病护理是精神病护理学的一个分支,是应用社会精神病学与其他行为科学的理论和技术,对社区精神疾病病人进行预防、治疗、康复和社会适应的指导及管理。

社区精神疾病病人的特点主要有:

1.轻症的精神障碍者多 例如,神经症、人格障碍及发育障碍。

2.慢性精神疾病、精神残疾和智力残疾者多 社区中的慢性精神疾病病人最重要的问题是社会残疾,即病人的社会功能有明显障碍和缺陷,不能胜任其应有的社会角色。

随着我国社区卫生服务体系的逐步完善,社区心理、精神卫生保健工作逐步受到重视,实现了在省市和地区政府的领导与支持下,由所属卫生行政、公安和民政部门组成的多部门的协作领导小组,全面负责和统筹安排本地区的精神卫生保健工作。

一、社区管理

　　精神疾病病人的治疗和康复,仅依靠医院或机构化管理是远远不够的,建立以社区为依托的社区精神卫生管理保健体系,可以及早发现精神病病人的发病征兆,采取相应治疗措施,对于他们的康复有重要意义。病人在病情发作前绝大多数都有征兆,如情绪、言语或行为反常,只要家属、监护人或其他密切接触的人具备基本的精神卫生常识和防范意识,及时送病人就医,一些危险就可以避免。精神疾病病人发病的原因主要是药物中断或遭受严重的精神刺激,如建立高效的监测网络,就可以监督和督促病人的治疗与康复。如在负性生活事件出现前就对高危病人提前采取预防措施,对其加强监护和护理,及时发现发病征兆并就医,就可能避免危险的发生。

二、家庭护理

　　1.康复期精神疾病病人的家庭护理
　　病人出院以后大部分精神症状得到控制,但社会适应能力还较差,因此,护士应给予家属必要的指导,经常进行卫生宣教。

　　(1)做好家属的宣传工作:指导家属正确对待精神疾病病人,因为社会对病人的歧视,所以给病人及家属造成了一定的压力。要向家属、单位和周围群众做好说服解释工作,宣传精神疾病的康复知识,争取家属的合作,促使病人早期就医、迅速康复。

　　(2)指导家属妥善保管药品,严防意外:指导家属妥善保管药品,对家庭治疗十分重要。向家属宣教坚持家庭治疗的重要性,了解药物副作用以及病人藏药的危险性。治疗用药应由家属保管,不能让病人自取,家属监督病人定时定量服用药物,严防病人藏药。

　　(3)指导家属观察病情变化,注意安全:家属和病人共同生活,密切接触,因此,对病人的病情特点比较了解,需密切与社区护士联系。当病人病情处于不稳定阶段时,要有专人看护,尤其是有严重自杀企图或出走念头的病人。注意观察病人的情绪变化或异常言行,如抑郁症病人在恢复期自杀率较高,如果发现抑郁状态突然明显好转,更应该严密观察,警惕病人自杀。一切对病人生命有威胁的物品不能被带入病人的房间或活动场所,如小刀、铁丝、剪刀、绳索、玻璃制品等。病人不能蒙头睡觉,上厕所超过5分钟要注意查看。

　　(4)睡眠护理:精神障碍者的睡眠状况往往直接影响其病情变化,因此,家属做好精神障碍者的睡眠观察是非常重要的。家属要为病人创造一个舒适、安静的睡眠环境,房间布置要简单素雅,光线柔和,温度适宜,睡床舒适。为病人制定适宜的作息时间,如午睡1~2小时,晚上10点前督促病人上床休息,早晨7点左右督促病人按时起床,恢复工作的病人不适宜参加值夜班工作。病人睡前禁忌服用兴奋性饮料,尽量少抽或不抽烟。家属督促病人睡前如厕。发现病人有失眠现象时,家属应了解病人是否身体不适或饥饿,及时给予安慰或协助解决。如果病人存在幻听、幻视等现象,应有家属陪伴,在抗精神病药物的基础上加服安定。若睡眠情况仍无好转,家属应及时送病人到门诊随访治疗,以利于控制病情,防止复发。

　　(5)生活技能训练:让精神疾病病人逐步掌握其生活环境中的行为技能,包括基本维持日常生活活动的行为技能、维持社交活动及参加娱乐生活的行为技能。日常生活活动技能训练着重培训个人卫生、饮食、衣着、排便等,坚持每日数次督促教导。

(6)职业技能训练:家庭护理的目标是使病人的工作和学习得到重新安置,使其尽可能恢复患病前的职业技能或发展他们有兴趣或有专长的新技能,以适应职业的需要。

(7)帮助病人自我护理和回归社会,督促或协助病人进行日常生活料理:许多病人由于出院后回到家中,家庭采取保护的办法,家属不愿让病人做一些家务,不让其参加社会活动,病人表现为行为退缩、无所事事。日久天长,病人的社会活动权利被剥夺,长期下去会出现社会退缩现象。家属应通过进行督促检查和卫生指导,让病人在不影响治疗的情况下,学会料理个人生活,能够操持部分家务,并且能够参与社会活动,像正常人一样工作、学习和生活。

2.特殊状态下的家庭护理

(1)攻击行为:家属应与病人建立信任的人际关系。对于躁狂病人,多用正面教育,多表扬少批评,善于诱导,并用转移注意力的方法引导到有益于健康的方面。要防止很多人围观和挑逗,避免病人因激惹而更加兴奋。根据病人特长让其参加适当的体力劳动和体育活动,使其精力得到应有的发泄,可促进晚间睡眠。对幻觉、妄想比较严重的病人尽量避免接触其病理体验,防止发生冲动行为。

(2)自杀和自伤行为:自杀和自伤是精神病人常见的危险行为,家属要密切观察病人病情变化以及异常的言语和行为表现,及时采取有效措施加以看管监护。加强危险物品的保管,如病人所服药物由家人保管,定时定量发放并确保服下。病人房间用具要简单,凡有服毒、跳楼、自缢等自杀倾向的,更要加以防范。

(3)木僵病人:木僵状态是一种较深的精神运动性抑制。病人违拗、不合作,有的甚至完全丧失生活自理能力。因此,家属应做好生活护理。家属应将病人安置在单间,室内温度、湿度适宜,避免不良刺激。家属应保证病人足够的营养和水分,轻度木僵者可以耐心喂食,或在夜深人静时,在病人床旁放置食物,严重者由专业人员给予鼻饲。同时,家属应密切观察病人的病情变化,注意安全。室内陈设简单,不要放置任何危险物品,防止病人突然兴奋而发生意外。同时,家属要注意病人大小便情况,保持病人口腔、头发、皮肤等的清洁卫生,遇冷时注意给其保暖。

(4)走失:在家庭护理中,防止病人走失也是精神疾病病人护理的重要内容。家属应及时与病人沟通交流,了解其心理状态,时刻注意病人的动向,加强管理。家里要常有人,不能让病人单独外出。家属应鼓励病人参加集体活动,指导病人正确认识和适应环境,消除恐惧和顾虑。一旦病人走失,要及时寻找,找回病人后不可加以指责和恐吓病人,应从中吸取教训,防止病人再次走失。

本章小结

本章重点介绍了社区慢性病病人的管理,训练社区护士了解社区慢性病中高血压、冠心病、糖尿病及重性精神疾病的基本知识,正确运用社区慢性病管理知识,对社区慢性病人群进行护理与管理,以提高社区慢性病病人群体的自我护理能力,提高病人的生活质量。

课后思考

1. 简述"慢性病"的概念。
2. 慢性病社区管理的工作任务主要由哪3部分组成？
3. 如何为社区高血压病人做健康指导？
4. 如何为社区糖尿病病人做健康指导？
5. 康复期精神疾病病人的家庭护理包括哪些内容？

（林波）

第十三章 社区康复护理

案例

马荣,男,56岁,以前有脑梗塞病史。3月14日突然摔倒,CT显示脑干附近有8.5mL脑出血,小脑萎缩。住院后,病人情绪暴躁且难以控制,经常乱动,行为无法控制,意识时而清醒,时而模糊。经住院治疗后,病人左侧肢体行动不便,但可以自己行走,需人或器械辅助。5月1日出院回家,社区护士李菊为其做家庭访视。

问题:
1. 如果你是李菊,该怎样为病人拟定康复护理计划?
2. 该病人要做哪些康复训练?

本章学习目标

1. 掌握"康复"、"康复护理"、"社区康复"、"社区康复护理"、"残疾"的定义以及社区康复护理的程序。
2. 熟悉社区康复护理的对象及任务、社区残疾病人的康复护理内容。
3. 了解常用康复器材的应用。

康复是针对疾病、伤残者的功能障碍,以提高功能水平为主线,以整体的人为对象,以提高生活质量并最终回归社会为目标,使功能障碍得到最大可能的恢复或重建身心、社会功能,达到最佳健康状态。康复医学就是应用各种有效措施减轻残疾的影响,使残疾人重返社会。

康复医学注重于整体康复,并渗透到整个医疗系统,包括预防、早期诊断、治疗病人的医疗计划中,把提高生活质量作为医学整体目标。

第一节 康复护理概述

一、基本概念

(一) 康复

世界卫生组织认为,康复是指综合协调地应用各种措施最大限度地恢复和减少病、伤、残者的身体、心理和社会功能障碍,使其重返社会,以提高生活质量。康复不仅要求残疾、残障者本人参与康复服务计划的拟定和实施,也需要伤、残者家庭和所在社区参与康复服务计划的制定和实施。康复包括医疗康复、教育康复、社会康复、职业康复和康复工程等。

(二) 康复护理

康复护理是在康复实施过程中,为达到躯体、精神、社会和职业的全面康复目标,护理人员紧密配合其他康复人员的工作,对康复对象进行基础护理和各种专门的功能训练,帮助病、伤、残疾等康复对象恢复生理功能及生活功能,预防继发性残障,减轻残障的影响,以达到最大限度的康复和重返社会。康复护理是护理学的重要分支,是康复医学的重要组成部分。

社区护士要认识社会、自然环境对康复的影响,理解护士的职业特点和角色期望。近些年,康复护理在美国有了一定发展,他们将康复护理和健康促进的内容结合起来,运用护理理论,结合康复护理实践,取得了一定成绩。

(三) 社区康复

社区康复是指在社区层面上采取的康复措施,利用和依靠社区的人力资源,包括有病损、失能、残障的人员本身,以及他们的家庭、有关单位和组织。病、伤残者经过临床诊疗阶段后,为减少他们的身心功能障碍,由社区提供有效、可行、经济的全面康复服务,使病、伤残者重返社会。社区康复是以社区为基地开展的康复工作,是一种康复方式和制度,不同于医院康复。

社区康复的总目标是采取综合措施,尽量减少残障所带来的不便,最大限度地恢复残障者的功能和能力,以达到最终能够使他们参与社会生活的目的。

在社区康复中,护士与其他卫生服务人员一起共同提供社区康复服务,包括对慢性病的预防、伤残者的康复、改正不良行为、预防并发症和伤残的发生,最大限度地发挥伤残者的自理和自立能力,进一步提高伤残者的生活能力和适应能力,与伤残者保持一种良好的沟通和交流。

(四) 社区康复护理

社区康复护理是指在社区康复过程中,社区护士应用康复护理的基本知识和技能,根据总的康复护理计划,围绕全面康复目标,针对病、伤残者的整体进行生理、心理、社会诸方面的康复指导,使他们自觉地坚持康复锻炼,减少疾病的影响,预防继发性残障,以达到最大限度的康复。

二、社区康复护理的对象及任务

(一)社区康复护理的对象

社区康复护理的主要对象是社区内的伤残者、慢性病病人和疾病恢复期病人。这些病人存在着病、损、残及由此造成的各种功能障碍,存在着生活、工作和社交等不适应。社区护士通过康复评估,了解他们的功能障碍和残疾程度,采取各种康复措施改善功能,发挥其最大潜力,以实现预定的康复目标。

(二)社区康复护理的任务

1. 评价 注意观察病人的残疾情况以及康复训练过程中残疾程度的变化,并认真做好记录,向有关人员报告。康复训练是综合性的,如药物、理疗、针灸、运动、按摩等,康复护士要与病人及其他人员保持良好的人际关系,在治疗过程中加强沟通和起到协调作用,提供信息,以使整个康复过程得到统一。

2. 预防继发性残障和并发症 如对偏瘫病人进行训练时预防挛缩畸形的发生。挛缩可阻碍康复计划的发展,因此,要注意病人的姿势,也可以利用力学辅助器等。

3. 进行功能训练 学习和掌握有关功能训练的技术和方法,配合康复医师及其他康复技术人员对残疾者进行功能评价和功能训练。根据病人不同的性质和需要,不断学习,不断实践。例如,对于瘫痪伴语言障碍者,除安排语言治疗师进行集中训练外,护理人员应该利用每一个机会与病人交谈,使语言训练持续进行。

4. 日常生活活动能力训练 病人要进行自我护理能力训练,自我护理是病人自己参与某种活动,并在其中发挥主动性、创造性,努力达到理想的康复目标。一般情况下,病人总是处于依赖地位,日常生活依靠他人进行,如吃饭、洗漱、更衣、移动等。而康复护理的原则是在病情允许的条件下,训练病人进行自理,即自我护理。因此,社区护士需对病、伤残者及其家属进行必要的康复知识教育,耐心引导,鼓励和帮助他们掌握自我护理的技巧,从部分生活自理到全部自理,增强病人的信心,以适应新生活、重返社会。

5. 心理护理 残疾人和慢性病病人都有特殊的、复杂的心理活动,甚至出现精神、心理障碍和行为异常。康复人员应理解、同情病人,时刻掌握康复对象的心理动态,及时、耐心地做好心理护理工作,帮助他们树立信心,鼓励他们参与康复训练。

三、社区康复护理的程序

社区康复护理工作面向社区,依靠社区的人力、物力和财力开展工作,体现"社区所有,由社区的力量进行,为了社区"的原则。社区康复护理的内容应是全面的,即对病人进行身体、精神、教育、职业、社会生活等多方位的训练,并在各部门的配合下,达到全面康复的目的。

社区康复护理的程序包括护理评估、护理计划、护理措施和护理评价:

1. 护理评估

(1)社区评估:社区护士应进行社区概况调查并进行评估。

(2)个人评估:社区护士应询问病人的病史,包括现病史、过去史、心理行为史、家庭和社会生活史,重点询问功能障碍发生的时间、原因、发展过程,对日常生活活动、工作、学习、社会活动的影响以及治疗和适应情况。

2. 护理计划

(1)改善身心功能,使病人能在某种意义上像正常人一样积极地生活。

(2)鼓励和帮助病人训练生活自理能力,避免肌肉萎缩、关节活动范围缩小或有继发性残障形成。

(3)指导病人训练,使其正确使用辅助器具及装备。

3. 护理措施

(1)改善社区及居住环境,为残疾人提供安全、舒适的生活和社会环境,以保证其安全。

(2)加强家庭和社会的支持,协调社区有关部门及家庭成员在心理上和经济上给予关心、支持和照顾。

(3)指导参与康复者恢复和改善日常生活能力和职业能力的再训练。

(4)鼓励其积极参与家庭及社会活动,给予心理疏导及支持,调整病人不良的心理状态,使其具有积极向上的生活态度。

(5)对家属及社区人群进行康复知识宣传教育。

(6)对家属及社区人群进行残疾预防的宣传教育,如进行预防接种、优生优育、合理营养、合理用药、防止意外等宣传,以降低疾病的发生。

4. 护理评价

社区康复护理的内容应是全面的,即对伤残者进行身体、精神、教育、职业、社会生活等多方位的训练,评价也是多方位的。

(1)服务对象的参与程度:社区康复护理强调伤残者主动参与制定和实施护理计划,树立自我康复意识,并转变成自我康复行为,由替代护理转变为自我护理。

(2)康复服务效益:社区康复护理具有良好的社会和经济效益,特别是对伤残的有效预防,大大减少和控制了残疾的发生,降低了因残疾而可能导致的医疗费用。

(3)康复训练器材:除少量必要的训练器材需外购外,大部分可因地制宜、就地取材、自行制造,以节省财力。

(4)应有支持系统:即有上级咨询转诊系统和资源以及康复中心的支持,以解决复杂的康复问题及较高级人员的培训等问题。

第二节　社区残疾人康复护理

残疾是因各种原因造成的身心功能障碍,以致不同程度地丧失正常生活、工作和学习能力的一种状态,主要包括视力残疾、语言残疾、肢体残疾、智力残疾以及其他残疾。康复护理的最大目的是使残疾人丧失或受损的功能得到最大限度的恢复、重建或代偿。

一、"残疾"的定义

残疾即因外伤、疾病或精神因素造成明显的身心功能障碍,以致不同程度地丧失正常生活、工作和学习的一种状态。

二、残疾的原因

据世界卫生组织统计,目前,全世界残疾人占总人口的10%左右,总数约为4.5亿,其中,儿童约为1.5亿,80%的残病人在发展中国家。致残原因主要有:

1. 传染病 例如,脊髓灰质炎、乙脑、脊椎结核等。
2. 孕期疾病 例如,风疹、宫内感染、妊娠毒血症等。
3. 慢性病和老年病 例如,慢性阻塞性肺疾病、心脑血管疾病、类风湿疾病等。
4. 遗传性疾病 例如,先天畸形、精神发育迟滞、精神病等。
5. 营养不良 例如,蛋白质严重缺乏可引起智力发育迟缓,维生素A严重缺乏可引起角膜软化而致盲,维生素D严重缺乏可引起骨骼畸形,碘严重缺乏可引起呆小症等。
6. 意外事故 例如,交通事故、工伤事故、产伤等,可导致颅脑损伤、脊髓损伤、骨骼及肌肉损伤等。
7. 其他 例如,社会心理因素可导致精神疾病,物理、化学因素可导致烧伤、药物中毒等。

三、残疾的分类

世界卫生组织按残疾的性质、程度和影响,把残疾分为以下3类:

1. 残损 残损是指身体结构和功能有一定程度缺损,身体和(或)精神与智力活动受到不同程度的限制,对独立生活或工作和学习有一定程度的影响,但个人生活仍然可以自理,是生物器官系统水平上的残疾。因此,残损又称"结构功能缺损"。残损可分为视力残损、听力残损、语言残损、智力残损、心理残损、内脏残损、骨骼残损、畸形、多种综合残损等。
2. 残疾 残疾是指由于身体组织结构和(或)功能缺损较严重,造成身体和(或)精神或智力方面的明显障碍,以致不能以正常的方式和范围独立进行日常生活活动,是个体水平上的残疾。因此,残疾又称"个体能力障碍"。残疾可分为行为残疾、交流残疾、运动残疾、身体姿势和活动的残疾、技能活动残疾、环境适应残疾、特殊技能残疾和其他活动方面的残疾。
3. 残障 残障是指由于残损或残疾,限制或阻碍完成正常情况下按年龄、性别、社会、文化等因素应能完成的社会工作,是社会水平的残疾。因此,残障也称"社会能力障碍"。残障可分为定向识别(时间、地点、人物)残障、身体自主残障(生活不能自理)、行动残障、就业残障、社会活动残障、经济自立残障和其他残障。如脑血管疾病后病人出现一侧肢体肌力减退,但能行走、生活自理,属于残损;若因后遗症而出现一侧偏瘫,只能扶拐杖慢行,上下楼梯、洗澡等有困难者,属于残疾;若因后遗症而全身瘫痪、卧床不起、个人生活不能自理,并且不能参加社会活动者,属于残障。

四、康复护理原则

1. 由替代护理转变成自我护理 一般基础护理采用的是替代护理,病人被动地接受护士提供的各项服务,如喂饭、更衣、移动等,而康复护理是帮助和训练病人进行自我护理,充分发挥自我潜能,使其能部分或全部地自我照顾,为重返社会创造条件。

2. 功能训练贯穿始终　保持和恢复机体的功能是整体康复的中心。社区护士要了解功能障碍的性质和程度,结合康复治疗计划,坚持不懈地对病人进行康复功能训练。

3. 密切配合　病人的康复治疗计划是通过康复小组来制定和执行的,康复小组包括康复医师、康复护士、物理治疗师、作业治疗师、心理治疗师、社会工作者以及病人的家属等,只有整个康复小组密切协作,病人的康复治疗才能完整顺利地实施。因此,康复护理人员密切的协作是取得良好康复效果的关键,康复护理人员要充分与康复小组成员进行有效的交流和沟通,做到密切协作。

4. 重视心理因素　病人由于机体功能障碍,会经常出现悲观、气馁甚至绝望的情绪,心理状态失常。因此,康复护理人员要帮助病人认识到康复治疗的长期性,树立足够的长期进行训练的信心。只有病人正视疾病,摆脱悲观情绪,才能配合各种功能训练和治疗,使康复措施更有效地进行,取得良好效果。

第三节　社区残疾病人康复护理技术

一、心理支持与沟通技术

心理是客观世界在人脑的反应。一个人或一个群体的心理形成受先天遗传素质以及身体生理器官成熟度的影响,同时,其生活条件、教育环境、社会地位、实践活动、生活经历也起着重要的影响。因此,不同类型的残疾人通常有着共性的生理缺陷以及类似的生活经历,因而形成各类残疾人的一些共性的心理特点。残疾分为视力残疾和肢体残疾(含脑瘫)2大类。本节以2类残疾人为例,讨论残疾人的心理支持与沟通。

1. 视力残疾者的心理支持与沟通技术　健全人主要是通过视觉、听觉、触觉、嗅觉、运动觉等途径感知外界的刺激,获得信息,其中,大约80%的信息通过视觉途径获得。视力残疾个体的心理发展具有许多与健全人共同的本质特点,如视力残疾个体的心理发展趋势与普通个体的规律完全相同,都遵循由简单到复杂、由具体到抽象、由被动到主动、由零乱到成体系的过程;视力残疾个体的发展也受先天素质和生理成熟程度的制约;环境和教育同样也是视力残疾个体发展的决定性条件。视力残疾者的心理支持包括:首先,视力残疾者更加注意获取听觉信息,因而形成较高的听觉注意力;对声音信息的分析更为细致,形成较高的听觉感觉选择能力,也容易受到环境声音的干扰。因此,视力残疾者在沟通时要求保持安静。其次,视力残疾者主动积极地利用双手,使得他们的触觉感受性比普通人群要高些,依靠听觉、嗅觉、运动觉等可以认识物体的空间关系和自己在空间的位置,形成空间知觉并指导自己的定向运动。虽然看不见,但在行走中遇到障碍物时能主动地回避绕开障碍,好像看见了一样,人们称这种能远距离感知障碍的奇怪现象为"障碍觉",这是一种对声音回声的辨别技巧。因此,不要随意改变盲人的生活、学习和工作环境,对盲人避讳讲"瞎说"、"瞎猜"、"瞎想"等不文明、不尊重的词句,避免伤害其自尊心。

由于视力残疾者的语言发展一般不会受到视觉缺陷的影响,所以他们的语言文字能力与常人无异,并且能够进行复杂的逻辑思维运算,语言表达能力完全可以达到同龄健全人的水平。

2.肢体残疾者和脑瘫者的心理支持与沟通技术　肢体残疾者在感知、注意、记忆、思维等认知过程方面与常人并无明显的区别,但由于本身形体的损伤,某些能力的丧失和随之而来的社会角色、经济收入等的改变,以及社会上某些不正确的价值观所带来的不公正的态度,所以使得肢体残疾者在个性特征方面存在着不同于健全人的特点。这些特点主要通过一对对矛盾的过程呈现出来,并且这些特点由于残疾的程度不同、残疾发生的时间不同,以及残疾者生活的环境不同而表现出差异。

肢体残疾者也希望取得与健全人同等的权利,要求社会承认其社会资格。他们喜欢独立地观察、认识和判断事物,独立地思考和行动;渴望独立地安排自己的学习和生活,积极组织并参与各种社会活动,喜欢与同龄人聚在一起探讨问题、交流思想、更新认识,探索人生的奥秘;喜欢自己动手解决问题;不喜欢别人过多地指责、干扰和控制其言行。但是,由于行动困难带来的学习、就业问题,以及由此而带来的经济上不能独立等问题,使肢体残疾者需要依赖别人的帮助才能解决某些力不从心的实际问题,但又不愿让其他人看到他们的依赖性,所以产生独立性与依赖性之间的矛盾。因此,只要条件允许,肢体残疾者可以从事许多希望从事的工作和活动,从中得到成功和奋斗的乐趣。

肢体残疾者和健全人一样渴望与人交往。人际交往能力是在交往过程中不断提高的,肢体残疾者也需要友谊并被别人理解,他们希望参与各种活动,寻找和建立温馨和谐的人际关系,通过人际交往去认识世界、获得友谊、满足自己物质上和精神上的各种需求。从心理学上讲,每个人都是天生的自我中心者,每个人都希望别人能承认自己的价值、支持自己、接纳自己、喜欢自己。因此,在社会交往中,肢体残疾者就更重视自我表现,希望引起别人的注意。人际交往是人运用语言或非语言符号交换意见、交流思想、表达感情和需要的过程,是通过交往而形成人与人之间的心理关系,反映的是人与人之间的心理距离,其基础是人与人之间的相互重视、相互支持。肢体残疾者由于形体上的缺陷,比较容易过多地注意自己,有的对别人的态度和评论比较敏感,自我保护意识强。肢体残疾者虽然行动不便,社会活动有所减少或改变,但思路清楚,重建和自立于社会是他们常常思考的问题。造成肢体残疾的原因多种多样,其中,脑瘫是一个重要原因。一般骨骼的病变导致的肢体残疾,不会出现语言的发育问题,即其语言年龄和生理年龄是一致的。脑瘫是脑部在尚未成熟阶段受到了损害或损伤,形成以运动和姿势障碍为主要临床表现的伤残综合征,同时可伴有不同程度的听觉、言语行为障碍及智力障碍、癫痫等。

人与人交流与沟通的过程,本质上是自我成长与自我突破的缩影。由于残疾人比健全人在某些方面更加敏感,所我们与残疾人沟通时,在举止形态、言语谈吐等方面都要更加注意。

二、日常生活能力训练

日常生活活动是指人们在日常生活中,完成衣、食、住、行等所需要的基本动作以及将这些活动连续起来的转移活动。病、伤残者由于功能障碍,往往失去部分或全部日常生活活动能力。日常生活活动训练的目的,是为了使残疾者在家庭和社会中能够不依赖或少依赖他人而完成各项功能活动。具体的训练活动有：

1. 饮食动作的训练

（1）方法：将坐在床上吃饭的活动分解成从仰卧位变成为坐位、维持坐位的平衡、抓握餐具、使用餐具摄取食物、将食物送入口腔以及咀嚼和吞咽6个部分，然后帮助病人逐项练习，直至病人能够熟练地坐在床上吃饭为止。

（2）注意事项：

①食物及用具放在病人方便使用的位置上，视情况而定。在病人全盲的情况下，用具和食物要按顺时针方向摆放。

②抓握餐具训练。病人开始可抓握木条或橡皮，继之用匙，丧失抓握能力的病人、协调性差或关节活动范围受限的病人常无法使用普通餐具，应将餐具加以改良，如用特制碗、碟或加以固定，特制横把或使用长把匙、长把刀与叉。

③进食动作训练。先训练手部动作和模仿进食，然后再训练进食动作。

④咀嚼和吞咽训练：吞咽困难者在意识清醒时，肯定无误咽并能顺利喝水时，可试行自己饮食。

2. 更衣训练　训练穿脱衣服、鞋袜等，对穿戴假肢的病人注意配合假肢穿戴。大部分病人穿脱衣服可用单手完成。如偏瘫病人穿衣时，先穿患肢；脱衣时，先脱健肢，这样容易完成穿衣动作。截瘫病人若平稳坐位时，可自行穿、脱上衣，穿裤子时，可先取坐位，将下肢穿进裤子，再取卧位，抬高臀部，将裤子拉上、穿好。如病人活动范围受限，穿脱普通衣服困难，应设计特制衣服，如宽大的、前面开合式衣服。如病人手指协调性差，不能系、解衣袋或纽扣，可使用按钮、拉链、搭扣等，方便病人使用。

偏瘫病人穿衣训练方法：

（1）上衣：穿衣时应用健侧手找到衣领，将衣领平铺于双膝上，将患侧袖子垂于两腿之间，患肢伸入袖内，将衣领拉到肩上；健侧手转到身后，将另一只衣袖拉到健侧斜上方，穿入健侧上肢，系好扣子。脱衣时将患侧衣领脱至肩下，拉健侧衣领到肩下，两侧自然下滑脱出健侧，再脱出患侧。

（2）裤子：穿裤子时，将患腿屈膝放于健腿上，套上裤腿，拉至膝以上，放下患腿，穿健腿裤腿，拉至膝以上，站起拉至腰部，整理。脱时与上面动作相反，先脱患侧再脱健侧。

（3）穿脱袜子和鞋：穿袜子和鞋时，患者双手交叉，将患腿抬起置于健腿，用健手为患足穿袜子和鞋，将患侧下肢放回原地，全脚掌着地，重心放于患侧，再将健侧放在患侧下肢上，穿好健侧的袜子和鞋。脱时和穿时顺序相反。

3. 个人卫生训练　根据病人残疾情况，尽量训练其做到洗漱、梳头、如厕、洗浴等自理。偏瘫者可训练健手代替患手操作。继之训练患手操作、健手辅助，或只用患手操作。两手障碍者，可设计辅助器具，如改良牙刷、用长柄弯头的海绵球帮助清洗背部等。

（1）整容活动训练：活动分解为移到洗漱处、开关水龙头、洗脸、刷牙、整容等。

（2）排便活动训练：活动分解为移至厕所、完成如厕、排便活动及控制。

（3）洗浴活动训练：活动分解为移至浴室、完成洗浴的全过程、移出浴室。

4. 排泄训练

（1）膀胱功能训练：①留置导尿。保持引流管通畅，每4小时放尿一次，每周更换一次导尿管,尿道口每日消毒2次。如发现尿液浑浊、有沉淀或结晶,应定期进行膀胱冲洗。经各种方法证实排尿功能恢复后,可施行拔管。②间歇导尿。每4~6小时导尿一次,睡觉前留置导尿管并开放。每次导尿前30分钟,让病人自行排尿,排尿后测定残尿量,如果残尿量越来越少,可适当延长导尿间歇时间,以至逐渐停止导尿。③膀胱训练。对于间歇导尿的病人,用指尖叩击耻骨上部,排尿时可停止叩击,排尿中断时再进行,适用于痉挛性膀胱。

(2)排便功能训练:①对于便秘者,首先要保障摄入足够的水分(2500~3000 mL),注意增加食物纤维的摄入;养成定时排便的习惯(一般以早餐后为宜);鼓励病人多运动,所有运动都能促进排便,特别是腹部运动;如排便费力,可训练患者排便时按摩腹部或屏气,以增加腹压,利于排便;也可给予开塞露或采用肛门指检刺激直肠的方法;3日未排大便者可给予缓泻剂;对顽固性便秘者,可给予灌肠。同时,要做好病人的心理护理,让病人认识到,建立稳定的排便习惯需要付出巨大的努力,要有耐心且进行长时间的摸索才能成功。②对于大便失禁者,首先要控制好饮食,减少食用调味品和粗纤维食物;了解病人的排便情况,掌握规律,定时给予便器;给予心理支持,关心、安慰病人,使其树立信心。同时,护理人员也要指导病人进行肛门和盆底部肌肉收缩锻炼。

三、转移技术训练

转移技术训练通过主动或被动的方式改变身体的姿势或位置,能促进全身血液循环,预防压疮、关节畸形、肌肉萎缩、肺炎、尿路感染及深静脉血栓形成等并发症的发生,并能使病人学会独立地完成日常生活活动。

1. 卧位移动训练

(1)床上移动:先将健足伸到患足下方,用健足下钩住患足向一侧移动,用健足和肩支起臀部,同时移动下半身,臀部移完后再将头慢慢转向移动侧,同法可向另一侧移动。如病人完成困难,护理人员一手放在病人的膝关节上方,另一手扶托病人臀部,帮其抬起臀部移向一侧。

(2)床上翻身:先双手十指交叉(患手拇指放于健手拇指上),双手对握,向患侧翻身时伸肘,然后先将伸握的双手摆向健侧,再反方向摆向患侧,借助摆动的惯性翻向患侧。向健侧翻身时,将健腿插入患腿下方,在身体旋转的同时,用健腿搬动患腿,翻向健侧。

2. 立位移动训练

(1)扶持行走训练:病人需要扶持时,扶持者应在患侧进行,也可在病人腰间系小带子或给予安全把手,便于扶持。

(2)独立行走训练:病人先将两脚保持立位平衡状态,在行走时,一脚迈出,身体倾斜,重心转移至对侧下肢,两脚交替迈出,整个身体前进。训练时,可利用平衡杠,这是病人练习站立和行走的主要工具,病人可以练习健肢与患肢交换支持体重,矫正步态,改善行走姿势。

3. 拐杖行走训练　拐杖行走训练是使用假肢或瘫痪病人恢复行走能力的重要锻炼方法。病人首先在卧位锻炼两上臂肌力、肩带肌力、腰背部和腹部肌力,然后练习起坐和坐位平衡,完成后可以依靠架拐站立。

(1)双拐站立姿势:将两拐杖置于足趾前外侧15~20 cm,曲肘20°~30°,双肩下沉,将上肢的肌力落在拐杖的横把上。

(2)拐杖行走训练:将两拐杖置于两腿前方,向前行走时,提起双拐置于正前方,将体重重心置于双拐上,用腰部力量摆动向前。

(3)单拐行走:用健侧臂持杖,行走时,拐杖与患侧下肢同时向前,继之健侧下肢和另一臂摆动向前,或将健侧臂前移,然后移病腿,再移健腿,反之也可。拐杖长度应按病人的身高及上肢长度而定,帮助病人选择合适的拐杖。

4.上下楼梯训练　病人能够熟练地在平地上行走后,可试着在坡道上行走。扶栏上下楼梯训练方法:上楼时,偏瘫病人用健手扶栏,先将患肢伸向前方,用健足踏上一级,然后让患肢踏上,与健肢并行;下楼时,病人用健手扶栏,患足先下一级,然后健足再下,与患足并行。拐杖上下楼梯训练方法:上楼时,病人先将手杖立在上一级台阶上,健肢蹬上,然后患肢跟上,与健肢并行;下楼时,病人先将拐杖立在下一级台阶上,健肢先下,然后患肢跟上。

5.轮椅训练　轮椅是病人使用最广泛的辅助性器具,轮椅的使用应视病人的具体情况而定,每个病人应按处方要求配置和使用轮椅。轮椅应具有坚固、轻便耐用、容易收藏与搬动、便于操纵和控制的特点。

轮椅训练方法:

(1)从床上移到轮椅:将轮椅置于病人的健侧,与床呈 30°~45°角,轮椅面向床尾,关好刹掣;偏瘫病人用健手将患肢放置在腹部,健腿放置在患腿膝部之下,并移至床旁,用健手抓住床栏坐起,将双腿移至床沿下;坐稳后,病人用健手支撑身体,将身体大部分重量落在健腿上,将健手放在轮椅远侧扶手上,以健腿为轴心旋转身体坐在轮椅上;调整位置,用健侧足抬起患足,用健手将患腿放在脚踏板上,松开刹掣,轮椅后退离床。

(2)从轮椅移到床上:将轮椅朝向床头,关好刹掣,病人用健手抬起患足,将脚踏板移向一边;躯干向前倾斜并向下撑而移至轮椅前缘,双足下垂,使健侧足略后于患足;抓住床扶手,身体前移,用健侧上、下肢支持体重而站立;转身坐到床边,推开轮椅,将双足收回床上。

四、关节活动训练

关节在人体的活动中起"轴"的作用,若长时间使关节保持一种位置静止不动,便会引起关节挛缩、变形。因此,对于长期卧床或瘫痪的病人,肢体宜处于功能位,并进行适当的关节活动训练。对于伤后肢体制动,也应尽量缩小制动时间和范围。制动解除后,应及时进行关节活动训练。关节活动训练有:

1.主动运动训练　此项训练用于能完成主动运动的病人,主要为徒手操,也可借助于设备进行运动。例如,通过肩关节的摆动训练或采用肩肘关节活动器等训练肩肘关节的活动。

2.被动运动训练　对不能进行主动运动的病人,应由专业康复人员或家属进行操作。训练前要详细评估关节的情况,确定关节训练的开始时间、强度与范围。

(1)被动运动前,应使被动运动的肢体置于舒适自然的位置并放松,治疗师或护士应用一只手固定近端以防止代偿性运动,另一只手支撑关节的远端,当活动到最大幅度时,宜做短暂维持。

(2)按照各关节固有的轴进行各种方向的运动,每种运动每次做 3~5 遍,每天 2 次,活动时要保护关节,动作要缓慢、柔和、有力度、有节律,活动度应逐渐增大,保证无痛,防止过度用力引起关节或肌肉损伤。

(3)被动运动训练宜多次反复进行或持续较长时间,护理人员要向病人及家属讲明治疗的目的、方法、机制,以取得他们的配合。

3. 功能性牵引训练　此项训练是作用于大部分关节的一种系统性疗法。基本方法是将挛缩关节的近端肢体用支架或特制的牵引器稳定地固定于适当姿势,然后在远端肢体上按需要方向用沙袋作重力牵引,要求充分放松关节周围肌群。每次牵引持续10～20分钟,每天1～2次。每次关节牵引可使不同关节不同方向的活动度平均增加$0.7°～1.7°$。

4. 持续性被动移动　此项运动需要用专用器械。运动前应充分放松病人的肌肉,关节活动幅度、速度及持续时间要根据不同的病情而酌情设定。在设定活动幅度时,应从无痛的活动范围开始,逐渐增大,以产生轻微疼痛为度。运动速度一般为每分钟1个周期。这种运动的特点是作用时间长、运动缓慢、稳定可控、安全性大。

五、常用康复器材的应用

(一)辅助步行训练器

1. 用途　该训练器是病人进行步行训练的辅助用具,能增加上肢支撑的面积,提高辅助步行的效果,适用于神经、骨关节系统疾病病人在室内外进行步行训练。

2. 使用方法

(1)根据训练者的身高调节台面高度,松开两端伸缩调节螺栓,适当调节台面至适宜高度,锁紧螺栓。

(2)调节手柄间距离至合适位置。

(3)推下训练器脚轮的制动装置,使训练器处于制动状态。

(4)将轮椅推入训练器内腔,使训练者在护理人员帮助下保持站立,训练者上肢搁在台垫上,双手握住手柄。

(5)抬起脚轮的制动装置,推动训练器前移,进行步行训练。

(6)训练器可作前移、后退、侧移及打转等运动,训练下肢活动度。

3. 注意事项

(1)训练前,康复师应对器材进行空载操作检查,在其处于完好正常状态时方可使用。

(2)步行训练应在康复师指导下进行。

(3)步行训练须在坚实平整的地面上进行。

(4)步行训练以向前移动为主要方式,若进行后退步行训练,必须取得康复师的同意,并采取保护措施后方可进行。

(5)所有调节螺栓在调整后都应紧固牢靠。

(6)所有康复训练都应遵守循序渐进原则,逐步增加训练时间。

(二)肩梯

1. 用途　肩梯适用于肩关节活动障碍的恢复性训练,训练者以左右手轮换练习,逐步改善手指系统主动运动的灵活性和协调性。

2.使用方法

(1)根据训练者的身高,调节肩梯高度,可调松螺栓,将肩梯抬高或降至适宜高度,锁紧螺栓。

(2)利用手指沿着阶梯不断上移、下移,逐渐提高肩关节的活动范围。

(3)在手指逐级上移训练肩关节的同时,目光和头部也随着手指的移动上抬,还可锻炼手肌与颈椎关节的运动。

(4)训练时,训练者可正面对肩梯,手臂前伸练习,也可侧伸练习。

3.注意事项

(1)使用肩梯前,应在确认肩梯安装牢固后方可进行训练。

(2)在使用过程中,勿用力剧烈运动或摇摆晃动。

(三)哑铃

1.用途　哑铃适用于肌力和医疗体操训练。

2.使用方法

(1)进行哑铃训练可锻炼肩、肘、腕关节的屈伸活动度及肌力。

(2)用手握住哑铃,开始用轻重量,逐步增加重量进行训练。

(3)采用护胸、举高、换手、平衡等训练方式,并计时训练。

(4)训练时,可采用站立、弯腰、躺等多种体态进行多种训练,逐步提高训练强度。

3.注意事项

(1)应在康复师或护理人员的帮助下进行练习。

(2)训练者应注意安全,谨防哑铃掉下造成砸伤。

(3)禁止用哑铃作敲击工具。

(四)站立架

1.用途　站立架适用于截瘫、脑瘫、偏瘫等站立功能障碍的成年病人的站立训练,病人也可通过站立训练,预防或改善骨质疏松、压疮、心肺功能降低等疾患。

2.使用方法

(1)将背托架右手的螺栓松开,掀起背托架至垂直,病人坐轮椅。

(2)康复师和护理人员帮助病人站起,并用臀部垫和绑带将病人臀部扣在绑带柱上,帮助病人完全站立。

(3)调节台面高度、胸托和背托,各部件都采用螺栓调节锁定,使病人感觉较为舒适。

(4)调节膝部托架,使病人下肢直立。

(5)站立训练结束后,康复师和护理人员应先卸下背托架或将其翻转,然后松开臀部垫和绑带,帮助病人坐在轮椅上,并将其双脚放置在轮椅踏板上,将轮椅从站立架移出。

3.注意事项

(1)使用站立架前,应进行空载操作检查,器械经确认处于完好正常状态后方可使用。

(2)病人进行站立训练时,应在康复师的指导下和护理人员的帮助下进行。

(3)进行站立训练时,病人使用的绑带和臀部必须贴合牢靠,不得松脱。

(五)偏瘫康复器

1. 用途 偏瘫康复器适用于偏瘫病人,其原理是利用健侧肢体帮助患肢进行被动性训练,增加关节活动度。

2. 使用方法

(1)病人坐在轮椅内,由护理人员将轮椅从康复器正面推入,至适当位置后刹紧装置,使轮椅制动。

(2)护理人员将病人偏瘫一侧的手或脚放入相应的拉环或脚踏板,并用绑带固定。

(3)病人利用健侧的手握住相应的拉环进行牵拉运动,使偏瘫一侧的上肢或下肢进行被动训练。

(4)训练结束后,由护理人员将病人偏瘫一侧的手或脚放在轮椅的相应位置,将轮椅拉出康复器。

3. 注意事项

(1)在训练前,护理人员应进行空载操作检查,器械经确认处于完好正常状态后方可使用。

(2)训练应在康复师的指导下和护理人员的帮助下进行。

(3)器材应放置在平整、坚实的地面上,发现牵引绳损坏时应及时更换。

本章小结

康复是针对病、伤残者的功能障碍,以提高功能水平为主线,以整体的人为对象,以提高病、伤残者的生活质量并最终回归社会为目标,使病、伤残者最大可能地恢复或重建身心与社会功能,达到最佳健康状态。病、伤残者由于功能障碍,往往部分或全部失去日常生活活动能力。日常生活活动训练可使病、伤残者在家庭和社会中能够不依赖或少依赖他人而完成各项功能活动。康复医学就是采用各种措施减轻残疾的影响,使病、伤残者重返社会。

课后思考

1. 残疾者日常生活能力训练有哪些?
2. 康复护理的原则是什么?
3. 社区康复护理的对象及任务有哪些?
4. 社区康复护理的程序是什么?
5. 常用康复器材有哪些?

(刘耀辉)

第十四章 环境与健康

案例

孙某,女,25岁,系浙江某市皮鞋厂女工。因月经过多,故孙某于2013年6月28日在当地医院就诊,但此次治疗未见明显疗效。6月29日,孙某又至市医院血液病门诊就医,因出血不止收入院治疗。病人皮肤有出血点并出现紫癜,全血细胞减少,经骨髓检查诊断为再生障碍性贫血。7月12日,病人因大出血死亡。在病人住院期间,曾有一位医师怀疑她的病因与职业病有关,并向当地疾控中心报告。市疾控中心初步检测出该病人所在车间空气苯浓度为正常标准的8倍。

问题:
1. 你认为孙某最可能的职业病是什么?
2. 诊断的主要依据是什么?

本章学习目标

1. 掌握"环境"、"环境污染"、"职业病"的概念及环境污染对人体健康的危害,并掌握铅中毒、汞中毒和苯中毒的表现以及铅中毒、汞中毒、苯中毒和矽肺病的预防措施。
2. 熟悉大气污染对健康的危害、生活饮用水的净化消毒方法以及碘缺乏病与地方性氟病的临床表现。
3. 了解常见地方病与室内空气污染的预防措施,以及常见的不良行为和生活方式。

第一节 人与环境的统一

一、"环境"的概念与分类

(一)"环境"的概念

环境通常是指人类和其他生物赖以生存的空间和外部条件。环境是人类生存和发展的基础,与人类健康密切相关,这是广义的"环境"概念。而《中华人民共和国环境保护法》对

"环境"的定义是:影响人类社会生存和发展的各种天然的和经过人工改造的自然因素的总和,包括大气、水、土壤、森林、草原、海洋、矿藏、野生动物、自然古迹、人文遗迹、自然保护区、风景名胜区、城市和乡村等。

(二)环境的分类

根据环境是否具有物质属性,将环境分为自然环境与社会环境。

1.自然环境 自然环境是指环绕于我们周围的各种自然因素的总和,包括大气、水、土壤、生物和各种矿物资源等。自然环境按其成因可分为原生环境和次生环境。

(1)原生环境:原生环境是指天然形成的、未受到人为活动影响或影响很小的自然环境。原生环境主要由大气、水、土壤、矿藏、森林、草原、野生动物以及太阳辐射等组成。原生环境存在着对机体健康有益的因素,如清洁的空气和水源、适宜的气候等,但原生环境也有一些因素会危害健康,如地球表层某些化学元素分布不均匀——碘过少或氟过多的地区都会引起相应地方病发生,前者可引起碘缺乏病,后者可引起地方性氟病,均属于化学性地方病。

(2)次生环境:次生环境是指由于人类生产、生活及社会交往等活动,而给自然环境增添了额外的污染物,引起人类生存条件的改变。例如,大规模的工农业生产在给人类社会带来了巨大物质财富的同时,也带来了污染问题。环境质量急剧恶化严重威胁着人类的健康。痛痛病、水俣病等公害病的出现及各种职业性中毒、恶性肿瘤的发生率居高不下,都表明次生环境是对人类健康造成危害的主要环境因素。工业区、生活区、名胜古迹等都属于次生环境的范畴。

2.社会环境 社会环境是指人类通过长期有意识的社会劳动,加工和改造自然环境所形成的物质文化环境体系。它包括人类在生产、生活和社会活动过程中的生产关系、阶级关系和社会关系。社会环境不仅可以直接影响人群的健康,而且可以通过影响自然环境和人的心理,间接影响人的健康。

二、生态系统与生态平衡

(一)生物圈

地球表层适合于人类和生物生存的范围称"生物圈"。生物圈依赖地球而存在,以地球表面为界,其大致范围包括11000m深的地壳和15000m厚的大气层,从下到上依次为岩石圈、土壤圈、水圈和大气圈。

(二)生态系统

生物圈内的生物与其周围环境通过物质循环、能量流动和信息交换共同构成的结合体称"生态系统"。在生物圈内部,森林、草原、沼泽、河流、海洋、湖泊、农田和城市等都可以构成相应的生态系统,并具有物质循环、能量流动和信息传递的功能,整个地球就是一个庞大的生态系统,各种生物通过新陈代谢与其周围环境紧密地结合成一个整体。

1.生态系统的组成 生态系统由生物部分和非生物部分组成。非生物部分即无机环境,是构成生物生长、发育的能量与物质基础,又称"生命支持系统"。生物部分即生物群落,

是生态系统的核心,可分为3类:

(1)生产者:生产者即各种绿色植物。绿色植物能够通过光合作用把水、二氧化碳和无机盐转化为碳水化合物,并进一步合成脂肪和蛋白质等,完成从无机物到有机物的过程。

(2)消费者:人及各种动物通常是消费者。人与动物不能直接利用太阳能,只能通过(或间接通过)绿色植物间接利用太阳能获得能量。根据动物在食物链上的取食地位和营养级,又可以分为一级消费者,即直接以植物为食物的动物,如牛、马、羊等草食性动物;二级消费者,即以草食动物为食物的动物,如狐狸以野兔为食物、猎豹以羚羊为食物,也属于一级食肉动物;三级消费者(二级食肉动物),如虎又以一级食肉动物为食物。另外,还有一些既吃植物又吃动物的杂食性动物。

(3)分解者:分解者包括细菌、真菌和放线菌等具有分解能力的微生物,也包括某些土壤原生动物和一些小型无脊椎动物。它们属于异养生物,依靠分解动植物残体为生,把动植物残体中复杂的有机物分解成简单的无机物,完成有机物向无机物的转化过程,以无机物的形式,再次参与绿色植物的生产过程,使生态系统内部的物质循环得以进行。

2.生态系统的功能　生态系统的功能包括物质循环、能量流动和信息传递。

(1)物质循环:生态系统的能量流动推动着各种物质在生物群落与无机环境间循环。这里的物质包括组成生物体的基础元素碳、氮、硫、磷以及以DDT为代表的、能长时间稳定存在的有毒物质。以碳循环为例,碳元素是构成生命的基础,碳循环是生态系统中十分重要的循环,主要是以二氧化碳循环的形式随大气环流在全球范围流动。植物通过光合作用将大气中的二氧化碳同化为有机物,消费者通过食物链获得植物生产的含碳有机物。植物与动物在获得含碳有机物的同时,有一部分二氧化碳通过呼吸作用回到大气中。动植物的遗体和排泄物中含有大量的碳,被微生物分解成二氧化碳,又回到大气中,开始新的循环。

(2)能量流动过程:能量流动是指生态系统中能量输入、传递、转化、传递和丧失的过程。能量流动是生态系统的重要功能。在生态系统中,生物与环境、生物与生物间的密切联系可以通过能量流动来实现。能量流动为单向流动,且逐级递减,同时,相邻生物之间构成营养关系,传递物质的同时伴随着能量的传递。

生态系统的能量来自太阳,太阳能通过光合作用被生产者以碳水化合物、脂肪和蛋白质的形式固定下来后,就开始在生态系统中传递。被生产者固定的能量只占太阳能的0.8%,然而,这恰恰是万物生长所依靠的能量。在生产者将太阳能固定后,能量就通过食物以化学能的形式在生态系统中传递。

能量在生态系统中的传递是不可逆的,而且逐级递减,递减率为10%~20%。能量沿着食物链传递,这构成了营养关系,传递到每个营养级时,都因生长繁殖与自身代谢而消耗能量,除最高营养级之外,剩余的能量都被下一营养级利用。

在生态系统中,生产者与消费者通过捕食、寄生等关系构成的相互联系被称作"食物链",多条食物链相互交错就形成了食物网。食物链是生态系统中能量传递的途径,其中,生产者被称为"第一营养级",初级消费者被称为"第二营养级",以此类推。由于相邻营养级传递能量的递减率为10%~20%,所以一条食物链的营养级一般不超过5个。

(3)信息传递与作用:在生态系统内部,传递的信息分为物理信息、化学信息和行为信息3类。

在无机环境或生物群落之间,通过物理过程传递的信息包括声、光、温度、湿度、磁力、机械振动等,这些都属于物理信息,物理信息可通过生物的感官接受及处理,如植物的花开花落就属于物理信息。化学信息依靠化学物质进行传递,包括生物碱、有机酸及代谢产物等,鼻及其他特殊器官能够接受化学信息。行为信息是指在同种和一种生物之间,通过某种行为传递的信息,行为信息多种多样,如蜜蜂的"圆圈舞"、鸟类的"求偶炫耀"等都属于行为信息。

生态系统中生物的活动离不开信息的作用,信息使生命活动正常进行,如光信息促使植物种子的萌发并对生物的生物钟构成重大影响,动物的起居、捕食活动离不开光、气味、声音等各种信息的作用。

信息对种群的繁衍也有重要意义,如光信息对植物的开花时间有重要影响;信息可调节生物的种间关系,以维持生态系统的稳定,如森林中狼循着兔子留下的气味去追捕兔子,而兔子也能依据狼的气味或行为特征躲避猎捕。

(三)生态平衡

生态平衡是指在生态系统内部,在一定条件和一定时间内,生物与生物之间、生物与环境的物质循环和能量交换经常保持自然的、暂时的、相对的依存关系。这种动态平衡是生物进化过程中建立起来的协调和相互补偿关系。生态系统总是处在不平衡—平衡—不平衡的发展过程中,进行着物质和能量的交换,推动着生物的进化和发展。

(四)生物富集与生物放大

生物富集作用是指生物体通过对环境中某些元素或难以分解的化合物的积累,使这些物质在生物体内的浓度超过环境中浓度的现象。污染物通过食物链的传递,在生物体内浓度逐级提高的现象,称"生物放大"。例如,若湖水中的 DDT 浓度为 5×10^{-5} mg/L,通过湖水中的藻类再到鱼类,由鱼类再到水鸟之间的传递,水鸟体内的 DDT 含量达 77.5 mg/L,是湖水中含量的 155 万倍。如果人食用了鱼类和水鸟,就会摄入大量的 DDT,引起 DDT 中毒。

三、人类与环境的关系

人在其生命过程中既依赖环境又不断地适应和改造环境,与环境保持着一种相互依存、相互制约和对立统一的关系。

(一)人与环境的统一性

人类在其漫长而曲折的进化过程中,与环境不断地进行物质交换、能量转移和信息传递,保持着动态的平衡关系,而新陈代谢是人与环境联系的基本形式,也是人与环境之间最本质的联系。人每天从环境中摄取空气、水和食物,以维持人体的生命活动,同时,人体又将自身代谢的废物通过呼吸道、消化道和泌尿道排出体外,进入环境中。环境中的微生物又将这些代谢废物转化为无机物或简单有机物,作为其他生物的营养物质被摄取利用,而人类再以这些生物为食物来维持自身的生命活动。当人死亡以后,不论是土葬还是火葬,有机体都将变成无机物质,成为环境的一部分。人体就是如此不断地与周围环境进行物质交换与能量转移,使人体的组成成分与周围环境的成分趋向于一致。英国地球化学家 Hamilton 调查了 220 名英国人血液中 60 余种化学元素的含量,同时,测定了当地地壳中各种化学元素的含量并计算其平均值,通过比较发现,除 C、H、O、N、Si 外,其他元素的含量在两者中一致,即人体血液中化学元素的含量与地壳中化学元素的分布有明显的相关性。

（二）环境对人体健康影响的双重性

人类可从环境中获取其生长发育与种族繁衍所必需的物质基础和能量源泉,将其代谢产生的废弃物排入环境,同时,环境的变化在一定的条件下也会对人体健康产生不良影响,甚至引起疾病,即环境因素对人体健康呈现"有益"和"有害"的双重作用。例如,适量的紫外线辐射能给空气消毒,提高机体的抗病能力,促进维生素 D 生成,有利于钙的吸收。若紫外线照射不足,儿童易患佝偻病;但辐射过强,则可使人群中皮肤癌的发病率增高。决定环境对机体产生有利或有害的关键是其作用的条件,当其作用的性质与强度超过机体防御系统的调节与适应能力时,机体与环境间的平衡状态就会被破坏而表现为病理状态。因此,研究各种环境因素对机体产生有利或有害作用的条件、强度、性质及规律,并作出相应的护理评估与护理诊断,是社区护理的工作内容及职责。尤其是研究环境污染对人群健康的危害与规律及其影响因素,对预防疾病、增进健康和提高生活质量具有重要的意义。

（三）人与环境之间作用的双向性

"物竞天择,适者生存",反映了环境作用于生物,对生物的生存具有重要的影响,生物要想生存,必须有适应环境的能力,而除此之外,人类还有认识环境和改造环境的能力。人类改造环境,使环境更有利于人类的生存和发展,同时,人类对环境造成的破坏和污染反过来又影响人类自身的健康。例如,一方面,人类将原子能释放出来为人类造福;另一方面,却必须承受原子裂变产生的放射性危害。因此,人类在改造环境的同时,应充分发挥主观能动性,顺应自然规律,合理开发和利用自然资源,维持生态平衡,与环境和谐相处,使环境向着对人类有利的方向发展。

第二节　环境污染的危害

一、环境的组成要素

广义的"环境"包括自然环境与社会环境,而构成环境的因素也包括自然环境因素和社会环境因素。自然环境因素按照属性分为生物因素、化学因素和物理因素,它们与社会心理因素共同构成人类生存所依赖的环境。

（一）生物因素

生物因素主要包括植物、动物和微生物。在生物圈中,各种生物在生存过程中相互依存、相互制约。生物是自然环境的重要组成部分,与人类健康的关系非常密切,是人类生存的重要物质条件：人类依靠食物获得生存所必需的营养素，通过植树造林、绿化美化环境促进人类健康，利用生物制成药物防治疾病等。同时，生物因素也会给人类健康带来一定的危害，如某些生物可成为人类的致病因素或传播媒介。例如，由相应的病原微生物引起的霍乱、痢疾、流感、禽流感、鼠疫、病毒性肝炎等，可损害人类健康；接触或食用有毒动植物也可损害人类的健康，如误食河豚导致中毒等。

（二）化学因素

生物圈中的空气、水、土壤等都是由比较稳定的化学成分组成的，这种相对稳定的环境是保证人类正常生活活动、生产活动和社会交往活动所必需的条件，但由于人为活动或自然灾害的影响，可使环境中的化学因素发生变化，超出人类的适应范围，损害人类的健康。例如，煤炭、石油在作为能源燃烧的过程中可产生大量的二氧化硫、三氧化硫、氮氧化物、一氧化碳、二氧化碳，在工业生产过程中产生的废水、废气、废渣，农业生产过程中大量使用的农药、化肥对土壤与水环境所造成的广泛污染以及地震、洪水、火山爆发等自然灾害可以改变当地空气、水、土壤的化学组成。

（三）物理因素

环境中可以影响人类生活和健康的物理因素主要包括各种气象条件，如气温、气湿、气流、气压等；天然放射性元素的放射污染、太阳辐射的电磁波以及各类电器的广泛应用导致的电磁辐射等；城市噪声与光污染等，这些因素都会危害人类的健康。

（四）社会心理因素

除上述生物、化学、物理因素外，与人类健康密切相关的影响因素还有社会心理因素。社会心理因素是慢性病的主要危险因素之一，因此，越来越受到人们的重视。社会心理因素主要有社会经济、政治、文化教育、人口状况、就业、婚姻家庭、道德观念、行为习惯、心理状态、社会工作压力等。

二、环境污染

（一）"环境污染"的概念

环境污染是指由于人为或自然的原因，而导致环境内部的构成或状态发生变化，打破了原有的生态平衡，改变了人类生存的条件，直接、间接或潜在地影响人群健康的现象。常见的环境污染有噪声污染、汽车尾气污染、水体污染等。环境污染危害到公众的健康、安全、生命和财产时被称"公害"，通常由严重的环境污染所致。与公害有直接因果关系的地域性中毒性疾病称"公害病"，如水俣病、痛痛病、伦敦烟雾事件和光化学烟雾事件造成的疾病等。

（二）环境污染的分类

1. 按环境要素分类　环境污染可分为大气污染、水体污染、土壤污染和食品污染等。
2. 按人类活动分类　环境污染可分为生产性污染、生活性污染和交通性污染等。

3.按污染物的属性分类 环境污染可分为化学性污染、生物性污染和物理性污染等。

(三)环境污染物的种类与来源

进入环境并引起环境污染或破坏的物质称"环境污染物"。环境污染物有其自身的属性及来源。

1.环境污染物的种类 环境污染物按属性可分为3类：

(1)化学性污染物：化学性污染物是环境中的主要污染物，可分为无机污染物和有机污染物。

(2)物理性污染物：物理性污染物包括噪声、微波辐射、放射性污染物等。

(3)生物性污染物：物理性污染物包括病原体、变应原污染物等。

污染物进入空气、土壤及水体后，其理化性质未发生变化的，如一氧化碳、二氧化硫等，被称"一次污染物"，为原发性污染；当一次污染物进入环境，在各种理化因素或生物因素作用下形成理化性质与一次污染物不同的新污染物，如酸雨等，称"二次污染物"。

2.环境污染源 环境污染按其来源可分为自然污染和人为污染。自然污染主要指自然因素所导致的污染，如地震、洪水、火山爆发等所造成的污染；人为污染是指人类活动所导致的污染，按人类活动功能可分为工业污染、生活污染、农业污染和交通运输污染。

(1)工业污染：在工业生产中，从原料生产、燃烧、加热和冷却过程到半成品、成品的加工过程，均可排放工业废气、废渣、废水等污染空气、水和土壤，还可产生噪声、振动等影响工人的健康。

(2)交通运输污染：汽车、火车、飞机、轮船等各种交通运输工具多以石油为燃料，可排放大量含有碳氢化合物、氮氧化物的废气，这些废气是大气污染的主要来源，尤其是日益增多的公用或家用汽车，已成为城市空气污染的主要来源。

(3)生活污染：人类生活活动产生的生活污水、垃圾、粪便，生活炉灶燃煤或燃气排出的废气与炒菜产生的油烟，家庭生活中使用的杀虫剂、洗涤剂等化学物品，家庭住房装修、装饰使用的含有甲醛的材料等，均可引起室内空气污染。

(4)其他污染：电视塔和其他无线电通讯设备所产生的微波和其他电磁辐射、民用和军用原子能、放射性核素机构所排出的放射性废弃物和飘尘，以及异常的太阳辐射等，均可污染环境。

(四)影响污染物作用于人体的因素

1.理化性质 环境污染物的理化性质决定污染物的毒性作用，包括作用性质与强度。不同的污染物有其不同的危害性质，同时，也影响着危害的大小。

污染物的化学结构决定环境污染物毒性的大小。例如，在烃类化合物中，随着碳原子核数量的增加，其毒性不断增强，如醇类中丁醇、戊醇的毒性大于乙醇和丙醇。

污染物的物理性状，如溶解性、分散度、挥发性等，也影响其毒性大小。例如，氯气、二氧化硫易溶于水，就易引起眼结膜和上呼吸道黏膜的损害；光气、氮氧化物较难溶于水，常常引起下呼吸道的损伤。又如，污染物的颗粒大小可直接影响其在环境中的稳定性、进入呼吸道的深度及作用性质。

2.剂量或浓度 环境污染物对人体的危害程度主要取决于其作用于人体的剂量或浓度。

(1)人体必需元素或化合物:人体必需元素或化合物在一定的范围内对人体健康有益而安全,人体不能缺少,否则会影响人体相应生理功能的发挥。例如,碘缺乏会引起甲状腺功能降低,甚至会导致地方性甲状腺肿。人体也不能摄入过量必需元素,否则会对人体健康带来危害,如水中氟元素过多,摄入过量的氟会导致地方性氟中毒,表现为氟斑牙和氟骨症。

(2)人体非必需元素或化合物:人体非必需元素或化合物不宜进入人体,摄入一定的剂量就会对机体产生危害,摄入剂量越大危害越重,甚至危及生命,如铅中毒、汞中毒。

3.作用时间 在一定剂量或暴露水平下,机体与污染物接触的时间长短是影响污染物对健康危害程度的重要因素。多数环境污染物具有蓄积性,当它们在体内蓄积到一定的剂量时便会产生危害。随着作用时间的延长,毒物在人体的蓄积量必然增高。一般污染物在体内的蓄积量受摄入量、污染物的生物半衰期和作用时间3个因素的影响。所谓"生物半衰期",是指污染物在生物体内浓度降低一半所需要的时间。在有害物质摄入量完全相同的情况下,生物半衰期长的污染物对人体的危害性比生物半衰期短的要大。

4.个体差异 个体的生理、生化、遗传特性的差异性,导致不同的个体对同一种污染物的毒性反应有较大的差别。因此,在相同的环境条件下,是否出现危害以及危害出现的早晚与大小存在差别。

5.联合作用 各种因素及污染物在环境中往往不是孤立存在的,而是混合存在于环境之中,共同作用于个体,即联合作用。其综合影响分为以下几种情况:

(1)相加作用:相加作用是指几种环境因素联合作用的影响是各单项因素分别影响的总和,如高温和一氧化碳、丙烯腈和乙腈等。

(2)相乘作用:相乘作用又称"协同作用",是指几种环境因素联合作用时,其影响后果大于它们分别作用的效应之和。例如,飘尘与二氧化硫混合作用的结果属于协同作用,因为飘尘可催化二氧化硫形成亚硫酸,而亚硫酸对环境的危害比二氧化硫与飘尘单独作用的危害要大得多。同样,吸烟和接触石棉可显著增加肺癌的发病率。

(3)拮抗作用:拮抗作用是指2种或2种以上的环境因素联合作用的结果小于它们分别作用的结果,使其对环境的危害作用减弱,有助于污染物的降解与净化。如卤代苯类化合物(1,2,4-三氯苯)能明显地诱导某些有机磷化合物(对硫磷与对氧磷)的代谢,使其毒性降低;金属络合物与金属络合后可减轻金属的毒性。

(五)环境污染的特点

1.污染的广泛性 污染的广泛性主要指环境污染影响地区与人群的范围广。各种环境要素均会受到污染,包括空气和水体的污染,再加上空气与水具有流动性,使污染波及的范围不断扩大,可使污染范围跨省界,甚至跨国界。由于环境因素之间又相互联系、相互影响,所以水体的污染又可引起土壤的污染,水体与土壤的污染又波及种植与养殖的生物受到污染,从而造成食物污染。不论男、女还是老、弱、病、幼,都会受空气污染、水体污染、食物污染的影响。因此,污染的广泛性导致了影响人群与地区的广泛性。

2.治理的艰难性 一般而言,环境污染容易而治理非常困难。这主要是因为环境的自净作用本身是缓慢的,而且有些污染物在环境中的生物半衰期特别长,如农药DDT需要20年、金属镉需要33年的时间其浓度才能减少一半。一旦造成环境污染,就需要花费大量的人力、物力、财力和时间去治理污染,才有可能把污染物从空气、土壤和水中加以清除,而且很难完全清除干净。

3. 影响的长期性　由于人类一生都暴露在被污染的空气、土壤、水和食物等环境要素之中,所以长期受环境污染的影响。大多数情况下,污染物的浓度或剂量比较小,但长期甚至终生持续接触则会因污染物在体内的蓄积而引起慢性中毒和癌症等。

4. 影响的复杂性　影响的复杂性是指影响因素多而复杂、污染物的种类多而成分复杂等。污染物对人体作用的影响因素包括理化性质、剂量或浓度、作用时间、个体差异和联合作用等,而联合作用又包括相加作用、相乘作用和拮抗作用。污染物的种类包括化学性污染物和物理性污染物、生物性污染物,而化学性污染物就有数万种之多,且成分复杂,再加上各种污染物之间的相互影响,可通过呼吸道、皮肤、胃肠道等多种途径进入人体,且这些污染物影响人体健康的机制非常复杂。

5. 危害的多样性　环境污染物的种类繁多且影响因素复杂,可经多种途径进入人体,不同的污染物对人体有不同的危害,危害表现多种多样,有急性中毒、慢性中毒,还有远期危害,包括致癌、致畸和致突变作用等。

(六)环境污染对健康的危害

环境污染对健康的危害主要有急性危害、慢性危害、远期危害和其他危害等。

1. 急性危害　由于大量的环境污染物在短时间内进入机体而所致的急性健康损害甚至死亡,称"急性危害",如伦敦烟雾事件、洛杉矶光化学烟雾事件、印度异氰酸甲酯泄漏事件等。

2. 慢性危害　环境污染物低浓度、长时间、反复作用于机体所产生的危害,称"慢性危害",如水俣病、痛痛病以及各种生产性毒物引起的慢性职业中毒等。

3. 远期危害　远期危害主要包括致癌作用、致畸作用和致突变作用。

(1)致癌作用:常见主要致癌物有多环芳烃类、烷化剂类、芳香胺类、N-亚硝基化合物及天然致癌物等。

(2)致畸作用:目前,已确认的对人类有致畸作用的化学致畸因素有甲基汞、氨基蝶呤、碘缺乏及一氧化碳中毒时的缺氧等。

(3)致突变作用:突变是指生物体的遗传物质在一定条件下发生的改变,并导致遗传型的变异。如果突变发生在体细胞,则可引起体细胞的异常增殖而形成肿瘤;若突变发生在生殖细胞,则可能导致不孕、早产、死胎或畸胎以及遗传性疾病等。绝大多数致癌物都是致突变物,许多致突变物也是致癌物。

4. 其他危害　其他危害包括非特异性危害和间接危害。

(1)非特异性危害:环境污染物对人类健康的影响还有非特异性危害,表现为常见病、多发病的发病率上升、死亡率增加等。例如,二氧化硫严重污染地区的居民上呼吸道感染发病率上升,接触粉尘作业工人的慢性鼻炎发病率上升等。

(2)间接危害:环境污染扰乱生态平衡,间接损害人类健康,如自然灾害增加、粮食或畜牧业减产、气候异常、建筑物毁坏等。全球普遍关注的此类环境问题包括温室效应、酸雨、臭氧层破坏、土壤沙漠化等。

（七）环境保护的基本措施

1. 开展环境保护知识的宣传教育，增强居民的环保意识。
2. 完善环境保护的法律和法规，依法保护环境。
3. 建立生态工业 通过模拟生态系统的功能，构建起相当于生态系统的"生产者、消费者、分解者"的工业生态链，建立以低消耗、低污染或无污染、工业发展与生态环境协调为目标的工业。
4. 实行清洁生产 清洁生产是指既可满足人们的需要，又可合理使用自然资源和能源并保护环境的实用生产方法和措施，其实质是一种物料和能耗最少的人类生产活动的规划和管理，将废物减量化、资源化和无害化。
5. 发展生态农业 生态农业即按照生态学原理和经济学原理，运用现代科学技术成果、现代管理手段以及传统农业的有效经验建立起来的，能获得较高的经济效益、生态效益和社会效益的现代化高效农业。
6. 加强对自然环境的保护和利用。

（八）社区护士在环境卫生管理中的作用

1. 进行社区环境卫生状况调查 社区护士应了解社区基本环境状况、可能存在的污染源、以前有无重大污染事件、近年来社区中有无群体异常健康状况出现等。如有群体异常健康状况出现，必须调查其发生的原因、是否与重大污染事件有关等。
2. 开展社区环境卫生评估，发现社区存在的环境问题。
3. 加强健康促进，充分利用社区资源，解决社区存在的环境问题。
4. 开展保护环境的健康教育，提高居民的环保意识，对生活"三废"进行无害化处理，为社区居民提供一个安全、舒适的宜居环境。

第三节 生活环境与健康

人类赖以生存的环境包括水、大气、土壤和食物等，这些环境的质量好坏与居民的健康息息相关。本节着重介绍水、大气、地质环境和食物对健康的影响。

一、水与健康

约71%的地球表面被海洋所覆盖，水的总储量约为14亿立方千米，其中，只有2.5%为淡水，而大部分淡水分布在地球的两极，真正可利用的淡水不足淡水总量的1%，仅为地球上水资源总量的0.01%。水在人类生活和生产活动中具有极其重要的作用，是人类及一切生物进行正常生命活动的基本物质。成人体内水分约占其体重的65%，胎儿水分约占90%。成人平均每日需水量为2~3L，人体内一切生理活动都需要水的参与。

水是自然环境的重要组成部分，为人类生产活动、生活活动所必需，但是生产与生活活动对水体的污染不仅影响了工业、农业、牧业和渔业生产,而且对人类的生存环境、生活质量以及健康带来了不良的影响。因此,保护和加强管理水资源迫在眉睫。

(一)水污染对健康的影响

1.水体污染的种类及来源　人类活动排放的污染物进入水体,超过了水体的自净能力,使水的组成发生改变、状态恶化,降低了水体的使用价值,甚至对人体健康带来危害,称"水体污染"。水体污染按污染物的性质可分为生物性污染、化学性污染和物理性污染。

(1)生物性污染:这种污染主要来自家庭、机关、商业和城镇公用设施排出的生活污水、包括粪便和洗涤污水、城镇地面径流污水、未经无害化处理的医院污水,以及含病原体的屠宰厂和生物制品厂等的生产性废水。

(2)化学性污染:这种污染主要来自工业生产废水、废渣,常见的污染物有汞、砷、铅、镉、铬、酚、氰化物等。此外,农药、化肥及城镇污水也会对水体造成污染。

(3)物理性污染:这种污染包括热污染、放射性污染等。热污染主要是由工矿企业向水体排放高温废水所致;放射性污染主要来源于核生产、核试验、核医疗等排放的核废物等。

2.饮用水和水体污染对人体健康的危害

(1)引起介水传染病:介水传染病的病原体主要来自人畜肠道的致病菌、病毒及某些寄生虫。它们一旦污染了水体,就可能造成使用污染水的人群暴发传染病或寄生虫病,如霍乱、伤寒、痢疾等。据WHO调查,发展中国家因饮用水水质不良而引起的各种疾病,每年高达6亿人次,导致死亡人数每天数以万计。

(2)发生与饮水密切相关的地方病:例如,地方性氟中毒、地方性甲状腺肿等。

(3)引起急慢性中毒及远期危害:有害化学物质污染水体后,可通过饮水和食物链进入人体,使人群发生急性或慢性中毒。

汞污染主要来源于化工厂、冶炼厂、农药厂、汞仪表厂的生产性废水。含汞废水排入水体后,沉积于河底污泥中,经水中甲烷菌等微生物的作用,转化为有机化合物甲基汞,其毒性比无机汞大,并可通过生物富集作用,沿着食物链逐级转移,最后在鱼体内达到最高浓度。若居民长期食用富含甲基汞的鱼类,可导致慢性甲基汞中毒。由于此病最早发生在日本熊本县水俣湾地区,故名"水俣病",这是世界上首例报道的公害病,居日本四大公害病之首。

镉污染主要来源于工厂排放的含镉废水。当含镉废水进入河流,灌溉稻田,被水稻吸收并在稻谷中积累。若人长期食用含镉的大米或饮用含镉的污水,容易引起以疼痛为主要表现的"痛痛病",同时,引起肾脏损害,使关节变形、骨骼疼痛难忍,易发生骨折,甚至死亡。此病最早发生在日本富山县神通川流域,是当时日本常见的公害病之一。

合成洗涤剂中氮、硫、磷等营养物质大量进入湖泊、海湾等缓流水体,引起水域藻类迅速繁殖、水体溶解氧含量下降、水质恶化、鱼类及其他生物大量死亡的现象,称"水体富营养化",如我国江苏太湖水域就出现过绿藻污染。海洋中富营养化的水华往往带红褐色,被称为"赤潮",赤潮通常成为海洋中的沙漠。水体富营养化直接影响到居民生活饮用水安全,对居民健康构成潜在威胁,已受到广泛的重视。

(二)饮用水的基本卫生要求与评价

1.饮用水水质的卫生要求　饮用水水质的卫生要求是水的质量保证,更是人群健康的保证。

(1)水中不得含有病原微生物,以防止介水传染病的流行。

(2)水中所含化学物质及放射性物质不得危害人体健康,包括不引起急慢性中毒及远期危害,如"三致"作用。

(3)水的感官性状良好,水应无色、无臭、无味,并不得含有肉眼可见物或其他颜色。

(4)水量充足,使用方便。

2.饮用水的卫生评价　饮用水的卫生评价主要通过以下调查和检测分析来完成。

(1)水源水卫生调查:该调查主要了解水源水质是否符合有关标准的要求,了解取水点及其附近地区的卫生状况及卫生防护情况。

(2)水厂卫生学调查:该调查主要了解水净化处理工艺及其设备、设施是否符合有关要求;使用的涉水产品是否有卫生许可批文,其质量是否符合卫生要求;直接从事供水、管水的人员是否持健康证和培训合格证上岗;水厂运行的各环节是否有卫生管理制度以及执行情况等。

(3)水质检验分析:通过水质检验,可依据相关标准对水质进行全面分析评价,具体检验项目及限值见表14-1。

表14-1　生活饮用水水质常规检验项目及限值

项目	限值
感官性状和一般化学指标色	色度不超过15度,不得呈现其他异色
浑浊度	不超过1度(NTU)①,特殊情况下不超过5度(NTU)
臭和味	不得有异臭、异味
肉眼可见物	不得含有肉眼可见物
pH	6.5~8.5
总硬度(以$CaCO_3$计)	450(mg/L)
铝	0.2(mg/L)
铁	0.3(mg/L)
锰	0.1(mg/L)
铜	1.0(mg/L)
锌	1.0(mg/L)
挥发酚类(以苯酚计)	0.002(mg/L)
阴离子合成洗涤剂	0.3(mg/L)
硫酸盐	250(mg/L)
氯化物	250(mg/L)
溶解性总固体	1000(mg/L)
耗氧量(以O_2计)	3(mg/L),特殊情况下不超过5(mg/L)②
毒理学指标	
砷	0.05(mg/L)
镉	0.005(mg/L)

续表

项目	限值
铬（六价）	0.05(mg/L)
氰化物	0.05(mg/L)
氟化物	1.0(mg/L)
铅	0.01(mg/L)
汞	0.001(mg/L)
硝酸盐(以 N 计)	20(mg/L)
硒	0.01(mg/L)
四氯化碳	0.002(mg/L)
氯仿	0.06(mg/L)
细菌学指标	
细菌总数	100(CFU/mL)③
总大肠菌群	每 100 mL 水样中不得检出
粪大肠菌群	每 100 mL 水样中不得检出
游离性余氯	含氯消毒剂与水接触 30 分钟后应游离性余氯含量不低于 0.3 mg/L,管网末梢水游离性余氯含量不应低于 0.05 mg/L
放射性指标④	
总 α 放射性	0.05(Bq/L)
总 β 放射性	1(Bq/L)

注:①(NTU)为散射浊度单位。②特殊情况包括水源限制等情况。③CFU 为菌落单位。④放射性指标规定数值是参考水平。

(4)环境流行病学调查:该调查主要了解与饮水有关的地方病的发生、流行资料;调查水污染地区历年来居民中介水传染病和其他相关疾病的发病率与死亡情况等。

(三)生活饮用水的净化与消毒

水源水质不能满足生活饮用水水质标准的要求时,必须进行净化与消毒等处理。水的净化包括混凝沉淀与过滤。通过净化处理可以去除原水中的悬浮物、胶体颗粒和一部分病原体;水的消毒主要是杀灭水中的病原微生物,保证流行病学上的安全,预防传染病的发生。

1.混凝沉淀　水中质量较重的悬浮颗粒物由于重力作用可以自然沉淀,而一些分散在水中的质量较轻的胶体粒子则可长时间悬浮在水中,须加入适当的化学物质,促进颗粒物质的凝聚和沉降,这种被加入的物质称"混凝剂",常用的混凝剂有硫酸铝[$Al_2(SO_4)_3$]、明矾[$KAl(SO_4)_2 \cdot 12H_2O$]、聚合氯化铝等。有时,为了提高混凝效果,可加一些助凝剂,常用的有生石灰、氯、活化硅酸等。通过混凝沉淀能使水的浑浊度降低 98%,并去除 80%左右的细菌,且有部分除色效果。

2.过滤　过滤的原理有 2 个:一是隔滤作用,当水通过滤料时,粒径大于滤料间孔隙的悬浮杂质、颗粒被阻留;二是接触混凝作用,当水通过滤料时,细小绒体和悬浮微粒与滤料碰撞,被吸附在砂料表面因凝聚成较大颗粒而被阻留。常用的滤料有砂、矿渣、煤渣等,要求滤料不得含有对人体有害的化学物质。通过过滤,水的浑浊度可降至 0.2~5 度,色度与细菌数均可降低。

3. 消毒　水源水经沉淀、过滤后,虽然去除了水中大部分微生物,但不彻底,还必须进行消毒。饮用水消毒的方法很多,物理方法主要有紫外线、超声波等;化学法有加氯消毒法、臭氧消毒法、二氧化氯消毒法等。目前,我国普遍采用加氯消毒法,因为氯离子的消毒能力较强、价廉、供应有保障、设备简单。液态氯常用于集中式给水消毒;漂白粉[$Ca(ClO)_2$]和漂白粉精[$3Ca(ClO)_2 \cdot 2Ca(OH)_2$]多用于水井或自备水源井的消毒。含氯的化合物中,氯的价数大于-1者具有杀菌作用,被称为"有效氯"。一般漂白粉含有效氯 25%~30%,漂白粉精含有效氯 60%~70%。但由于氯化消毒的副产物氯仿等具有致突变性与动物致癌性,所以从 20 世纪中叶以来,欧美一些国家逐渐使用二氧化氯消毒剂。近年来,我国使用二氧化氯消毒剂的自来水厂也越来越多。

(1)氯化消毒的原理:各种氯化消毒剂加入水中后,均可迅速水解形成次氯酸(HOCl)。它体积小,不带电荷,易穿透细菌的细胞壁。同时,它又是一种强氧化剂,能氧化细菌细胞中磷酸丙糖去氢酶的巯基,造成糖代谢障碍,还能损害细菌的细胞膜,使蛋白质、RNA 和 DNA 等物质被释放出来,导致细菌死亡。氯还可作用于病毒的核酸,对病毒产生致死性损害。

(2)影响氯化消毒的因素:

①加氯量和接触时间。加氯量为需氯量与余氯量之和。需氯量是指杀灭水中细菌、氧化水中有机物和还原性无机物等所消耗的氯量。余氯量是加氯氧化、杀菌后所剩余的有效氯量。要求加氯并与水接触 30 分钟后,游离性余氯($HOCl,OCl^-$)含量为 0.3~0.5mg/L。

②水温。水温低时杀菌效果差,每提高 10℃,杀菌效率可提高 2~3 倍。因此,水温低时,加氯量应适当增加,方可达到常温时的效果。

③水的 pH。次氯酸是弱电解质,当 pH<5.0 时,主要以次氯酸的形式存在。随 pH 的增高,次氯酸解离成次氯酸离子的含量逐渐增多。当 pH>7.0 时,次氯酸含量急剧下降。实验证明,次氯酸的杀菌效率比次氯酸离子高 80~100 倍。因此,消毒时水的 pH 不宜过高。

④浑浊度。水浑浊时,水中所含的有机物、无机物可消耗一定量的氯,而且悬浮物内部包藏的细菌也不易被杀死,影响消毒效果。因此,消毒前应设法降低水的浑浊度。

(3)氯化消毒的方法:规模较大的水厂多用液态氯消毒,投加设备有真空加氯机和转子加氯机。规模较小的水厂可用漂白粉消毒。

①直接投氯法。先测量井水容量,再计算应加漂白粉量。

$$漂白粉量=井水容量×加氯量/漂白粉含氯量$$

②持续消毒法。将特制的持续消毒器悬挂于井内,漂白粉可借水的振荡由小孔流出,一次加入,可持续消毒 10~30 天。此法节省人力,使用方便。

③过量消毒法:当肠道传染病暴发流行、水源被洪水淹没或受有机物严重污染,以及战时紧急用水时,需在短时间内完成消毒,可采用过量氯消毒法,使水中余氯量达 1~5mg/L。由于过量氯消毒法余氯较高,有特殊的氯臭味,所以饮用时需用硫代硫酸钠脱氯,以除去氯臭味。

二、空气与健康

(一)大气理化特征与健康

包围在地球周围的空气称"大气"。大气为地球生命的繁衍、人类的生存与发展提供了理想的环境。像鱼类生活在水中一样,人类生活在地球大气层的底部,并且一刻也离不开大气。人体不断从大气中吸入氧气,并将代谢过程中产生的二氧化碳随呼气排出体外,再进入大气,以保证人体正常的生理功能和健康需要。

地球周围有15 000m厚的大气层,称"大气圈"。根据大气圈离地面的高度和特点,自下而上分为3层,即对流层、平流层和电离层。对流层贴近地面,与人类的关系最为密切。空气总量的95%都集中在此层,大气污染也发生在此层。平流层位于中间,空气稀薄。由于太阳紫外线的作用,氧分子分解成氧原子,再生成臭氧,形成臭氧层。臭氧层能吸收对生物杀伤作用极强的短波紫外线和宇宙射线,可使地球生物免受这些射线损害。电离层位于最上层,对人类健康影响很小。

1. 空气的化学特征与健康　空气是一种无色、无臭、无味的混合气体,其主要成分是氮、氧、氩和二氧化碳,分别占78.09%、20.95%、0.93%和0.03%。另外,空气中还含有少量的水蒸气和其他稀有气体、微量的臭氧、氮氧化物等。一般情况下,空气的基本组成保持相对恒定。

空气的正常化学组成是保证人体健康的必要条件。若空气的化学组成受到环境污染的影响而发生较大的变化,就可能对人体健康造成危害。

2. 大气的物理特征与健康　大气的物理特征包括太阳辐射、空气离子以及气象条件等。适宜的大气物理特征是维持人体健康的必要条件。

太阳辐射是地球上光和热的源泉,太阳辐射中的紫外线具有杀菌、抗佝偻病、增强免疫力等作用,但过强的紫外线可引起日光性皮炎、眼炎,甚至皮肤癌等;红外线具有消炎、镇痛等作用,但过量的红外线照射可引起日射病和白内障等。

空气离子化是空气的分子所发生的电荷变化。一般认为,负离子对机体产生镇静、催眠、增进食欲、改善注意力、增强工作能力等良好作用;正离子的作用则相反。

气象条件包括气温、气流、气湿和气压等,它对机体的体温、免疫功能、心脑血管功能及新陈代谢等起着综合调节作用。

(二)大气污染对健康的危害

大气污染是指由于自然的和人为的因素,使空气的组成和性状发生改变,超过了大气本身的自净能力,对居民的健康和生活卫生条件产生直接或间接危害的现象。

1. 大气污染的来源　大气污染的来源主要有以下几个方面:

(1)工业企业:工业企业是大气污染的主要来源,也是大气卫生防护工作的重点之一。

①燃料的燃烧。燃料燃烧过程所产生的有害物质的数量与燃料的种类及其性质、消耗量、燃烧方式、消烟除尘设施及其效果等有关。煤和石油是重要的工业燃料,它们在燃烧过程中排出的主要有害物质有烟尘、二氧化硫、氮氧化物、烃类、一氧化碳等。

②工业生产特定物质的排放。各种工业企业排入大气中的污染物种类、性质和数量,取决于使用的原料、工艺过程和生产规模。总体而言,污染物具有种类繁多、性质复杂、数量不一的特点。

(2)交通运输:随着交通运输业的发展,汽车、火车、飞机、轮船等运输工具日益增多,往来频繁,已成为大气污染的重要来源,尤其汽车作为一种流动性污染源更应予以重视。汽车排出的废气中主要含有一氧化碳、氮氧化物、烃类和含铅化合物等,其排放量与发动机种类、燃料性质、行驶状态等情况有关,其特点是排放的污染物距人的呼吸带近,易被人体吸入而造成危害。

(3)生活炉灶和采暖锅炉:大量民用炉灶和采暖锅炉排放的废气对大气造成的污染不容忽视,尤其是冬季生活炉灶和取暖炉灶数量多而分散、燃烧不完全,与居室、工作学习场所密切相连,对室内外空气均造成污染。

(4)其他方面:当街道地面硬化不好、绿化不够、交通频繁、风速较大时,地面尘土、垃圾扬起,可使地面的污染物重新进入大气,使大气受到反复污染,造成危害。

2.大气污染对人体健康的危害

(1)急性危害:大气污染物的浓度在较短时期内急剧增高,可引起中毒,加重心肺功能障碍病人的病情,严重者导致死亡。

①煤烟型污染事件。当工厂或居民大量燃煤,排放出大量烟尘和二氧化硫,遇不利烟尘扩散的气象条件如持续大雾等,地处河谷盆地的地方则易发生烟尘与二氧化硫在空气中大量积聚的现象,达到一定的浓度会造成人体的中毒与死亡事件,如1952年的英国伦敦烟雾事件。

②光化学烟雾事件。光化学烟雾多发生在机动车辆多、交通拥挤的大城市,尤其在夏季,气温高、紫外线强烈,大量汽车尾气等经紫外线的光化学作用,生成强氧化型烟雾。烟雾中的臭氧、过氧乙酰硝酸酯(PAN)、丙烯醛、硫酸雾等,会造成强烈的眼刺激,引起呼吸困难等症状,尤其对心、肺疾病病人危害更重。此类事件以1955年美国洛杉矶发生的光化学烟雾事件最为典型。

(2)慢性危害:大气污染引起的慢性中毒事件很多,如氟污染大气后可通过多种途径侵入机体,引起慢性氟中毒;汽车废气对大气的污染,引起交警的慢性一氧化碳中毒等。大气污染还能对机体产生慢性刺激作用,降低机体抵抗力,容易诱发感染或其他疾病,使居民的总患病率升高。

(3)远期危害:目前,已证明具有致癌作用的大气污染物有30多种。污染最广泛、人类接触最普遍、最引起注意的是多环芳烃化合物,其中苯并[a]芘的致癌性最强。现已证明,哑英类物质就是典型的"三致"污染物,主要来源于垃圾焚烧、农药生产中的副产物。

(4)间接危害:

①产生温室效应。二氧化碳排放量增加,可形成"温室效应"。其原理是大气中的二氧化碳吸收地球上长波辐射线,阻挡它射入外层空间,起到温室作用,使地面气温升高。其后果是不仅能使南北极冰山融化、海平面上升,而且有利于病原体加速繁殖,造成各种传染病、寄生虫病的发病率上升,给人类生活与健康带来负面影响。

②破坏臭氧层。氟利昂、四氯化碳等微量气体在紫外线作用下生成的放射性氯根,超音

速飞机在平流层排出的氧化亚氮,使用化肥及各种燃料燃烧产生的大量的氧化亚氮,都可作为催化剂,加速臭氧的分解。大气臭氧层遭受破坏的后果是减弱了臭氧层遮挡和吸收短波紫外线的功能,使皮肤癌、白内障等疾病的发病率上升。短波紫外线对其他生物也具有杀伤作用。

③形成酸雨。排入大气中的二氧化硫和氮氧化物可以转化为硫酸和硝酸,并随雨雪降落在地面而形成酸雨(pH 小于 5.6)。酸雨能腐蚀建筑物,破坏农田和植被,使土壤中重金属的水溶性增加,从而增加重金属进入人体的机会,对人类的健康与生活产生不利影响。

(三)室内空气卫生

1. 室内空气污染的来源　室内空气污染来源广泛,主要包括以下几个方面:

(1)燃料:人们在烹饪及采暖时,燃料燃烧的产物是室内空气污染的重要来源。目前,我国居民使用的燃料有煤、煤气、石油液化气、天然气、木柴、植物秸秆等。

(2)建筑材料与装饰材料:甲醛主要来自房屋装饰、隔热、防冻、隔声等用的材料与黏合剂等;氡主要来自天然大理石、砖、石块、混凝土、粉煤灰预制构件等。

(3)人类活动:吸烟是室内空气污染的一项重要来源。烟草及烟雾中已鉴定出 7×10^3 多种化学物质,主要有一氧化碳、二氧化碳、氮氧化物、亚硝胺、烃类、挥发性硫化物、酚类、尼古丁等有害物质。人在室内活动,本身就是一种污染源,人体不断呼出二氧化碳,呼吸系统病人还可通过飞沫排出病原体,这种污染在拥挤的室内尤为严重。

(4)家用化学品:化妆品、合成洗涤剂、驱虫剂、除臭剂等的广泛应用,可以在常温下释放出多种有机化合物,如甲醛等,从而影响室内空气质量。

(5)来自室外的污染物:室外污染物主要来自工业、交通运输工具所排放出的污染物及植物花粉、动物毛屑、昆虫鳞片等变态反应原。农民在午收或秋收后,在田间大面积焚烧小麦、玉米、大豆的秸秆所造成的空气污染,是近年来新增的室内空气污染源。

2. 室内空气污染对人体健康的影响　该影响主要有以下几个方面:

(1)哮喘:据估计,当前美国约有 2.7×10^7 人患有哮喘,每年约有 5×10^3 人死于哮喘病。美国国家科学院医学研究所公布的一份室内空气质量报告证实,尘螨和其他过敏原、微生物及室内某些化学物质是哮喘的诱发因素。

(2)癌症:烟草烟雾、氡、石棉等室内污染物是确认的致癌物,醛类也被认为是一种可疑致癌物。许多研究均已证实吸烟可引起肺癌、喉癌、咽癌、口腔癌等。我国云南宣威肺癌高发与燃烟煤农户室内空气苯并[a]芘浓度高有关。

(3)其他健康问题:

①急性中毒。例如,一氧化碳中毒、军团病暴发流行等。我国每年因室内一氧化碳污染发生急性中毒约 1.2×10^4 起,中毒人数约 6×10^4 人。

②不良建筑综合征。不良建筑综合征多发于现代办公室工作的人员,主要表现为眼和呼吸道受刺激、乏力、困倦、头痛、胸闷等。病因可能与室内挥发性有机物污染、通风不良等有关。

③呼吸道传染病。人群聚集的公共场所、居住拥挤的地方,若通风不良、空气污浊,会造成流感、麻疹、肺结核等呼吸道传染病的传播。

三、地质环境与健康

目前,人体组织中已检出60多种元素,其中,有11种在体内含量较多,被称为"人体必需宏量元素",包括碳(C)、氢(H)、氧(O)、氮(N)、磷(P)、硫(S)、钾(K)、钙(Ca)、钠(Na)、镁(Mg)、氯(Cl)。在体内含量较少,一般不足体重万分之一的元素被称为"微量元素"。目前,已经证实有14种元素为人体必需微量元素,包括铁(Fe)、锌(Zn)、硒(Se)、锰(Mn)、铜(Cu)、碘(I)、钼(Mo)、铬(Cr)、氟(F)、硅(Si)、钒(V)、镍(Ni)、锡(Sn)、钴(Co)。这些元素在人体内的含量与当地的土壤、水、食物和空气中的含量密切相关。

由于地壳表面各种元素分布不均匀,故不同地区化学成分的含量也不同。因必需元素过多或过少、非必需元素过多且超出人体适应范围而导致的疾病被称为"地球化学性疾病"。由于它们有一定的地区性,所以又称"化学性地方病"。

我国是地方病严重流行的国家,全国各地都不同程度地存在地方病的流行。其中,重病区多集中在西部地区、边远地区和贫困地区,各类病人达 5×10^7 人。被列为我国国家重点防治疾病的地方病有碘缺乏病、地方性氟中毒、大骨节病、克山病等。

(一)碘缺乏病

碘缺乏病是因人类生存的自然环境中缺少碘而造成的以机体碘营养不良为主要表现的一组相关疾病的总称,包括地方性甲状腺肿和地方性克汀病、地方性亚克汀病,以及缺碘地区出现的孕产妇流产、早产、死产和新生儿死亡率增高、先天畸形等。

1. 地方性甲状腺肿　地方性甲状腺肿简称"地甲病",是一种主要因缺碘而引起的地方病,俗称"大脖子病"或"粗脖子病",主要表现是甲状腺肿大。

(1)病因:地方性甲状腺肿的主要病因有以下3个方面:

①缺碘。流行病学调查证明,绝大多数地方性甲状腺肿流行区内的土壤、饮水或食物中都缺碘。给当地居民补碘后,甲状腺肿的流行即可得到控制,可见缺碘是引起地方性甲状腺肿的主要病因。

②膳食因素。研究发现,除环境缺碘外,还有其他因素引起甲状腺肿大,如玉米、小米、高粱、黄豆、花生、杏仁、豌豆等食物中的硫氰酸盐较高,在胃肠道可竞争性地抑制碘离子向甲状腺的输送,使碘排出增多。而甘蓝、卷心菜、大头菜、芸苔等蔬菜因存在含硫葡萄糖苷的水解产物,可抑制碘的有机化过程。

③高碘。我国沿海地区和内陆低洼地区居民,由于食物和水中碘过高,人体甲状腺将过多的碘转化为甲状腺胶质,储存于甲状腺滤泡内,所以造成甲状腺肿。

(2)临床表现:病人早期除颈部增粗外,多无明显症状。当肿大的甲状腺压迫周围组织器官时,可引起相应的症状,如压迫气管时,可出现气短、呼吸困难;压迫食管时,可引起持续性下咽困难等。

(3)分型:

①弥漫型。甲状腺均匀增大,触诊摸不到结节。

②结节型。在甲状腺上可触摸到一个或几个结节。

③混合型。在弥漫肿大的甲状腺上可触摸到一个或几个结节。

(4)分度标准:

①0度——没有任何可触及的或可见的甲状腺。

②Ⅰ度——当颈部处于正常位置时,可触及肿大的甲状腺,但看不到。当病人做吞咽动作时,肿块可在颈部上下移动。即使在甲状腺不肿大的情况下,触及到甲状腺结节亦归为Ⅰ度。

③Ⅱ度——当颈部处于正常位置时,颈部可见明显的肿大,当颈部触诊时,可触及到肿大的甲状腺。

当甲状腺体积介于两级之间,难以判断属于何级时,应列入较低的一级。

2.地方性克汀病 地方性克汀病简称"地克病",主要发生在严重缺碘地区,是由于胎儿和新生儿严重缺碘、甲状腺激素缺乏,而造成大脑和其他组织器官发育分化不良的疾病。患儿表现为智力低下、体格矮小、听力障碍、神经运动障碍及甲状腺功能低下、甲状腺肿大,可概括为"呆、小、聋、哑、瘫",又称"地方性呆小病"。

(1)临床表现:身体发育迟缓,体格矮小;智力低下;聋哑;面部表情淡漠或傻笑,头大额宽;步态不稳,甚至下肢瘫痪;甲状腺功能低下。

(2)临床类型:

①神经型地方性克汀病。病人神经精神症状明显,常伴有多结节型甲状腺肿或甲状腺功能低下。我国多数地区病人属于此种类型。

②黏液性水肿型地方性克汀病。病人甲状腺功能低下,生长迟缓,类似侏儒。此型在我国多见于青海、新疆等地区。

③混合型地方性克汀病。此型一般兼有前述两种类型的特点。

3.碘缺乏病的治疗与预防 通常以口服碘剂、甲状腺制剂或手术治疗地方性甲状腺肿病人。对于地方性克汀病病人,应在医生的指导下,根据症状轻重及年龄大小决定甲状腺素制剂的长期服用剂量。开始用小剂量,逐渐增加到治疗剂量,并密切观察,以防出现蓄积作用。同时,病人可补充适量的钙剂、铁剂、维生素A、维生素B、维生素C、维生素D等作为辅助治疗,并注意营养和锻炼身体。

碘缺乏病防治的重点是抓好病因预防工作,以补碘作为预防碘缺乏病的根本性措施,补碘有多种形式:

(1)碘盐:我国原来供应的是碘化钾食盐,由于其易氧化、不稳定,近年来业已改用碘酸钾。WHO推荐碘化物和食盐比例为1:100 000,我国一般为1:(20 000~50 000)。

(2)碘油:碘油是植物油与碘化合而成的有机化合物。一次大剂量注射碘油后,可在体内形成碘库,再缓慢地释放出来。一般每毫升碘油含碘475 mg,每1~3年肌内注射1次。剂量:0~6个月儿童0.2 mL,1~6岁0.5 mL,6岁以上1.0 mL。国内外某些病区已用口服碘油代替碘油注射,取得良好的预防效果。口服碘油的剂量一般为注射剂量的1.4~1.6倍,每2年服药1次。

(3)其他:选择含碘丰富的食物,如海带、海鱼等海产品,饮用清洁水,生活有规律,也可减少碘缺乏病的发生。

(二)地方性氟中毒

地方性氟中毒又称"地方性氟病"。地方性氟病是由于长期摄入过量的氟元素而引起的以氟斑牙和氟骨症为主要特征的慢性全身性疾病。氟是人体必需微量元素之一,长期摄入过量的氟可对机体造成危害。地方性氟中毒不仅影响骨骼和牙齿,而且还累及心血管、中枢神经、消化、内分泌等多个系统。

1.病因　地方性氟病的原因有以下3种:

(1)饮水型地方性氟中毒:饮水型地方性氟中毒是病区分布最广、患病人数最多的一型。我国饮水型氟中毒病区主要分布在淮河—秦岭—昆仑山以北的广大地区。

(2)燃煤污染型地方性氟中毒:在我国一些地区发现虽然当地水氟含量不高,但居民也患有地方性氟中毒。据对云南、贵州、四川、湖北、辽宁等12个省150个县3000多万人口的调查表明,多数情况下为燃煤(含氟100~3 763 mg/kg)污染食物和居室空气所致,如烘烤的玉米氟量高达276.5/kg,室内空气中含氟量也较高。

(3)饮茶型地方性氟中毒:质地较差的老茶叶及粗加工所得的砖茶一般含氟量高,浸泡时间越长,析出的氟越多。例如,甘孜藏族居民中发现有饮茶所致的氟中毒。

2.临床表现　地方性氟病因蓄积的部位不同而临床表现也不同。

(1)氟骨症:氟骨症患者的基本改变为骨硬化、骨疏松、骨软化和骨旁软组织骨化。氟骨症主要表现为四肢脊柱关节持续疼痛,进而肢体麻木、关节僵硬、关节活动障碍、上下肢弯曲、驼背、肌肉萎缩、僵直变形;局部无炎症,疼痛不游走,不受天气变化影响,可与风湿、类风湿相区别。严重的氟骨症可引起四肢及躯干关节固定,甚至截瘫。X线表现为骨密度增高或骨密度增高与骨密度减低同时存在、骨纹增粗、骨周软组织钙化。尿氟增加。

(2)氟斑牙:氟过多对牙釉质、牙本质、牙骨质均可造成损害,以牙釉质损害为主。氟斑牙主要见于正在生长发育中的恒牙,以门牙最为明显,表现为牙表面粗糙、失去光泽,出现粉白、棕黄或褐色斑点,牙齿质脆、易缺损或脱落,严重者牙冠不齐。幼儿乳齿几乎不发生氟斑牙。

3.预防　减少氟的摄入是预防地方性氟病的根本性措施。

(1)对高氟地区,应采取以下措施:

①饮水型地方性氟中毒病区的预防,主要是改水降氟,在无低氟水源的情况下,进行物理或化学方法降氟。

②燃煤污染型地方性氟中毒病区的预防,以改炉改灶为主,同时,配合其他预防措施,如:改变主要食物玉米和辣椒的干燥方式,使其自然晾晒或在烤烟房烘干,避免氟污染;改变主食成分,以大米代替玉米;推广玉米地膜育秧,使其提早成熟,避免在炉子上熏烤干燥。

③饮茶型地方性氟中毒病区的预防,首先是制定砖茶氟含量标准,限制生产和销售高氟茶叶,其次是改变生活习惯,饮用低氟砖茶,控制或降低饮茶型地方性氟中毒的发病率。

(2)第二级预防:主要采取"三早"措施,结合地方性氟中毒病区环境检测和人体健康检查,做到早期发现、早期诊断、早期治疗。

(3)药物治疗:以钙剂治疗,一方面可维持病人体内钙代谢平衡;另一方面,氟与钙形成难溶性的氟化钙,减少机体对氟的吸收。维生素D能促进机体对钙和磷的吸收。维生素C能减少氟的吸收,促进氟的排出。

(4)外科治疗:对于晚期地方性氟中毒病人,药物治疗的效果甚微,需要手术治疗。对于单纯的畸形,手术效果较好,但对截瘫者疗效较差。

四、食品与健康

如同空气与水一样,食品也是人类赖以生存的基本条件。合理的营养与饮食卫生可以保证机体正常的生理功能,促进健康和生长发育,增强人体的抵抗力和免疫力,有利于预防疾病、增强体质。食品被污染则可致食源性疾病,包括食物中毒、慢性中毒及"三致"作用等不良后果。

(一)食品污染

1. "食品污染"的概念 食品污染是指食品在生产、加工、储存、运输及销售过程中受到外界有害物质的影响,造成食品安全性、营养成分、感官性状发生变化,从而降低食品原有的营养价值和卫生质量,并对机体产生危害。

2. 食品污染分类及来源 食品污染物按其性质可分为3类:

(1)生物性污染:微生物污染范围最广、危害最大,主要有细菌与细菌毒素、真菌与真菌毒素;寄生虫和虫卵污染,一是由病人、病畜的粪便污染水体或土壤后间接污染食品,二是直接污染食品;昆虫污染,如甲虫、螨类等。

(2)化学性污染:化学性污染种类繁多,来源复杂,主要有来自生产、生活和环境中的污染物,如农药、有害金属、多环芳烃族化合物、N-亚硝基化合物、二噁英等;工具、容器、包装材料等质量低劣或使用不当,使有害物质溶入食品中;在食品加工、储存中产生的有害物质,如酒中的醇类、醛类等;滥用食品添加剂和非法添加非食用物质。

(3)物理性污染:物理性污染包括杂物的污染,如食品在生产、运输、储存过程中污染杂物和食品掺杂;放射性污染物的污染,此类污染主要来自放射性物质的开采、冶炼、国防、生产和生活中的应用与排放,以及核爆炸、核废物的污染等。

3. 食品污染对人体健康的影响 食品污染对人体造成的影响,可归结为改变食品的感官性状、引起急性食物中毒、对机体造成慢性危害及远期危害。

(1)食品的腐败变质:食品的腐败变质是指食品在环境因素影响下,由微生物作用而发生的食品成分与感官性状的各种变化。食品腐败变质的原因主要有:

①微生物的作用。微生物的作用是引起食品腐败变质的主要原因。这些微生物包括细菌、酵母菌和真菌等。微生物本身能产生分解食品中特定成分的酶,从而使食品发生腐败变质。

②食品本身的组成和性质。食品的营养成分、水分、pH、渗透压和本身含有的酶等,对食品中微生物的增殖速度、菌相组成和优势菌种也有重要影响,可决定食品的耐藏及腐败变质的进程和特征。

③环境因素。气温、气湿、紫外线和氧对食品的腐败也有一定的作用。

(2)传染病:食品被病原微生物污染可引起肠道传染病,如霍乱、伤寒、痢疾、病毒性肝炎等,或人畜共患传染病,如布氏杆菌病、炭疽、牛型结核病等。

(3)寄生虫病:食品被寄生虫和虫卵污染,可引起各种寄生虫病,如蛔虫病、绦虫病、囊虫病、肝吸虫病等。

(4)急性中毒:食品被有毒、有害物质污染,可引起以急性中毒症状为主的疾病。

(5)慢性中毒：人长期摄入含少量化学毒物的食品，可引起慢性中毒，如水俣病、痛痛病、慢性砷中毒等。

(6)远期损害：许多污染物有"三致作用"，如多环芳烃、杂环胺类、N-亚硝基化合物、黄曲霉毒素、砷、镉等可致癌，甲基汞等可致畸形。

4. 常见的食品污染及预防措施

(1)食品的细菌污染与腐败变质：食品在细菌的作用下，性质发生改变，可引起食品腐败变质，使食品降低或失去营养和食用价值。例如，肉、鱼、蛋、奶的腐臭，粮食的霉变，蔬菜与水果的溃烂，油脂的酸败等。食品腐败变质的预防措施有以下几种：

①低温保存。低温保存可以抑制细菌的生长繁殖能力，延长食品的保质期。

②高温灭菌。食品经高温处理，可以杀灭其中的病原微生物。常用的方法有巴氏灭菌法、高温蒸煮、微波加热等。

③干燥保存。干燥就是将食品中的水分降低至小于微生物繁殖所需的含量。常用的方法有日晒、蒸发、喷雾等。

④腌渍保存。采用盐渍、糖渍等方法提高食品渗透压，可进一步达到抑制微生物生长的目的。

(2)黄曲霉毒素污染：黄曲霉毒素是黄曲霉菌和寄生曲霉菌的代谢产物。目前，已经分离出的黄曲霉毒素有20多种，其中，以黄曲霉毒素 B_1 的毒性和致癌性最强。黄曲霉毒素急性中毒主要以肝损害为主，慢性中毒作用在动物实验中主要表现为动物生长障碍、肝脏出现亚急性或慢性损害，还可诱发实验动物肝癌及胃、肾、结肠、卵巢等脏器的肿瘤。流行病学资料表明，人类膳食中黄曲霉毒素水平与原发性肝癌的发病率呈正相关。

黄曲霉毒素污染的食品主要是粮油及其制品，如玉米、花生、棉籽及其油类。黄曲霉毒素污染的预防措施有以下几种。

①食品防霉。田间管理要防虫、防倒伏，收获后及时晾晒；低温干燥保存，注意通风；采用防霉剂保管粮食，但要注意其本身毒性和残留问题；选用和培育抗霉的农作物新品种。

②去除毒素。采用物理、化学方法去除毒素，如剔除霉粒、碾轧加工、加水搓洗、植物油加碱精炼等。

③加强检测。我国食品卫生标准规定，食品中黄曲霉毒素 B_1 的允许量为：玉米、花生仁、花生油不得超过 $20\mu g/kg$；大米及其他食用油不得超过 $10\mu g/kg$；其他粮食、豆类和发酵食品不得超过 $5\mu g/kg$；婴儿代乳品不得检出。

(3)N-亚硝基化合物污染：N-亚硝基化合物可分为亚硝胺和亚硝酰胺2类，是具有强致癌作用的一类物质。天然食品中的N-亚硝基化合物含量极低，但它的前身物质（硝酸盐、亚硝酸盐及胺类）广泛存在于食品及环境中，在酸性环境、大量硫氢根存在、微生物作用等条件下，均可在人体、动物体、食品及其他环境中合成 N-亚硝基化合物。

N-亚硝基化合物及前身物质的来源：室温存放的蔬菜可在细菌和酶作用下，将其中的硝酸盐还原为亚硝酸盐。硝酸盐含量高的蔬菜有菠菜、芹菜、大白菜、卷心菜等以及隔夜的剩菜。此外，陈旧食物、咸鱼中胺类含量较高，腌制食品中硝酸盐、亚硝酸盐含量较高。若人长期食用此类食品，即易患胃癌、食管癌、肝癌等。流行病学资料表明，我国太行山区食管癌高发，原因之一就是当地居民喜食腌制食品。对 N-亚硝基化合物污染的预防措施有以下几种：

①防止食品霉变和微生物污染。食品受细菌的污染，就容易使食品中的硝酸盐还原为亚硝酸盐，而且一些细菌可分解蛋白质，生成胺类化合物。因此，不得食用过期食品，应尽量不食用或少食用隔夜剩菜。

②控制食品加工中硝酸盐和亚硝酸盐的使用量。

③科学加工食品。如生产啤酒的麦芽在烘烤时，提倡使用间接加热；豆类食品的干燥也要避免直接加热，这样可以减少亚硝胺的合成。

④增加膳食中维生素 C 的摄入量。维生素 C 有较强的阻断亚硝基化的作用，可有效阻止 N-亚硝基化合物在体内的合成。

⑤施用钼肥。施用钼肥可以降低农作物中硝酸盐的含量。

⑥严格执行国家食品卫生标准。我国规定，肉类制品中硝酸钠用量不得超过 1.50 g/kg，亚硝酸钠含量不得超过 0.15 g/kg。残留量以亚硝酸钠计，肉类罐头不得超过 0.05 g/kg，其他肉制品不得超过 0.03 g/kg。

(4)农药污染：有机氯等农药能较长时间残留于土壤和生物体内，通过生物富集作用及食物链进入人体，造成慢性健康危害。农药残留是食品农药污染的主要形式。农药污染的预防措施有以下几种：

①严格遵守农药安全使用规定，合理使用农药。

②开发高效低毒、低残留农药，限制或停止使用高效高残留农药。

③加强农药运输与保管，农药不得与粮食、蔬菜、水果、饲料等混放，被农药污染的工具、容器等应及时处理。

④普及预防农药中毒的知识，蔬菜、水果在食用前要浸泡、反复清洗、去皮等。如有机磷农药的热稳定性差，在沸水中浸泡可有效去除其残留。

⑤执行食品中农药残留允许标准，加强食品的农药残留量监测。

(二)食品添加剂

食品添加剂是指为改善食品品质和色、香、味，以及防腐与加工工艺的需要而加入食品中的化学合成物质或天然物质。在我国，营养强化剂也归于食品添加剂的范畴。营养强化剂是指为增强食品营养成分而加入食品中的天然或人工合成的物质，属于天然营养素。

1.常用食品添加剂　食品添加剂有 20 多种，常用的类别有以下 10 种：

(1)防腐剂：常用的防腐剂有苯甲酸钠、山梨酸钾、二氧化硫、乳酸等，用于果酱、蜜饯等食品的加工。

(2)抗氧化剂：常用的抗氧化剂有维生素 C、异维生素 C 等，与防腐剂类似，可以延长食品的保质期。

(3)着色剂：常用的合成色素有胭脂红、苋菜红、柠檬黄、靛蓝等，可改变食品的外观，增强人的食欲。

(4)增稠剂和稳定剂：可以改变或稳定冷饮食品的物理性状，使食品外观润滑细腻，使冰淇淋等冷冻食品长期保持柔软、疏松的组织结构。

(5)营养强化剂：各种婴幼儿配方奶粉就含有多种营养强化剂，可增强和补充食品的维生素、矿物质和微量元素等营养成分。

(6)膨松剂：常用的膨松剂有碳酸氢钠、碳酸氢铵、复合膨松剂等。在部分糖果和巧克力中添加膨松剂,可促使糖体产生二氧化碳,从而起到膨松的作用。

(7)甜味剂：常用的人工合成甜味剂有糖精钠、甜蜜素等,可增加食品的甜味。

(8)酸味剂：常用的酸味剂有柠檬酸、酒石酸、苹果酸、乳酸等,部分饮料、糖果等常采用酸味剂来调节和改善香味效果。

(9)增白剂：过氧化苯甲酰是面粉增白剂的主要成分。我国于2011年5月1日起禁止在面粉生产中添加增白剂。增白剂超标会破坏面粉的营养,水解后产生的苯甲酸会对肝脏造成损害。

(10)香料：香料有合成的,也有天然的,香型很多。例如,各种口味的巧克力在生产过程中广泛使用各种香料,使其具有各种独特的风味。

2. 食品添加剂的作用

(1)利于食品保存,防止食品腐败变质：如防腐剂可以防止由微生物引起的食品腐败变质,延长食品的保存期;抗氧化剂则可阻止或推迟食品的氧化变质,以提高食品的稳定性和耐藏性等。

(2)改善食品的感官性状：食品的色、香、味、形态和质地等是衡量食品质量的重要指标。适当使用着色剂、护色剂、漂白剂、食用香料以及乳化剂、增稠剂等食品添加剂,可明显改善食品的感官性状,满足人们的不同需要。

(3)保持或提高食品的营养价值：适当添加食品营养强化剂,可以大大提高食品的营养价值,这对防止营养不良、促进营养平衡、提高人们的健康水平具有重要意义。

(4)增加食品的品种和方便性：在生产过程中,一些色、香、味俱全的产品,大都不同程度地添加了着色剂、增香剂、调味剂甚至其他食品添加剂。正是这些众多的食品,尤其是方便食品(如即食食品、速冻食品等)的供应,给人们的生活和工作带来极大的方便。

(5)利于食品加工：某些食品添加剂有利于食品加工,适应生产的机械化和自动化。在食品加工中使用消泡剂、助滤剂、稳定剂和凝固剂等,可有利于食品的加工操作。例如,当使用葡萄糖酸δ内酯作为豆腐凝固剂时,有利于豆腐生产的机械化和自动化。

(6)满足其他特殊需要：食品应尽可能满足人们的不同需要。例如,糖尿病病人不能吃食用糖,则可用无营养的甜味剂或低热能甜味剂,如三氯蔗糖或天门苯丙冬酰苯丙酸甲酯制成无糖食品。

3. 食品添加剂的卫生要求

(1)严格执行我国食品添加剂使用的卫生标准,严格控制食品添加剂使用的品种、范围与剂量,以保证其在限量内长期使用对人体安全无害。

(2)不影响食品感官和理化性质,对食品营养成分无破坏作用。

(3)食品添加剂应有严格的卫生标准和质量标准,其有害杂质含量不得超过最高允许限量。

(4)食品添加剂在达到一定使用目的后,经加工、烹调或储存,能被破坏或排除。

(5)不得使用食品添加剂掩盖食品的缺陷(如腐败、变质)或作为伪造的手段,不得使用非定点生产厂、无生产许可证及污染或变质的食品添加剂。使用食品添加剂的目的在于减少消耗、改进储存条件、简化工艺,但不能因使用添加剂而降低对加工措施和卫生的要求。

(6)婴幼儿食品除按规定可以加入的食品强化剂外,其他各种添加剂或甜味剂、香精、色素、防腐剂、漂白剂、膨松剂等一律不得使用。婴儿代乳品亦不得使用添加剂。

(7)食品添加剂在应用中应有明确的检验方法。

一些不法商人经常将非食用物质加入食品中,以谋取利益。为避免健康受到危害,现将非食用物质名单列出(见表14-2),以便鉴别与监督。

表14-2　食品中可能违法添加的非食用物质(卫生部,2009)

序号	名称	主要成分	可能添加的主要食品类别	主要作用
1	吊白块	次硫酸钠甲醛	腐竹、粉丝、面粉、竹笋	增白、保鲜、增加口感
2	苏丹红	苏丹红Ⅰ	辣椒粉	着色
3	块黄	碱性橙Ⅱ	腐皮	着色
4	蛋白精	三聚氰胺	乳及乳制品	提高氮含量
5	硼酸与硼砂	腐竹、肉丸、凉粉、凉皮、面条、饺子皮	增筋	
6	硫氰酸钠	乳及乳制品	保鲜	
7	玫瑰红B	罗丹明B	调味品	着色
8	美术绿	铅铬绿	茶叶	着色
9	碱性嫩黄	豆制品	着色	
10	酸性橙	卤制熟食	着色	
11	工业用甲醛	海参、鱿鱼等干水产品	改善外观与质地	
12	工业用火碱	海参、鱿鱼等干水产品	改善外观与质地	
13	一氧化碳	水产品	改善色泽	
14	硫化钠	味精		
15	工业硫黄	白砂糖、辣椒、蜜饯	漂白、防腐	
16	工业染料	小米、玉米粉、熟肉制品等	着色	
17	罂粟壳	火锅	成瘾作用	
18	皮革水解物	皮革消解蛋白	乳及乳制品	增加蛋白含量
19	溴酸钾	溴酸钾	麦粉	增筋
20	金玉兰酶制剂	β-内酰胺酶	乳及乳制品	掩蔽抗生素
21	富马酸二甲酯	富马酸甲酯	糕点	防腐、防虫

(三)食物中毒

1. "食物中毒"的概念　食物中毒是指正常人经口摄入正常数量"可食状态的食品"出现的以急性中毒为主要表现的疾病。食物中毒不包括暴饮暴食引起的急性胃肠炎、食源性肠道传染病和寄生虫病,也不包括进食者本身有胃肠疾病或因过敏体质等摄入食物后发生的疾病,以及有毒食物导致的慢性毒性损害与"三致"作用。

2.食物中毒的原因

(1)食物被某些病原微生物污染,并在适宜条件下大量繁殖或产生毒素,如沙门菌属食物中毒。

(2)食物在生产、加工、运输、储存过程中被有毒化学物质污染,并达到了急性中毒剂量,如农药、砷污染等。

(3)食物本身含有有毒物质,由于加工、烹调方法不当,未去除有毒物质,如木薯、四季豆等中毒;或因食物储存不当而产生了有毒物质,如发芽马铃薯、酸败油脂等。

(4)有毒动植物与可食食物混淆,人误食后可发生食物中毒,如毒蕈、河豚等中毒。

3.食物中毒的特点　虽然食物中毒的原因不同、发病情况多样、症状各异,但一般都具有以下共同特点:

(1)潜伏期短,发病急:一般从几分钟到几小时,在短期内很快形成发病高峰,呈暴发流行。

(2)临床表现相似:中毒患者有类似的临床表现,以胃肠炎症状为主。

(3)有共同的饮食史:发病者均与某种食物有明确的关系,近期内都食用过共同的食物。

(4)人与人之间不直接传染:发病者对健康人无传染性,停止食用有毒食品,发病很快停止。发病曲线呈突然上升又迅速下降的趋势,无传染病流行的余波。

(5)有明显的季节性:细菌性食物中毒多发于夏秋季,肉毒中毒和亚硝酸盐中毒多发于冬春季;河豚毒素中毒多发生于春季等。

4.食物中毒的分类　常见的食物中毒包括以下4类:

(1)细菌性食物中毒:这是指食用被致病菌或其毒素污染的食物而引起的急性或亚急性食物中毒,常见的致病菌有沙门菌、副溶血性弧菌、肉毒梭状芽胞杆菌等。

(2)真菌及其毒素食物中毒:这是指食用被产毒真菌及其毒素污染的食物而引起的食物中毒,如黄曲霉毒素、赤霉病麦、霉变甘蔗、黄变米等引起的食物中毒。

(3)化学性食物中毒:这是指误食有毒化学物质或食用被其污染的食物而引起的食物中毒,如亚硝酸盐、农药、金属及其化合物等引起的食物中毒。

(4)有毒动植物中毒:这是指误食有毒动植物或摄入因加工、烹调不当而未去除有毒成分的动植物而引起的食物中毒,如河豚、苦杏仁、毒蕈、木薯、四季豆、发芽马铃薯等引起的食物中毒。

5.细菌性食物中毒　细菌性食物中毒是指因摄入被致病菌或其毒素污染的食品而引起的急性或亚急性食物中毒,是食物中毒中最常见的,全年都可发生,但以夏秋较多。下文以沙门菌属食物中毒和大肠埃希菌食物中毒为例进行介绍,其他见表14-3。

(1)沙门菌属食物中毒:沙门菌属食物中毒是最常见的食物中毒之一。

①病原。沙门菌属为具有鞭毛、能运动的革兰阴性杆菌。其种类繁多,有2300多个血清型,其中,可引起食物中毒的有鼠伤寒沙门菌、猪霍乱沙门菌、肠炎沙门菌等。沙门菌属在外界生存力较强,在水中可生存2～3周,在粪便和冰水中可生存1～2个月,在冰冻土壤中可过冬,在含盐12%～19%的咸肉中可存活75天,在100℃条件下经5分钟可被杀死。水经氯化消毒5分钟可杀灭其中的沙门菌。沙门菌属不分解蛋白质,被污染的食品无感官性

状的变化,易被忽视。

②流行特点。沙门菌属食物中毒全年皆可发生,多见于夏季。

③污染来源。引起中毒的食品主要是动物性食品。沙门菌污染肉类食品的来源有2方面:一是宰前感染,家畜在宰前已感染沙门菌或动物在宰前由于过度疲劳、消瘦以及患有其他疾病而抵抗力降低,肠内原有的沙门菌就可通过血液系统进入肌肉和内脏,使肌肉和内脏含有大量活菌;二是宰后污染,家畜在宰杀后其肌肉、内脏接触粪便、污水、容器或带菌者而感染沙门菌。此外,蛋类可因家禽带菌而感染,一般鸭蛋的带菌率为30%;水产品可因水体污染而带菌;带菌的牛羊所产的奶中亦可有大量沙门菌,因此,鲜奶和奶制品如果消毒不彻底,也可引起沙门菌属食物中毒。

④临床表现。沙门菌属食物中毒的临床表现有不同类型,包括胃肠炎型、类霍乱型、类伤寒型、类感冒型和败血症型,其中,以急性胃肠炎型多见。其潜伏期一般为12~24小时。病人开始表现为头痛、恶心、呕吐,然后出现腹痛、腹泻,粪便呈黄绿色水样,有时有恶臭,带脓血和黏液;多数病人体温可达38℃以上,重者有寒战、惊厥、抽搐和昏迷;病程为3~7天,一般预后良好。

(2)大肠埃希菌食物中毒:大肠埃希菌食物中毒是近年来新发现的严重食物中毒。自1982年O157:H7在美国首次被分离并确认为食物中毒新型致病菌以来,此类食物中毒在世界范围内屡屡发生,造成了严重危害。

①病原。大肠埃希菌为埃希菌属,俗称"大肠杆菌",属革兰阴性杆菌,该菌属在自然界中生存力很强,能在土壤、水中存活数月。大肠埃希菌存在于人和动物的肠道中,是人和动物肠道中的正常菌群,一般不致病。也有少数菌株能直接引起肠道感染,称"致病性大肠埃希菌"。其中,大肠埃希菌O157:H7被认为是20世纪90年代最重要的食源性病原菌之一。

②流行特点。该食物中毒好发于夏秋季。

③污染来源。大肠埃希菌食物中毒主要是由动物性食品引起,如畜肉类及其制品、禽肉、蛋类、奶类及其制品。

④临床表现。不同致病性埃希菌有不同的致病机制,其临床表现也不同。肠致病性大肠埃希菌具有很强的传染性,可引起暴发流行,也可引起成人腹泻,是婴儿流行性腹泻的重要病原菌,可引起婴儿肠炎、夏季腹泻及婴儿霍乱。肠产毒性大肠埃希菌是许多发展中国家儿童及旅游者腹泻的常见病原菌,可产生大量肠毒素,病人有水样便,伴有恶心、腹痛、发热等症状。肠侵袭性大肠埃希菌具有侵袭性,在侵入人体肠黏膜上皮细胞后可迅速繁殖,破坏肠黏膜及其基底膜,出现黏膜溃疡,病人主要表现为血便、脓性黏液血便,在里急后重、发热等方面与痢疾杆菌引起的疾病样腹泻相似。肠出血性大肠埃希菌可引起出血性结肠炎,病人主要表现为突发性剧烈腹痛、腹泻,先为水样便,后为血便,甚至全为血水,重者可出现溶血性尿毒症,病死率为3%~5%。

表14-3 几种细菌性食物中毒的特点

名称	流行季节与潜伏期	主要中毒食物	主要临床表现
变形杆菌属食物中毒	多见于夏秋季节,潜伏期为2~30小时	水产品、凉菜、剩菜、豆制品等	恶心、呕吐、头晕、头痛、乏力、阵发性剧烈腹痛

续表

名称	流行季节与潜伏期	主要中毒食物	主要临床表现
葡萄球菌肠毒素食物中毒	多见于夏秋节,潜伏期为2~6小时	乳类及乳制品、肉类及剩菜等	剧烈恶心、反复呕吐,可有上腹痛及水样便
副溶血性弧菌食物中毒	夏秋季节常见,沿海多发,潜伏期为1~10小时	海产品、咸菜	上腹部阵发性绞痛,继而出现洗肉水样便,每日可达20次
志贺菌食物中毒	夏秋季节多见	熟食	类似菌痢样症状,粪便带有血液和黏液
肉毒梭菌毒素食物中毒	多见春季,潜伏期为6小时~10天	家庭自制发酵食品	以对称性脑神经受损症状为主,胃肠道症状少见

6.非细菌性食物中毒 食入有毒的动物性和植物性食品引起的食物中毒称"有毒动植物中毒",多见于以下3种情况:某些动植物在外形上与食品相似,但含有天然毒素,如河豚引起的食物中毒;某些动植物食品由于加工处理不当,没有去除或破坏有毒成分,如苦杏仁、未煮熟的豆浆等引起的食物中毒;保存不当产生毒素,如发芽马铃薯产生的龙葵素引起的食物中毒。有毒动植物导致的食物中毒一般发病快,无发热等感染症状,按中毒食品的性质有较明显的特征性症状,通过对进食史的调查和食物形态学的鉴定较易查明中毒原因。

因食用被化学物质污染的食品或误食化学物质而引起的食物中毒称"化学性食物中毒"。近年来,随着化学工业的迅速发展,毒物品种不断增加。化学性食物中毒一旦发生,其潜伏期短、病死率高,后果十分严重,最常见的化学性食物中毒是亚硝酸盐食物中毒。

常见的非细菌性食物中毒如下:

(1)河豚中毒:河豚是一种味道鲜美但含剧毒的鱼类,在淡水、海水中均能生活,我国沿海及长江下游均有出产。

①有毒成分。其有毒成分为河豚毒素,主要存在于河豚的内脏、血液及皮肤中,其中,以卵巢毒性最大,肝脏次之。每年春季为河豚生殖产卵期,毒性最强,食之最易引起中毒。河豚毒素为无色针状结晶,微溶于水,易溶于稀醋酸;对热稳定,220℃以上方可分解;盐腌或日晒不能破坏,但当pH>7时可被破坏。

②中毒机制。河豚毒素是一种神经毒素,可使末梢神经和中枢神经发生麻痹。中毒机制为降低细胞膜对钠离子的通透性,阻断神经兴奋的传导。病人首先出现感觉神经麻痹,然后是运动神经麻痹,出现外周血管扩张、动脉压急剧下降,最后出现呼吸中枢和血管中枢麻痹。

③临床表现与急救治疗。河豚中毒的特点为发病急速而剧烈,潜伏期为10分钟~3小时。病人早期有手指、舌、唇刺痛,然后出现恶心、发冷、口唇及肢端知觉麻痹,后发展至四肢肌肉麻痹、瘫痪,逐渐失去运动能力,以致呈瘫痪状态。心血管系统出现心律失常、血压下降,病人晚期因呼吸中枢和血管运动中枢麻痹而死亡。目前尚无特效解毒剂,应尽快排出毒物,给予对症处理。

(2)毒蕈中毒:蕈即蘑菇,已知毒蕈有80多种,剧毒的有10多种。人常因误食毒蕈而中毒,其中毒症状复杂,如不及时抢救,病死率较高。

①有毒成分及中毒机制。毒蕈的有毒成分较复杂,其毒性主要是由其含有的毒素所致。

②临床表现。根据毒蕈的毒素成分、病人的中毒症状可分为以下4型:

胃肠炎型,其潜伏期为10分钟~6小时,主要症状为剧烈恶心、呕吐、腹痛、腹泻等,经过适当对症处理可迅速恢复。病程为2~3天,预后好。其毒性成分可能是类树脂物质、吡啶或毒蕈酸等。

神经精神型。其中毒症状除胃肠炎外,主要表现为副交感神经兴奋症状,可引起多汗、流涎、流泪、瞳孔缩小、缓脉等,重者有神经兴奋、精神错乱和精神抑制等。引起中毒的毒素有毒蝇碱、蟾蜍素和致幻觉原等。此型中毒用阿托品类药物及时治疗,可迅速缓解症状。

溶血型。潜伏期为6~12小时,除急性胃肠炎症状外,病人可有贫血、黄疸、血尿、肝脾肿大等溶血症状,严重者可致死亡,其毒性成分是鹿蕈素、马鞍蕈毒等。病人应给予肾上腺皮质激素治疗,可很快控制病情。

脏器损害型。依病情发展可分为潜伏期、胃肠炎期、假愈期、内脏损害期、精神症状期及恢复期。此型主要由毒伞七肽、毒伞十肽等毒素引起,该毒素耐热、耐干燥,一般烹调加工不能被破坏,病人在发病后2~3天出现肝、肾、脑、心等内脏损害,以肝损害最严重,可出现肝肿大、黄疸、转氨酶升高,严重者出现肝坏死、肝性脑病,侵犯肾脏时可出现少尿、无尿或血尿,出现尿毒症、肾衰竭。此型病死率高。

(3)含氰苷类食物中毒:含氰苷类食物中毒是指因苦杏仁、桃仁、枇杷仁和木薯等含氰苷类食物而引起的食物中毒。

①有毒成分及中毒机制。含氰苷类食物中毒以苦杏仁中毒较为多见,其有毒成分为氰苷。氰苷在体内水解,可释放出氰离子,氰离子与体内多种酶结合,尤其是与细胞色素氧化酶结合,使其不能传递电子,导致组织呼吸不能正常进行,氧气不能被组织细胞利用,机体由于缺氧而陷入窒息状态。

②临床表现与急救治疗。潜伏期一般为1~2小时。病人的主要症状为口内苦涩、流涎、恶心、呕吐、心悸、头晕、头痛及四肢软弱无力,随组织缺氧加重,病人表现为呼吸困难,并可闻及苦杏仁味。重者意识不清,呼吸急促、微弱,出现全身阵发性痉挛,最后因呼吸麻痹或心跳停止而死亡。病人临床症状凶险,可在很短的时间内死亡。中毒病人应立即吸入亚硝酸酯,相继静脉注射亚硝酸钠和硫代硫酸钠。

(4)含亚硝酸盐食物中毒:硝酸盐广泛存在于自然界中,在一定条件下可以引起中毒。

①中毒原因。硝酸盐在某些微生物硝基还原酶的作用下,可转化为亚硝酸盐,随同食物进入人体,引起中毒。如腌制不充分的咸菜、存放过久的蔬菜,其亚硝酸盐含量会增高。加工咸肉、腊肠、火腿等食品时,有时为了使肉色鲜红而加入亚硝酸盐,如用量过多,也可造成中毒。误将硝酸盐或亚硝酸盐当作食盐食用也可引起中毒。个别地区的井水含有较多的硝酸盐,当用此水煮粥或制作食物并存放过久,食物中亚硝酸盐含量也会增多。

②中毒机制。亚硝酸盐进入血液后,血红蛋白中二价铁离子被氧化为三价铁离子,血红蛋白因变为高铁血红蛋白而失去携氧能力,引起组织缺氧、发绀。人体摄入0.3~0.5g亚硝酸盐可引起中毒,3g可引起死亡。

③临床表现及急救治疗。该病潜伏期较短,如误食纯亚硝酸盐引起的中毒,10小时左

右发病;大量食用不新鲜的甚至腐烂的蔬菜所致中毒,潜伏期为 1~3 小时。病人主要症状为口唇、指甲以及全身皮肤出现发绀等组织缺氧表现,并有头晕、头痛、心率加速、嗜睡、烦躁不安、呼吸急促等症状。严重中毒者起病急、发展快、病情重,若不及时抢救治疗,可因呼吸困难、缺氧窒息或呼吸麻痹、循环衰竭而亡。采用还原物质,促使高铁血红蛋白还原成血红蛋白是治疗的关键,如使用小剂量的特效解毒剂亚甲蓝,可合用维生素 C。其他非细菌性食物中毒见表 14-4。

表 14-4 几种动植物食物中毒的特点

名称	有毒成分	主要临床表现	急救处理	预防措施
鱼致组胺中毒	组胺	潜伏期为数分钟至数小时,病人面部、胸部乃至全身皮肤潮红,眼结膜充血,头痛,胸闷,血压下降,心率加快	采用抗组胺药及对症治疗	禁止出售与食用腐败变质的鱼类
含氰苷类食物中毒	氰苷	口苦、流涎、恶心、呕吐,重者出现呼吸困难及呼吸不规律	洗胃并用亚硝酸异戊酯、亚硝酸钠和硫代硫酸钠综合治疗	不食苦杏仁,木薯去毒

7. 食物中毒的预防措施

(1)细菌性食物中毒的预防:预防细菌性食物中毒,主要采取以下几项措施:

①防止污染。认真贯彻执行《食品卫生法》,加强肉食的卫生管理,特别是加强夏秋季节肉食和肉制品的卫生监督。做好牲畜宰前、宰后的兽医卫生检疫,禁止病死或死因不明的禽畜肉上市。食品企业、饮食行业、集体食堂应做到生熟分开,严格防止交叉污染,食具要严格消毒,一切食物应以新鲜为原则,烧熟煮透,做好食物保藏,消灭苍蝇、老鼠。食品从业人员要进行定期体检,按规定进行带菌检查和卫生知识培训,养成良好的卫生习惯,严格遵守饮食行业和个人卫生制度。

②控制细菌繁殖。为控制细菌繁殖及外毒素的形成,食品应低温保存或冷藏。绝大部分致病菌生长繁殖的最适温度为 20~40℃,在 10℃以下繁殖减弱,低于 0℃多数细菌不能繁殖。用盐渍的方法也能控制细菌繁殖及形成毒素,一般加盐量为 10%。

③杀灭病原菌和破坏毒素。加热能杀灭沙门菌属细菌,其效果取决于许多因素,如加热方法、食品的体积和食品污染的程度等。为了彻底杀灭肉类中可能存在的沙门菌属细菌,应使肉块深部温度至少达 80℃,并持续 12 分钟;蛋类须煮沸 8~10 分钟。发酵食品用的原料应先经高温灭菌,食用前还应再加热。对可能形成葡萄球菌肠毒素的食品,须经 100℃加热 2 小时后方可食用。蒸煮蟹虾时,须经 100℃加热 30 分钟,可杀灭副溶血性弧菌。罐头食品的生产应严格执行灭菌操作规程。

(2)非细菌性食物中毒的预防:预防非细菌性食物中毒主要通过以下措施来完成:

①加强宣传,防止误食。加强宣传河豚有毒的知识,禁止河豚上市销售或水产部门集中对河豚进行加工。为防止毒蕈中毒,根本的措施是不要采摘和食用自己不能识别的蘑菇。要防止误食农药拌过的种子,不要误把砷化物、亚硝酸盐当食盐用或误将钡盐当明矾使用。

②防止食品污染。在食品生产、加工、运输、储存、销售过程中,防止化学毒物污染食品。加强农药管理,对成熟期的粮食作物、果树的病虫害不得使用剧毒农药喷洒。

8. 食物中毒的调查和处理

(1)食物中毒的调查：组织流行病学专家展开调查，明确临床诊断，采取措施及时进行处理，其具体步骤如下：

①了解中毒发生的时间及经过、中毒人数及严重程度，初步确定引起中毒的可疑食品。详细询问中毒病人在发病当天与前两天所吃食物，筛出全部病人均吃而健康者未吃过的食品并确定可疑食品；在初步确定可疑食物的基础上封存一切剩余的可疑食品，禁止出售或食用；确定膳食供应范围和用膳人员的名单；调查炊事人员的健康状况。

②查明病人的发病时间及主要临床表现，积极抢救、治疗病人，促使毒物尽快排出，并采取对症处理和特效治疗。如病人食入毒物不久，可催吐、洗胃；食入毒物时间长者可用导泻、灌肠的方法。如病人已有剧烈呕吐与腹泻或消化道损伤，则不宜进行上述处理。

③对剩余的可疑食品、病人的吐泻物及其他可疑物品应及时采样送检。采样时被检样品的质量固体为100～150g，液体为100～150 mL。采样后应避免食品发生变质和再污染，细菌样品应在无菌条件下采样并在低温下保存运送，挥发性样品更应注意密封，样品中不得加入防腐剂。根据中毒症状及可疑原因提出检验重点和目的，力求缩小检验范围。

(2)食物中毒的处理：食物中毒发生后，应积极妥善处理病人，以老幼重症病人为抢救重点，力争避免死亡。同时，应做到：

①立即向当地卫生防疫部门报告。报告应包含中毒时间、地点、人数、发病经过和主要表现、涉及范围、发展趋势、引起中毒的食品、已经采取的措施和需要解决的问题。

②立即封存可疑食物。已封存食品未经卫生部门或专业人员许可，不得解除封存。针对原因进行现场处理，如销毁剩余食品、对厨房食具进行消毒，将传染病病人及带菌者、患有化脓性皮肤病的炊事人员暂时调离饮食业岗位，积极治疗疾病。

③追究相关当事的责任，总结经验教训。卫生部门在追究引起中毒的当事人的法律责任之外，应重视卫生宣传与指导工作，并提出具体改进意见和措施；针对中毒原因总结经验教训，制定严格的卫生制度和预防措施。食物中毒的诊断主要以流行病学调查资料、中毒病人的临床表现为依据，并经过必要的实验室诊断确定中毒原因。一旦发生食物中毒事件，应及时进行认真调查，查明原因，提出改进措施，以免同类事件再次发生。

第四节　生产环境与健康

劳动也是人类增进健康的必需条件之一，但是在不良的劳动条件下，可使人类健康受到损害。对职业性有害因素进行识别、评价和控制是劳动卫生的首要任务，可以达到保护和促进劳动者的健康、提高生产力、保障工农业生产顺利进行的目的。

在生产过程中，生产环境对职业人群的健康有很大的影响。生产环境中所存在的各种自然和社会因素都会影响劳动条件，适宜的劳动条件可提高劳动能力，而不良的劳动条件对劳动者的健康则产生损害，使其劳动能力下降，导致疾病的产生。想要预防和控制不良劳动条件对劳动者的危害，就要对生产环境与健康之间的关系加以研究。

一、职业性有害因素与职业损伤

（一）职业性有害因素

职业性有害因素又称"生产性有害因素"，是指在生产环境和过程中存在和产生的可能危害职业人群健康和劳动能力的各种因素。这些因素在一定的条件下可损害劳动者的健康。职业性有害因素包括以下3个方面：

1. 生产环境中的有害因素　这些有害因素主要包括厂房建筑布局不合理，如狭小和采光照明不足；缺少应有的卫生防护措施，如除尘、通风、降温、隔音措施等。

2. 生产工艺过程产生的有害因素　生产工艺是指由原材料加工到成品的整个过程。在此过程产生的有害因素可分为3类：

(1) 化学性因素：化学性因素有生产性毒物，如铅、苯、汞、一氧化碳、有机磷农药等；生产性粉尘，如二氧化硅粉尘、煤尘、金属尘及有机粉尘等。

(2) 物理性因素：例如，高温、低温、高气压、低气压、高气湿、振动、噪声、电离辐射和非电离辐射等。

(3) 生物性因素：生物性因素是指具有传染性或过敏性的生物体，如致病微生物、动植物及其制品等。

3. 劳动过程中的有害因素　劳动过程中的有害因素包括劳动组织与劳动制度不合理、长时间从事单一操作、劳动节奏过快、长时间处于强迫体位或使用不合理工具设备等，均可造成劳动者精神、个别器官及系统过度紧张等。

（二）职业损伤

职业损伤是指人在生产劳动条件下，因各种原因而导致的职业性伤害，可分为3类：

1. 外伤　外伤主要是由于生产设备本身有缺陷、个人防护意识较差或防护缺乏、劳动组织不合理或制度不健全、操作环境不良等因素而造成的。外伤轻重不等，重者可导致劳动者死亡或严重残疾。

2. 职业病　当劳动者受职业危害作用的强度与时间超过一定限度，机体不能代偿，所造成特定的功能和器质性病理改变，出现相应的临床表现，在一定程度上影响到劳动能力，称"职业病"。

3. 工作相关疾病　工作相关疾病也称"职业性多发病"，主要是由于生产环境中存在的一些因素所致的病损，或虽然原为非职业性疾病，但劳动者接触职业危害后病情加剧或发病率增高。

二、生产性毒物与职业中毒

（一）生产性毒物

在一定条件下，摄入较小剂量即可引起生物体功能性或器质性损害的化学物质称"毒物"。生产性毒物系指在生产中使用、接触的能使人体器官组织功能或形态发生异常改变而引起暂时性或永久性病理变化的物质。生产性毒物主要来自生产原料、中间产物、成品和废气、废水、废渣等。

1. 生产性毒物存在的形式与形态　常见的生产性毒物有金属及类金属、有机溶剂、刺激性气体和窒息性气体、农药、苯的氨基和硝基化合物、高分子化合物等，以固体、液体、气体、蒸气、粉尘、烟、雾等多种形态出现。

2. 生产性毒物进入人体的途径　生产性毒物在生产过程中主要经呼吸道、皮肤进入人体，亦可经消化道进入。通常情况下，呈气体、蒸汽、气溶胶状态的毒物可经呼吸道进入人体。进入呼吸道的毒物通过肺泡直接进入体循环，不经过肝脏的解毒作用，其毒性大、作用快，多数职业中毒是毒物由此途径进入体内而引起的。在生产过程中，毒物经过皮肤引起中毒的比较常见，某些毒物可透过完整的皮肤而进入体内：一种是通过表皮屏障到达真皮，进入血液循环；另一种是通过汗腺，或通过毛囊与皮脂腺，绕过表皮屏障到达真皮，毒物经过皮肤吸收后也不经肝脏而直接进入体循环。生产性毒物经过消化道进入体内的事例很少见，可由于个人卫生习惯原因或发生意外时经过消化道进入体内。

(二) 常见的职业中毒

以铅和苯中毒为例，具体说明生产性毒物存在的形式与形态、进入人体的途径、毒性作用、临床表现以及治疗与预防。

1. 铅中毒　铅是一种略呈银灰色的软金属，易溶于弱酸，加热到 400~500℃ 时即有大量的铅蒸气逸出，很快凝集成铅烟，散布于生产环境中。职业接触主要有铅锌矿的开采及冶炼；蓄电池及颜料工业的溶铅和制粉；含铅油漆的生产与使用；制造铅板、铅管、电缆和放射防护材料等。

(1) 铅进入人体的途径：存在于生产环境中的铅，主要以铅烟、铅尘或铅蒸气形式经呼吸道进入人体，其次为消化道，一般不能经完整的皮肤吸收。

(2) 铅的毒性作用：首先是卟啉代谢障碍，导致血红蛋白合成障碍，这是铅中毒较早和重要的变化，病人表现为贫血；其次，铅可直接作用于红细胞，使其脆性增加，细胞膜崩溃而溶血，从而加重贫血，并可作用于血管，引起血管痉挛，导致腹绞痛、"铅容"或视网膜小动脉痉挛，同时对神经系统有较大的影响，使大脑皮质兴奋和抑制的正常功能发生紊乱，或对神经鞘细胞产生毒性作用，引起神经纤维节段性脱髓鞘，导致腕下垂。

(3) 铅中毒的临床表现：职业性铅中毒多为慢性中毒，主要以神经系统、消化系统和造血系统的症状为主。

① 神经系统。常见症状有神经衰弱综合征，这是铅中毒的早期症状，病人常出现头晕、头痛、肌肉关节酸痛、失眠、记忆力下降等症状。周围神经炎主要表现为感觉型、运动型和混合型症状，如肢端麻木，呈手套或袜套样感觉障碍，握力减退，继之伸肌无力，重者出现伸肌瘫痪，即腕下垂。严重铅中毒病人可出现中毒性脑病。

② 消化系统。病人口内有金属味，齿龈可见蓝色铅线，有食欲不振、恶心、腹胀、腹隐痛、腹泻或便秘的临床症状。腹绞痛见于较重病例急性发作，有其自身的特点，需要与其他急腹症相鉴别。

③ 造血系统。病人出现"铅容"和贫血：面部及肢端呈灰白色，贫血多属轻度低血红蛋白

性正常细胞性贫血,周围血中可见点彩红细胞、网织红细胞及碱粒红细胞增多。

(4)治疗和预防:

①驱铅治疗和对症治疗。首选驱铅药物为依地酸二钠钙。此外,还应对症治疗。在铅绞痛发作时,可静脉注射葡萄糖酸钙或皮下注射阿托品,以缓解铅绞痛。病人要适当休息,合理营养,补充维生素。

②预防。预防的关键在于消除和控制铅的发生源,如用无毒或低毒物质代替铅;降低车间空气中的铅浓度;加强个人防护,做好定期检查。铅作业人员应穿工作服,戴滤过式防铅烟、铅尘的口罩。定期测定车间空气中的铅浓度,检修设备。每半年企业应对员工进行一次健康检查,以早发现、早诊断、早治疗。

2.苯中毒 苯为芳香烃类化合物,有特殊芳香气味,常温下为油状液体,沸点为80.1℃,极易挥发,易溶于乙醇、乙酸及丙酮等有机溶剂。苯广泛应用于工业生产,其主要接触作业有煤焦油分馏、石油裂解生产苯及其同系物,或作为化工原料、溶剂及稀释剂等。

(1)苯进入人体的途径:苯主要以蒸气状态经呼吸道进入人体,液态苯也可以经皮肤吸收。

(2)临床表现:

①急性苯中毒。急性苯中毒是由于人短时间内吸入大量苯蒸气所致,以神经系统的损害为主。轻者表现为兴奋、面部潮红、眩晕等类似酒醉状态,中毒进一步发展,可出现头晕、恶心、呕吐、步态不稳,直至意识丧失、血压下降,严重者可因呼吸和循环衰竭而死亡。

②慢性苯中毒。慢性苯中毒以造血系统损害为主,早期表现为白细胞总数降低和中性粒细胞减少,中期出现血小板减少,伴有皮肤、黏膜出血和紫癜,严重者出现全血细胞减少或再生障碍性贫血,甚至白血病。

③局部作用。中毒者皮肤可因脱脂而变得干燥、脱屑、皲裂以及出现过敏性湿疹。

(3)治疗和预防:

①急性苯中毒病人应立即脱离中毒现场,可将其转移至有新鲜空气的地方,脱去被污染的衣服,清除皮肤体表污染物。可静脉注射大剂量维生素C和葡萄糖醛酸,忌用肾上腺素。慢性苯中毒可采用中西医结合方法治疗,重点是恢复造血功能。再生障碍性贫血、白血病的治疗原则与内科治疗相同。

②采取综合性预防措施。措施包括以无毒、低毒物质代替苯、改革生产工艺、加强通风排毒等。

(三)职业中毒

职业中毒是指在生产劳动中,劳动者接触毒物而引起的中毒。根据接触时间和剂量,可将职业中毒分为急性、亚急性和慢性3种。毒物一次或短时间内大量进入人体后引起的中毒称"急性中毒"。长期小量毒物进入人体所引起的中毒称"慢性中毒"。介于两者之间,在较短时间有较大剂量毒物进入人体而引起的中毒,称"亚急性中毒"。

1.职业中毒的临床表现 由于毒物作用特点不同,所以毒物的急、慢性中毒在临床上的表现也不同。职业中毒的临床表现主要有以下几个方面:

(1)神经系统:慢性中毒早期常见神经衰弱综合征和精神症状,病人在脱离毒物接触后可逐渐恢复。毒物可损伤运动神经、感觉神经或混合神经,引起周围神经病,常见于砷、铅等中毒。震颤为锰中毒及一氧化碳中毒后损伤锥体外系导致的症状。重症中毒者可发生中毒性脑病及脑水肿。

(2)血液系统:许多毒物能对血液系统造成损害,常表现为贫血、出血、溶血、高铁血红蛋白血症等。如铅可抑制卟啉代谢过程中的巯基酶而影响血红蛋白的合成,临床上常表现为低血红蛋白性贫血。苯可抑制骨髓造血功能,表现为白细胞和血小板减少,甚至全血减少,导致再生障碍性贫血,甚至白血病。砷化氢可引起急性溶血,病人出现血红蛋白尿。亚硝酸盐类及苯的氨基、硝基化合物可引起高铁血红蛋白血症。一氧化碳中毒者可发生碳氧血红蛋白血症,出现组织缺氧。

(3)呼吸系统:许多气体对人体有较大的危害作用。一次大量吸入某些气体可突然引起窒息;而长期吸入刺激性气体,无论剂量大小,都有可能引起慢性呼吸道炎症,还有可能导致鼻炎、鼻中隔穿孔、咽炎、喉炎、气管炎、支气管炎等上呼吸道炎症。此外,吸入大量刺激性气体还可引起严重的呼吸系统疾病,如化学性肺水肿和化学性肺炎。某些毒物可导致哮喘发作,如二异氰酸甲苯酯。长期接触某些刺激性气体可引起肺纤维化、肺气肿,导致气体交换障碍、呼吸功能衰竭,严重危及劳动者的健康。

(4)消化系统:大部分毒物都会对消化系统产生较大的危害,而不同的毒物所致消化系统症状也多种多样,这是由毒物作用的特点所决定的。由于毒物作用特点不同,所以可出现急性胃肠炎(见于汞盐、三氧化二砷等经口急性中毒)、腹绞痛(见于铅及铊中毒)、牙齿炎、牙龈色素沉着、牙酸蚀症、氟斑牙等。许多亲肝性毒物,如四氯化碳、三硝基甲苯等,可引起急性或慢性肝病。在临床上,急性肝病的表现和急性传染性肝炎常常难以鉴别,但中毒性肝病往往具有以下特点:发病前有明显的大量毒物接触史;具有明显的急性中毒症状,呈暴发趋势;全身中毒症状消失后,肝病多能迅速痊愈,病程较短。

(5)泌尿系统:中毒者的泌尿系统以中毒性肾病为主要表现。汞、镉、铀、铅、四氯化碳、砷化氢等可能引起肾损害,病人常见的临床症状有急性肾衰竭、肾病综合征、肾小管综合征等。

2.职业中毒的预防　生产性毒物种类繁多、影响面积大,因此,预防职业中毒必须采取综合措施,从根本上解决问题,同时,又要重视辅助性措施。根据防毒措施的作用可归纳为4个方面:

(1)消除毒物:从生产工艺流程中消除毒物,用无毒和低毒物质代替有毒物质,是最理想的防毒措施。例如,在电镀行业中广泛用无氰电镀法镀锌、镀铜,不仅消除了工人接触含氰化合物机会,而且可以防止废水污染,减轻毒物造成的危害。

(2)降低毒物浓度:降低空气中的毒物浓度,使之达到甚至降低至最高容许浓度,是预防职业中毒的中心环节。具体包括3个方面的措施:消除工人接触毒物的机会;对溢出的毒物要及时清除,控制其扩散,对散落在地面的毒物也要彻底清除;缩小毒物波及范围。降低毒物浓度的主要措施有:

①技术革新与工艺改进。采用先进技术和工艺流程,以减轻劳动强度,避免开放式生产,消除毒物逸散的条件。

②通风排毒。采用通风的方法将逸散的毒物排出,是预防职业中毒的重要辅助措施。

例如,根据实际情况可采取消毒柜、排毒罩、槽边吸风和下吸式排毒等不同装置。经过通风排出的废气,要加以净化回收、综合利用。

③建筑布局卫生。不同生产工序的布局,不仅要满足生产上的需要,而且要考虑卫生上的要求。例如,有毒物逸散的作业,应设在单独的房间内;可能发生剧毒物质泄漏的生产设备应隔离;地面墙壁要光滑、无缝隙,以便清洗、收集、处理散落的毒物。

(3) 个人防护:做好个人防护与个人卫生,对于预防职业中毒起着非常重要的作用,如选择和使用防护服、防护面具及个人卫生设施等。

(4) 增强体质:鼓励员工参加业余活动,适当开展体育锻炼,保证夜班岗位工人的休息和睡眠时间,做好季节性多发病的预防,建立和实施合理的保健制度,从而提高机体的免疫力、增强带动者的体质和对职业中毒的抵抗力。

(5) 安全卫生管理:加强生产设备维修和管理,特别是在化工生产中防止跑、冒、滴、漏,对预防职业中毒具有重要意义。各种防毒措施必须辅以必要的规章制度才能够取得成效。此外,还要做好劳动卫生知识的宣传教育,提高作业人员对防毒工作的认识和自觉性。

(6) 环境监测、生物材料监测与健康体检:要定期监测作业场所空气中的毒物浓度,将其控制在最高容许浓度以下;实施就业前体检,防止职业禁忌证者参加接触毒物的作业;坚持定期体检,早期发现劳动者健康受损情况并及时处理。

三、常见职业病

职业病有广义和狭义之分。广义的职业病是指一切由职业危害因素直接引起的疾病。狭义的职业病不仅是指由职业危害因素直接引起的疾病,而且是指由法规确定的可以享受劳动保险待遇且按规定报告的职业疾病。

根据我国国情,并参考国际上的通行做法,国家卫生和计划育委员会、人力资源社会保障部、安全监管总局、全国总工会联合对职业病的分类和目录进行了调整(国卫疾控发[2013]48号):目前,法定职业病有130种,并含4项开放性条款,其中,新增职业病17种,包括医护人员因职业暴露感染艾滋病;因杀虫脒停止生产与使用,故删除杀虫脒中毒;对2项开放性条款进行了整合,对16种职业病名称进行了调整,如将尘肺修改为"尘肺病"。

(一) 矽肺病

矽肺病是长期吸入含游离二氧化硅粉尘,即矽尘引起的以肺组织进行性弥漫性纤维组织增生为主的全身性疾病。它是尘肺病中最常见、病情进展最快、危害最严重的一种疾病。常见矽尘作业有各种矿山的采掘、凿岩、爆破、运输以及筑路、水利工程和隧道的开挖,石粉厂、玻璃厂、陶瓷厂以及耐火材料等工厂生产过程中的原料破碎、碾磨、配料等,机械制造业中铸造工段的砂型调制、清砂、喷砂等作业。矽肺病病人发病比较缓慢,多在持续接触5~10年,有的长达15~20年才发病。持续吸入高浓度、高游离二氧化硅的矽尘,1~2年即发病的称"速发型矽肺病"。在脱离矽尘作业接触若干年后才发病的称"晚发型矽肺病"。

1. 矽肺病的影响因素　矽肺病的发生与粉尘中游离二氧化硅的含量、粉尘浓度、分散度、接触粉尘时间、防护措施以及个体状况等因素有关。

2.临床表现

(1)症状:早期矽肺病病人无明显症状,随着病情的进展,特别是有并发症时,症状和体征才逐渐显现出来,常见的症状有气短、胸闷、胸痛、咳嗽、咳痰、心悸等,并逐渐加重。但症状的多少和严重程度与X线胸片表现的严重程度并不一定呈平行关系。

(2)病人的体征主要由并发症引起,不同的并发症有不同的体征。

(3)并发症:矽肺病的主要并发症有肺结核、肺部感染、自发性气胸以及肺源性心脏病等,其中,以肺结核最为常见。

3.辅助检查　X线胸片上出现的类圆形、不规则形小阴影和大阴影与肺组织内粉尘的沉积、肺组织纤维化程度存在一定的关系,是矽肺病的诊断依据。X线胸片显示的肺门、肺纹理和胸膜改变以及肺气肿等影像,对矽肺病的诊断同样具有重要参考价值。

4.治疗和预防

(1)治疗:矽肺病一经确诊,要及时将病人调离粉尘作业岗位,并根据分期、肺功能损伤程度和呼吸困难程度进行职业病致残程度鉴定,并积极治疗。目前,对矽肺病尚无特效疗法,多采用药物、营养、适当体育锻炼等综合疗法,以提高病人的抗病能力,防治并发症,消除和改善症状,提高生存质量。临床上常用的药物有克矽平、柠檬酸铝、哌喹等。另外,在全麻状态下进行的"大容量全肺灌洗术"作为一种专业性较强的新型医疗技术,也是治疗尘肺病(包括矽肺病)的一种重要手段。

(2)预防:矽肺病预防的关键是防尘,必须采取综合性的防尘措施。我国在防治矽尘危害方面积累了很多经验,可总结为防尘"八字"方针:革(改革工艺)、水(湿式作业)、密(密闭尘源)、风(通风除尘)、护(个人防护)、管(加强管理)、教(宣传教育)、查(定期检查)。

(二)职业性肿瘤

与职业有关的能引起肿瘤的因素称"职业性致癌因素",是重要的职业危害因素之一。职业性致癌因素包括:机械刺激,如反复外伤刺激;物理因素,如紫外线、电离辐射等;化学因素,如某些无机化合物与有机化合物。由职业性致癌因素所致的肿瘤称"职业性肿瘤"。

1.职业性肿瘤的种类　目前,学者们已经发现许多职业性致癌物,其中,已经确认的主要职业性致癌物有十多种,具体见表14-5。

表14-5　已确认的主要职业性致癌物

致癌物	作用器官
煤焦油	唇、皮肤、鼻
苯并[a]芘	肺、皮肤
沥青	皮肤
页岩油	皮肤
矿物油	皮肤、喉
木馏油	皮肤、唇
石蜡	皮肤
石棉	肺、喉、肺

续表

致癌物	作用器官
铬酸盐	鼻腔、喉、肺
镍及其盐类	鼻腔、鼻窦、肺、喉
砷	皮肤、肺、喉
苯	白血病
1-萘胺、2-萘胺	膀胱、肺、喉
联苯胺、4-氨基联苯	泌尿系统
芥子气	肺、气管、喉、鼻
氯甲甲醚、二氯甲醚	肺
氯乙烯	肝
氯丁二烯	皮肤、肺
放射性物质	肺、皮肤、白血病、骨髓

职业性致癌因素和致癌物的类别繁多，引起人体肿瘤的临床类型也不一致，人的受害部位比较广泛，常见的类型如下：

(1) 职业性呼吸道肿瘤：呼吸道肿瘤在职业肿瘤中所占的比例较大，如表14-5所示，许多致癌物对呼吸道有着特别的亲和力，导致接触人群呼吸道肿瘤发病率明显升高，甚至可能会占接触者死因的半数或以上。这类肿瘤主要在一些金属及其盐类，或某些化合物的生产中发生，如生产铬酸盐的工人中肺癌发生率较高且呈上升趋势，这类工人发生肺癌的危险性比常人高出3~30倍。在一些镍冶炼厂工人中，肺癌的高发现象也比较明显。接触无机砷化合物可引起皮肤癌和肺癌，接触砷的累积剂量与呼吸道肿瘤的死亡率有明确的接触剂量—反应关系。石棉已成为举世公认的致肺癌剂，石棉工人中有1/5死于肺癌，肺癌的发生率与接触石棉的量有接触—反应关系；氯甲醚类化合物用于工业上的有2种：双氯甲醚和氯甲甲醚，两者对呼吸道黏膜均有强烈刺激作用。其他如接触放射性物质、异丙油、芥子气、煤焦油、某些硬木屑等，均可导致呼吸道肿瘤发病人数增多。

(2) 职业性皮肤癌：职业性皮肤癌与致癌物的关系往往是最直接、最明显、最常发生的。在工业化学物质中，能引起皮肤癌的主要有煤焦油、沥青、木馏油、页岩油、石蜡、氯丁二烯、砷化物、放射性物质、电离辐射、紫外线等，尤其在与煤焦油类物质长期接触的工人中最多见。

(3) 职业性膀胱癌：职业性膀胱癌是比较常见的职业性肿瘤，在膀胱癌死亡病例中有20%可找出致癌物的接触史。可导致膀胱癌的物质主要是芳香胺类，如生产萘胺、联苯胺和4-氨基联苯的化工行业；以萘胺、联苯胺为原料的燃料、橡胶添加剂、颜料等制造业；使用芳香胺衍生物作为添加剂的电缆、电线行业等。此外，吸烟对芳香胺类的致癌作用有协同作用。

(4) 其他职业性肿瘤：例如，接触氯乙烯可引起肝血管瘤；接触高浓度的苯可引起白血病，多数出现在劳动者接触苯后数年至20年，短者仅4~6个月，长者可达40年，近年来我国因长期接触苯而引发白血病的病例呈上升趋势。

2.职业性肿瘤的预防　预防职业性肿瘤主要做到以下几个方面：

(1)识别、鉴定、严格控制与管理职业性致癌因素,使其不超标或降低到最小量。

(2)对接触职业性致癌因素的员工应严格执行就业前体格检查,筛选出敏感者并使其远离致癌因素。

(3)对已接触职业致癌因素的员工应定期体检,做到早发现、早诊断、早治疗。

第五节　社会环境与健康

环境包括内部环境和外部环境,其中,外部环境是指自然环境和社会环境。自然环境和社会环境共同构成人类的行为环境,因此,人群的健康不仅受自然环境的影响,还受社会环境的影响。社会环境包括社会制度、法律、经济、文化、教育、人口、民族、职业等与社会生产力、生产关系有密切联系的因素,即社会因素、社会心理因素、行为生活方式及医疗卫生服务等,这些因素从不同角度、不同层次影响着人群的健康。

一、社会因素与健康

(一)社会经济与健康

社会经济决定着与健康密切相关的衣、食、住、行,是社会进步和社会生活的基础,经济发展水平对人群健康状况有着重要的影响。经济的发展能够改善居民的物质生活水平,促进医疗卫生事业的发展,提高人群健康水平,延长人均寿命,从而使疾病谱、死亡谱发生转变。WHO在1998年的世界卫生报告中介绍了经济发展对人群健康的影响(见表14-6)。

表14-6　经济发展与健康的关系

国家类别	人均GNP（美元）	婴儿死亡率（‰）	低出生体重发生率（‰）	平均期望寿命（岁）
发达国家	6230	19	7	72
发展中国家	520	94	17	60
欠发展国家	170	160	30	45

(二)社会制度与健康

社会制度是指在一定历史条件下形成的社会关系和社会活动的规范体系,包括社会政治制度以及经济制度、法律制度、教育制度、医疗卫生保健制度、家庭婚姻制度等。社会制度通过制定卫生工作的政策来实现对人群健康的影响。我国新时期卫生工作方针的提出更加有利于提高国民的健康水平,我国优越的社会主义制度也为保护、增进人民健康提供了基本的保障。我国制定了一系列卫生保健政策与措施,实行了新的医疗保健制度,建立健全了三级医疗预防保健网,开展了群众性爱国卫生运动,加强了环境保护,开展了疾病监测和防治工作,控制了传染病、地方病、职业病等,使人民的健康水平得到很大的提高。

(三)社会关系与健康

人是生活在由一定社会关系结合而成的社会群体之中的,既包括家庭、邻里、亲友等初级群体,也包括在工作中形成的次级群体,这些群体共同构成了个人的社会网络。社会网络是指个人在其社会活动中所结成的社会关系,发挥着许多重要的功能,如社会影响的方式、社会参与、人际的接触等功能,均从不同的角度、层次影响着人们的健康。其中,社会支持是社会网络的一个独特功能,即人们从社会网络获得精神与物质帮助,它通过缓冲紧张,在人们处于特殊的生活事件状态时提供心理支持来影响健康。

(四)人口发展与健康

在一定生产力发展水平条件下,人口数量、人口素质和人口结构等因素决定了人们生活水平的高低,进而影响了人群的健康状况。

当今世界面临"迅猛的人口增长"和"激增的人均消耗"两大人口难题,社会人口数量过多、增长速度过快将给社会发展、人类健康及生存带来严重后果。人口过剩制约了经济发展,导致人类生活质量和健康水平下降。因此,控制人口增长是当今世界,特别是发展中国家面临的一项紧迫任务。

人口年龄、性别、职业等的构成对人体健康状况也有明显影响。我国已进入老龄化社会,是世界上人口老龄化速度最快的国家。人口老龄化是卫生费用上涨的主要原因之一,也是卫生工作必须重视的问题之一。

(五)文化因素与健康

文化是人类在历史实践中所创造的物质财富和精神财富的总和,包括思想意识、宗教信仰、教育、科学技术、风俗习惯、道德规范等。这些因素可以通过影响人群的行为习惯、改变人群对健康价值的认识和卫生服务的反应等影响健康。在诸多文化因素中,人们更多地研究文化教育对健康的影响。教育是人们社会化过程的手段和途径,通过提高人的文化素质可以指导人们的生活方式,文化教育水平的高低对健康的影响十分明显。研究表明,受过良好教育的人,其自我保健意识强,能自觉地养成良好的卫生习惯,建立起科学的生活方式,主动预防疾病并合理利用卫生服务,因此,有利于保护和促进健康;反之,文化水平较低的人多数缺乏卫生知识和自我保健意识,健康水平也较低。

二、社会心理因素与健康

(一)气质与健康

气质是一个古老的心理学问题。气质是在人的生理素质基础上,通过生活实践,在后天条件影响下形成,并受到人的世界观和性格等的控制。它的特点一般是通过人们处理问题、人与人之间的相互交往显示出来的,并表现出个人典型的、稳定的心理特点。早在公元前5世纪,古希腊著名医生希波克拉底就提出了4种体液的气质学说。他认为人体内有4种液体:血液、黏液、黄胆汁和黑胆汁。4种液体均衡,人就健康;4种液体失调,人就会生病。

1.气质类型　气质包括胆汁质、多血质、黏液质和抑郁质4种类型。

(1)胆汁质:精力充沛,情绪变化快,反应强,言语、动作急速而难以自制,内心外露,率直,热情,易怒,急躁。

(2)多血质:活泼好动,情绪发生快而多变,表情丰富,思维、言语、动作敏捷,乐观,亲切,浮躁,轻率。

(3)黏液质:沉着冷静,情绪发生慢而弱,思维、言语、动作迟缓,内心少外露,坚韧,执拗,淡漠。

(4)抑郁质:柔弱易倦,情绪发生慢而弱,敏捷而富于自我体验,语言、动作仔细而无力,胆小,忸怩,孤僻。

2.气质类型与健康　许多有关心理卫生的研究表明,不同的气质类型对人的身心健康有不同的影响。孤僻、抑郁、情绪不稳定、易冲动等特征都不利于身心健康,而且是某些疾病的易感因素。例如,胆汁质的人在受到超强的精神刺激或是过度紧张时,较易使其本来就弱的抑制过程更加减弱,促使过度其兴奋而导致神经衰弱、躁郁性精神病等身心疾病。对于抑郁质的人,巨大的挫折、社会环境的剧烈冲突或个人的极大不幸都会使其脆弱的神经无法忍受而导致一些身心疾病。

(二)性格与健康

性格是指个体对客观现实的稳定态度以及与之相适应的习惯化了的行为方式,具有态度、意志、情绪、理智等不同的特征。性格虽带有一定的先天性,但不是从出生后就已形成,而是在人们的长期实践中,通过各种客观事物对个人经历的不断渗透,对个人生活和行为产生一定影响,并逐渐成为认识和行为上的某种固定方式,这种固定的认识和行为方式就是一种性格特征。

1.性格类型　性格类型通常按照心理活动的倾向性和心理过程特点进行分类:

(1)按心理活动的倾向性划分:性格可分为外倾型和内倾型2种。外倾型性格的人,活泼开朗,善于交际,对新事物比较敏感;内倾型性格的人,冷静沉着,顺应困难,对新事物反应迟缓,与社会、家庭和亲友的联系少,常出现神情淡漠、失眠、厌食和大便秘结等身体不适现象。

(2)按心理过程的特点划分:性格可分为理智型、意志型和情绪型3种。理智型的人总是用理智来衡量事物和支配行为;意志型的人有着明确的目的性,在感情和行为上不易受人支配;情绪型的人总爱用感情来处理事物和支配行为,情绪不稳定时容易冲动。意志型和理智型的人,重视自身健康,善于处理人际关系,环境适应能力强,大多精力旺盛、身体健康。情绪型的人容易主观推测、意气用事,遇上矛盾和冲突时容易冲动,易影响健康,轻则饮食不调、睡眠不佳,重则神经功能失调,引起高血压、心脑血管疾病等。

2.性格与疾病　与疾病有关的性格分为A型性格和C型性格。

(1)A型性格与心血管疾病:美国学者费雷德曼在仔细研究大量冠心病病人后发现,病人易恼火(Aggravation)和发怒(Anger)。由于恼火和发怒两个英文单词的首字母皆为A,故称之为"A型性格"。A型性格特征为个性倔强、执着、争强好胜、易冲动、抱负过重、追求完美、人际关系紧张,具有时间紧迫感与匆忙感。这些人长期处于应激状态,交感神经兴奋,容易促发高血压、高血脂、冠心病等。医学研究显示，A型性格是引发冠心病的危险因素之一，也是高血压发病的重要诱因之一。研究表明，85%的心血管疾病与A型性格有关。

(2)C型性格与癌症：医学研究发现，有些人容易患癌症，由于癌症(Cancer)英文单词首字母为C，所以称这种性格为"C型性格"。C型性格特征为好克制或压抑自己的情绪，对自己的需求无自信，过度忍耐，常有退缩行为，易出现无助、无望、自卑心态而无力承受生活重压。

3.情绪与健康　情绪是人的各种感觉、思想和行为的一种综合性心理和生理状态，是对外界刺激所产生的心理反应以及附带的生理反应，如喜、怒、哀、乐等。情绪是个人的主观体验和感受，常与心情、气质、性格和性情有关。

情绪对人体的机能状态有明显的影响，许多临床观察结果表明，高血压、心脏病、胃肠溃疡、支气管哮喘、月经失调、癌症等诸多疾病，均与消极的情绪有着密切的关系。消极的不良情绪状态，如恐怖、焦虑、愤怒等会使肾上腺素皮质激素、类固醇等内分泌激素分泌增加，从而导致心率加快、血管收缩、血压升高、呼吸加快、胃肠蠕动减慢等。这些不良情绪如果持续时间过长或长期受到压抑而得不到宣泄，就会严重干扰心理活动的稳定状态，使人的整个心理状态失去平衡、体液分泌紊乱、免疫功能下降，久之必然引起疾病。积极的情绪状态，如高兴、愉快、欢乐等能提高大脑皮质的张力，兴奋副交感神经，通过神经生理机制，保持机体内外环境的平衡与协调，有助于充分发挥机体的潜在能力，有益于人体健康。因此，人们要保持良好的情绪。

三、行为和生活方式与健康

行为是人类为了维持个体的生存和种族的延续，在适应不断变化的复杂环境中作出的反应，包括促进健康的行为和危害健康的行为。生活方式是指人们生活过程中的习惯化行为状态，是人们生活活动的综合，包括饮食、睡眠、烟酒嗜好、文化生活、风俗等。良好的行为和生活方式可以增强人的健康；反之，不良的行为和生活方式会危害人的健康。吸烟、药物的滥用、吸毒、酗酒、不洁性行为、不良饮食习惯、缺乏锻炼等，均属于不良行为和生活方式，是引起疾病的主要因素。

(一)吸烟

香烟烟雾中有2000多种不同的化学物质，其中，有毒化合物有20多种，最主要的有尼古丁、焦油、一氧化碳和多种多环芳烃。这些物质对人体组织器官的生理、生化和代谢产生影响，可降低血氧含量、降低免疫功能、诱发心脏病、致癌等，其中，尼古丁是致癌和香烟成瘾的主要因素。世界卫生组织曾把吸烟称为"20世纪的瘟疫"，认为吸烟是"慢性自杀"行为。

有关研究表明，吸烟者的平均寿命明显低于不吸烟者，吸烟量越大、开始吸烟的年龄越早、吸烟的时间越长、吸入越深、烟质越劣，则吸烟者的平均寿命越短、死亡率越高。与吸烟有关的疾病多达几十种，尤其与恶性肿瘤、冠心病、呼吸系统慢性疾病关系密切。据研究者估计，在吸烟盛行的国家，65岁以下男性肺癌死亡的90%、支气管炎死亡的75%、缺血性心脏病死亡的25%由吸烟引起。由于吸烟散发的烟雾污染空气，所以还可使不吸烟者因被动吸烟而受到危害。孕妇吸烟会影响胎儿的健康，使死胎和自然流产率增加，低体重儿、早产及畸胎增多,同时,还影响子代的身体和智力发育。

(二)吸毒与药物滥用

吸毒人群的死亡率比一般人群高15倍,吸毒人群的平均寿命较一般人群短10～15年。毒品作用于大脑神经中枢,一次过量吸入,中枢神经会过度兴奋而衰竭或过度抑制而麻痹,导致死亡。长期使用后,不仅损害脑、肝、肾、心脏等重要的内脏器官,还可使人产生精神和身体的依赖性,戒断后又会产生严重的戒断症状。吸毒者共用针具静脉注射毒品,也是艾滋病、病毒性肝炎等血源性疾病的重要传播途径。孕妇滥用药物或吸毒,可影响其怀孕、分娩和子代的健康。吸毒不仅损害个人的身心健康,同时还会给家庭及社会带来危害。因此,社会必须采取强制性的法律和行政手段,禁种毒品、禁吸毒品、禁贩毒品,加强健康教育,对易成瘾药物严格管制,同时,还应对吸毒者进行药物和心理治疗,帮助吸毒者解除躯体、精神方面对药物的依赖。

药物滥用是指反复使用某些可以显著影响精神活动的物质,从而导致身体和心理健康的损害和危险的行为。这类物质主要作用于神经系统,影响神经活动。

(三)酗酒

酗酒即过量或无节制地饮酒,是一种病态或异常行为。酗酒对健康的影响可分为急性健康问题和慢性健康问题两大类。酗酒引起的急性健康问题有急性酒精中毒、车祸、家庭不和、打架斗殴、犯罪等;慢性酒瘾问题有酒瘾综合征、肝硬化、心血管疾病、神经精神疾病、肿瘤等。其中,酒瘾综合征表现为完全或部分停止饮酒后出现震颤、一过性幻觉、癫痫发作和谵妄。父母酗酒对子代健康也有危害,可影响其身心发育。孕妇酗酒可导致流产、早产及畸胎,最严重的后果是"胎儿酒精综合征",表现为小头畸形、异常神经行为发育、典型面部异常、心脏畸形等。

近年来,酗酒带来的健康问题和社会问题已引起全球人类的关注。据世界卫生组织报告,酗酒者的死亡率比一般居民高1～3倍,酗酒男性居民消化系统疾病的发病率比普通男性居民高20%,严重酗酒男性居民则比普通男性居民高出50%。在导致死亡的交通事故中,30%～50%与司机酗酒有关。

(四)不洁性行为

不洁性行为主要包括卖淫、嫖娼、多性伴、婚外性行为等,属于不符合社会道德规范的越轨行为,可危害人类健康。

不洁性行为主要的直接危害是导致性传播疾病发生。性传播疾病主要有梅毒、淋病、软性下疳、生殖器疱疹、尖锐湿疣、艾滋病等。性传播疾病是典型的"社会病",所涉及的问题不仅是公共卫生问题,而且是一个重大的社会问题;不仅对个人及其家庭造成危害,而且对整个社会的安定和经济发展有着广泛的不良影响。另外,不洁性行为可能导致婚姻破裂、家庭解体,使夫妻双方及子女的身心健康受到严重伤害。

(五)不良饮食习惯

饮食习惯的好坏对人体健康会产生重要的影响,不良饮食习惯可导致多种疾病的发生。

饮食习惯受经济、文化、民俗、地区等多种因素的影响。

我国居民较常见的不良饮食习惯包括进食无规律、暴饮暴食、偏食、挑食、过多吃零食、进食过热、过硬、过酸等,长期摄入高热能、高脂肪、高糖、高盐的食物,喜食腌制、熏烤食物等。不合理的膳食结构可致营养过剩性疾病,如肥胖、心脑血管疾病、恶性肿瘤、糖尿病等,并可增加肝胆等疾病的发病率,降低人体的抗病能力。我国是世界上食盐摄入量较多的国家,人均每天的食盐摄入量为 11~24 g,而世界卫生组织规定每人每天食盐摄入量不超过 6 g,高盐饮食与高血压的发病呈正相关,而高血压又是脑卒中的重要危险因素。因此,在日常饮食中应当控制食盐的摄入量。

(六)缺少体育锻炼

多项研究表明,缺乏体育锻炼是高血压、冠心病、肥胖、糖尿病等许多慢性病发病率上升的主要因素之一。体育锻炼可以改善人们由于饮食、营养、体重、作息等方面长期的不合理积习所造成的不良健康效应,因此,在整体生活方式中起着不可代替的调节作用。

缺少体育锻炼的生活方式,就不能称为"现代社会健康文明的生活方式"。近年来,对体育锻炼作用的研究结果表明,体育锻炼具有预防冠心病、改善骨质疏松、提高机体免疫力和降低部分肿瘤发生率的作用,如降低直肠癌、乳腺癌和前列腺癌的发病率等。同时,体育锻炼还可减轻和改善脂肪肝、动脉硬化的程度,甚至可使冠状动脉内已形成的沉积斑块减少或消退。因此,适当体育锻炼对促进健康、预防疾病大有益处。

四、医疗卫生服务与健康

医疗卫生服务是指以治疗疾病、维持和促进健康为主要目的所采取的措施。实施医疗卫生服务首先要考虑其可及性、持续性和有效性。因此,不同的服务模式、服务资源、服务技术和服务态度均会对健康产生不同的影响。

(一)医疗卫生模式

21世纪医疗卫生模式体现在从生物医学模式转变为生物-心理-社会医学模式,从被动接受服务转向互动服务,从基本的医疗服务转向多元、不同层次的医疗健康服务,从普遍化服务转向个性化服务等诸多变化上。

伴随人类社会日益增长的物质和精神需求,人类对健康和防病治病的需求也在逐步增长。卫生服务工作体现了"预防为主"的基本方针,是降低卫生服务费用、方便居民的有效卫生服务形式。经过专业培训的全科医生、社区护士和社区预防工作者等多种角色,遵循"六位一体"的社区卫生服务模式,针对个人、家庭和社区的健康需求提供综合、连续、协调、可及的人性化服务,解决了常见的健康问题,改善了人群的生活质量,提高了人群的健康水平。

(二)医疗卫生服务资源

医疗卫生服务资源是卫生服务的基础,它由人力、物力、财力、信息等因素组成,其分配的不均衡和卫生经费严重不足,是世界各国普遍存在的问题,发展中国家尤为明显。政府的卫生经费大部分用于城市医院,广大农村缺乏最基本的卫生服务。另外,卫生人力的数量、结构和分布也存在很大的差异。目前,我国每千人口的医生数量虽然超过了世界平均水平,但是卫生技术人员学历层次不够高。2003年的中国卫生服务调查报告显示,城市医院卫生技术人员中中专学历者占48.2%,农村医院卫生技术人员中中专学历者占54.2%。卫生人力资源分布不合理,主要表现为城市卫生人才密集,农村卫生人才缺乏;东部地区卫生人才密集,西部地区卫生人才缺乏;大型医疗机构卫生人才密集,疾病预防控制机构、社区卫生服务机构卫生人才缺乏等。

目前,我国医疗卫生服务资源的现状与我国经济社会和卫生事业的发展要求仍有较大差距,因此,应该高度重视卫生服务资源的研究、开发与管理,加强农村、西部地区和社区卫生人才队伍的建设,共同推动卫生服务资源的发展。

(三)医疗卫生服务技术

近年来,我国不断加强卫生队伍建设,通过对现有农村医疗卫生人员的在岗培训,推进全科医生岗位培训和规范化培训等方式,培养了大批优秀的医务人员,提高了社区卫生人员的专业技术能力,大大提高了医疗卫生服务技术水平,为保障群众健康提供了坚实的后盾。

(四)医疗卫生服务态度

医疗卫生服务态度和质量的好坏直接影响人群的健康水平,如英国、澳大利亚等国家对医疗服务极为重视,在医疗服务机构的建立、卫生保健人员的配置、卫生质量的监督等方面制定了一套完整的制度,体现综合保健的思想,将社区的初级卫生保健和社会工作有机结合起来,使维护健康、防病、治病、疾病康复等工作融为一体,从而提供了世界一流的健康服务。

近年来,我国卫生服务质量和态度不断改善,在全国开展了"以患者为中心,以提高医疗服务质量为主题"的医院管理年活动,牢固树立"以患者为中心"的服务理念和"为人民服务"的宗旨,加强医院管理,改善服务态度,规范医疗行为,提高医疗质量,确保医疗安全,使医疗服务更加贴近群众、贴近社会,不断满足人民群众日益增长的医疗服务需求。

本章小结

地球表层适合人类及生物生存的范围称"生物圈"。由于地球只有一个,所以生物圈也只有一个。生物圈是人类及生物共同的家园,人类、生物与其周围环境构成生态系统。在生态系统内部,绿色植物、动物、微生物与周围环境相互协调,保持生态平衡。当人类与周围环境不相适应时可出现地方性疾病,如地方性氟病、碘缺乏病等。环境污染加重会对人类健康造成直接或间接的危害,同样,当生产、生活环境不能满足健康的需要时,会发生职业性疾病、介水传染病、食物中毒等。社会心理因素、行为和生活方式、医疗卫生服务等对健康也有重要的影响。

课后思考

1. 解释"环境"、"环境污染"、"职业病"、"社会环境"的概念。
2. 简述环境污染对人体健康的危害。
3. 简述大气污染对健康的主要危害。
4. 简述生活饮用水的净化消毒方法。
5. 简述地方性氟病的主要临床表现及预防措施。
6. 简述矽肺病诊断的主要依据及预防措施。
7. 简述铅中毒的主要临床表现与预防措施。
8. 简述苯中毒的主要临床表现与预防措施。

（姜新峰，宋晓敏）

第十五章 社区灾害与紧急救护

案例

2013年4月20日8时2分,四川省雅安市芦山县(北纬30.3°,东经103.0°)发生7.0级地震,震源深度达13000m,之后出现多次余震,成都有明显震感。地震造成遇难188人,失踪25人,受伤11460人。护士张艺川被派到灾区抢救伤者。

问题:
1. 假如你是小张护士,应怎样进行现场预检分诊?
2. 社区护士如何做好灾害重建期的健康管理?

本章学习目标

1. 掌握社区灾害的应对护理与管理以及"灾害"的定义、现场预检与分诊、封闭空间与健康管理等。
2. 熟悉社区灾害的预防与管理以及灾害修复期居民的健康管理。
3. 了解灾害的分类与特点。

第一节 社区灾害护理与管理

一、灾害概述

灾害是一种自然或人为的状况或事件,与社区人群的生存问题密切相关,可使人们受到死亡威胁,影响到社区的环境。在社区生活中,经常有一些突发的意外灾害事件发生,严重威胁着人们的健康和生活,社区护士在防治灾害性事件的过程中承担着义不容辞的责任。社区灾害护理是社区护士的角色功能之一,是从病人出事或发病开始到医院就诊之前的救护。社区护士只有熟悉和掌握预防、救护灾害性事件的知识与技术,才能做好社区灾害护理与管理工作。

社区常见的灾害事件有急症、创伤、中毒等,种类多样,危害各不相同。社区护士要了解灾害引起伤情发生的机制与特点,熟练掌握急救预防措施,从而减少社区灾害事件的发生,降低灾害对人类健康的危害程度。

(一)"灾害"的定义

联合国"国际减灾十年"专家组提出:灾害是一种超出受影响社区现有资源承受能力的人类生态环境的破坏。WHO则认为:任何能够导致设施破坏、经济严重受损、人员伤亡、健康状况及卫生服务条件恶化的事件,如规模已超出事件发生社区的承受能力而不得不向社区外界寻求专门援助时,即可称之为"灾害"。

不同的学者对"灾害"的定义提出不同的观点,但是这些定义具有2个共性:第一,灾害具有突发性和破坏性;第二,其规模和强度超出灾害社区的自救能力或承受能力,两者缺一不可。

灾害管理是指社区针对灾害预防、应对、恢复等所做的计划和实施过程的管理。灾害应对是指个人、社区等为了强化灾害应对能力而采取的所有措施。因此,所有的灾害都是相对的,不同的社区对灾害的承受能力不同。相同的破坏性事件对某些地区可以构成某种灾害,而对另外一些社区则可以不构成灾害。

(二)灾害的分类与特点

1. 分类　灾害是在社区发生的各种自然或人为因素所造成的,所有危及人类生命安全或导致人员伤亡的突发灾难性事件,往往无法预料。习惯上人们常把灾害分为自然灾害和人为灾害。

自然灾害包括气象、海洋、地震、洪水等。例如,2008年5月12日发生的汶川地震就是典型的自然灾害。人为灾害包括火灾事故、交通事故、化学事故、食物中毒或药物中毒、战争、恐怖活动、传染性疾病等,如2014年3月8日马来西亚发生的飞机失联事件。无论是何种类型的灾害,都会对人类的生命构成威胁,而灾后要投入很多的时间、精力、人力与物力去重建,给社会带来巨大的损失。

2. 特点　灾害具有突发性和破坏性、复杂性和连续性等特点,其规模和强度超过社区自救能力或承受能力,两者缺一不可。

灾害的性质不同,受伤特点也各有不同。交通事故常见的伤情为头部和四肢伤、软组织伤、骨折伤和内脏损伤;地震灾害多见的伤情是骨折、挤压伤和烧伤;暴风雨、龙卷风常导致房屋的倒塌,常见的伤情是骨折伤、软组织挫伤和裂伤;洪水常引起淹溺、皮肤病、胃肠道疾病和传染病等;化学事故常引起烧伤和窒息等。

二、社区灾害的预防与管理

根据《突发公共卫生事件应急条例》、《灾害事故医疗救援工作管理办法》等的规定,社区应有相应的针对灾害的预防与管理措施,并制定社区灾害应急预案,防止灾害的发生和减轻灾害发生时对生命的伤害。社区灾害的预防与管理是通过防灾活动,将受灾人群的健康问题减少到最小范围,灾害发生前的训练和应对是灾害预防的首要任务。灾害管理包括灾害应对组织体系的构建、实施教育、预警训练、规划和相关政策的制定和心理指导等。

(一)预防为主,常备不懈,构建灾害应对组织体系

地方各级人民政府和卫生行政部门按照相关法律、法规和规章的规定,完善突发灾害事件应急体系,建立健全系统、规范的突发灾害事件应急处理工作制度,对突发灾害事件和可能发生的灾害事件作出快速反应,及时、有效地开展监测、报告和处理工作;提高对灾害事件的防范意识,落实各项防范措施,做好人员、技术、物资和设备的应急储备工作。在社区卫生服务工作中,社区护士要了解所属社区行政部门的灾害管理体系,积极促进以社区为中心的灾害应对组织体系的构成。

(二)统一领导,分级负责,实施灾害教育

根据灾害事件的范围、性质和危害程度,实行分级管理,各级人民政府负责突发灾害事件的应急处理的统一领导和指挥,各有关部门按照预案规定,在各自的职责范围内做好突发公共卫生事件应急处理的有关工作。通过社区护理活动向社区居民提供防灾害信息和灾害过程中的自救知识和技术等,实施社区居民的灾害应对教育。

(三)依靠科学,加强合作,制定风险图

突发灾害事件应急工作要充分尊重和依靠科学,要重视开展防范和处理突发灾害事件的科研和培训,为突发灾害事件的应急处理提供科技保障。各有关部门和单位要通力合作、资源共享,有效应对突发灾害事件。要广泛组织和动员公众参与突发灾害事件的应急处理并制作风险图。风险图是指社区护士利用平时宣传社区内危险地区和掌握脆弱群体而引起社区居民的注意,显示有异常情况时可立即报告的体系。一般风险图显示的危险因素有:可能发生灾害的地点,有可能引起建筑物倒塌、车辆进出困难的地点,有独居老人和行动不便的慢性病病人家庭等。

(四)熟悉社区居民的情况,做好心理护理

认真调查社区及周边环境,通过家访发现问题,针对不同季节、不同人群进行卫生防病宣传,防止灾害的发生。社区居民对提到灾害容易出现心惊、焦虑、恐惧、惶惶不安,易出现对预警的错误认识、盲目采取避难行动、应变能力不足等问题,社区护士应向社区居民提供相关信息,指导居民正确认识灾害,进行防灾健康教育,使居民掌握科学的灾害知识。

(五)进行社区急救知识培训和预警训练

应对社区护士定期进行急救知识培训,内容包括现场评估、心肺复苏术、止血及输血、休息、体位、心理护理、转运和转诊工作等护理知识,并进行考核和预警训练,作为社区护士的定期考核内容,使他们业务娴熟、身心健康、医德高尚,具备良好的沟通能力、团队精神和风险意识。

第二节 社区灾害的应对护理与管理

一、现场医疗护理与服务管理

灾害的发生大多数具有突发性，会造成大量的伤病员，健康问题表现得较为复杂，灾害救护条件艰苦，救护任务繁重。社区护士能够迅速有序地实施现场救援护理工作，安全有效地进行途中转运监护，才能使伤员尽快稳定病情，减少伤残及并发症，及时有效地挽救伤员的生命，最大限度地降低受灾程度。

灾害事故现场一般都很混乱，组织与指挥特别重要，应快速组成临时现场救护小组，统一指挥，加强灾害事故现场的一线救护，这是保证抢救成功的关键措施之一。避免慌乱，尽可能缩短伤后至抢救的时间，强调提高基本治疗技术是做好灾害事故现场救护的最重要的问题。

1. 现场预检分诊　预检分诊是对伤员进行伤情分类的过程，包括确认伤员病情、分类、采取急救措施和转运等过程。灾害现场救护中的预检分诊需要判断受伤人数以及是否超过医院的接受能力、受灾程度、复苏的可能性等，以确定转运伤员的优先顺序。

承担预检分诊工作的人员，一般佩带执行预检分诊的特殊标记（穿马甲或戴臂套），在进行预检分诊的同时，根据病情提供急救服务并把伤员转运到治疗中心，确认所有受伤者已经佩带了分类标记，并向指挥中心报告预检分诊情况。

2. 现场治疗工作　担任现场治疗任务的工作人员应佩带相关标志，并搭建现场临时治疗场所。治疗场所要选择能容纳受灾者、较宽松且容易将伤员从灾害危险地区转移到安全场所，并由专人管理，避免出入口混乱。根据预检分诊原则将治疗区域分为非常紧急、紧急和不紧急的治疗区域，现场工作人员在做好记录后将伤员转交给负责转运伤员的有关人员。

3. 转运工作　负责转运伤员的工作人员应佩带相应的标记，转运准备完毕后向负责治疗的部门报告车牌号、转运伤员数、伤员的病情和严重程度以及其他损伤种类等，负责治疗的工作人员直接向相关医院通知伤员转运情况，由负责转运伤员的工作人员将伤员转运到相关医院。

4. 中间聚集区域的工作　工作人员应佩带相应的标记，选定有利于聚集的场所并备好车辆，把伤员安全转移到转运车辆。

二、现场预检分诊

现场救护的主要目的是抢救生命、防止病情恶化、预防后期感染或其他并发症。现场预检分诊是提高急救效率、挽救伤者生命的重要措施。

（一）现场救护的原则

1. 先排险后施救　发生意外灾害时，第一目击人和医务人员应首先确保自身的安全。如对触电者进行现场救护，必须先切断电源，才能采取救护措施。医务人员要清楚自己的能力范围，在不能消除危险的情况下，尽量确保伤员与自身的距离，以保证救护安全。

2. 先复苏后固定　当遇有心搏呼吸骤停伴骨折的伤员,医务人员应首先采取人工呼吸和胸外按压等心肺复苏技术,恢复伤员的心跳和呼吸,再固定骨折部位。

3. 先止血后包扎　当遇有大创口并伴有大出血的伤员,医务人员应首先采用指压、止血带或药物等方法止血,消毒创口后再进行包扎。

4. 先重伤后轻伤　当接诊的伤员中有病情垂危者和病情较轻者时,医务人员应优先抢救重危伤员,而后抢救较轻的伤员,先救命后治伤。

5. 先救治后运送　当接诊急症患者时,医务人员应把握最佳抢救时机,及时给予伤员有效救护措施,维持伤员的生命体征,再准备转院治疗。在转院途中,医务人员仍要积极给予抢救措施,严密观察伤员的病情变化。

(二)预检分诊救护

根据威胁生命的程度、损伤的严重性、伤员存活的可能性和医疗资源迅速进行伤情分类,根据伤情的轻、重、缓、急,给伤员配发不同颜色的伤情识别卡,挂在伤员胸前或缚在手腕上,并提供最基本的治疗护理方法。

1. 伤情识别卡的使用　社区护士通过现场护理体检,初步判断伤员的伤情,并根据伤员的伤情对伤员进行预检,将其分为急、重、缓3类,并配发不同颜色的反映伤员基本情况的伤情识别卡,挂在伤员的胸前或缚在手腕上。伤情识别卡的主要内容包括伤者的一般情况、生命体征,对意识、瞳孔等情况的评估,初步诊断,处置措施及时间等。

(1)一般情况:包括姓名、性别、年龄、工作单位和联络方式。

(2)生命体征:包括体温、脉搏、血压、呼吸和血型。

(3)身体评估:包括双侧瞳孔大小和对光反射、主要阳性体征。

(4)初步诊断。

(5)处置措施。

(6)处置时间。

(7)下一步治疗意见。

使用伤情识别卡分类伤员,可以避免不必要的重复检查,减轻了伤员的痛苦,同时,给后续治疗的医务人员提供了伤员的情况,使现场救援处置及时、准确、有序、分轻重缓急,缩短了抢救时间,为伤员提供了最好的服务。

2. 现场预检分诊　病情轻重的判断主要观察3个指标,即呼吸(R)、灌注血量(P)和精神状态(M),一般要求在2～3分钟内完成,常用红色、黄色、绿色和黑色显示伤员病情的轻重。

按照国际公认的标准,现场预检分诊的分类有4个等级:

(1)红色标志:伤员重度损伤、收缩压小于60mmHg、意识丧失、脉搏小于30次/分或不能触及、呼吸困难、中度或深度昏迷状态、张力性气胸、上呼吸道阻塞、大量出血,随时有生命危险或有其他严重外伤体征需在1小时内接受治疗和护理者,要立即送到综合性医院进行抢救和治疗。

(2)黄色标志:伤员意识清楚或有轻度意识障碍、中度损伤但需要在4～6小时内接受治疗者,如中度损伤、有轻度意识障碍、没有致命的损伤但需要治疗者。

(3)绿色标志:伤员如果意识清醒,只有轻度损伤且生命体征正常,对检查能够配合且反应灵敏,则可以步行。伤员如不需要优先转运,可以接受现场治疗,如扭伤伤员。

(4)黑色标志:伤员遇难死亡或没有存活希望。

（三）伤病员的现场救护

1. 固定伤情识别卡　识别卡固定在未受伤的肢体上,如果伤员病情有变化,分类级别发生变化,则应在原有的识别卡上固定新的识别卡。固定识别卡的过程中如果疑有颈椎损伤,应先固定颈部后再搬运。如疑有传染病,首先要对伤员进行隔离。

2. 分类救护　救护与转运相结合的救治过程是灾害救护的基本形式。分类救护分为现场急救、早期治疗和护理、专科治疗和护理3种形式。伤员经现场急救、早期应急处理、医院的专科治疗和护理这3个层次的救护,可得到逐步完善的治疗。

(1)现场急救:为帮助伤员脱离险境、解除致伤因素,社区护理人员与救援医疗队的医务人员、消防人员、红十字会员、当地幸存群众等共同组成抢险抢救小组。首先把伤员从各种灾害困境中抢救出来,迅速开展检伤分类工作,根据伤员伤情采取心肺复苏、抗休克、止血、包扎和固定等急救措施,然后在伤情识别卡上填写伤员情况,并固定在伤员身上,将其转运到早期治疗机构。现场救护的原则是先挽救生命,因灾害类型的不同而救护内容各有差异。

①电击伤。在采取快速的方式帮助伤员脱离电源的同时注意保护自己的安全,这是抢救成功的关键。

②火灾现场。在火灾现场救人时,如火焰烧伤,应迅速帮助伤员离开火源,脱去或剪去已着火的衣服,避免伤员继续受到烧伤或吸入有害气体。

③地震。救护者应根据倒塌的建筑物中传出的呼救声,组织人力、物力搜寻伤员,进行挖掘救援,在挖掘到接近伤员时应防止工具的误伤,保证伤员不再受到损伤,使其尽快脱离险情。如果伤员被重物压迫时间过久,在掀起重物后保持气道通畅的同时,应密切注意挤压综合征的发生。若发现或怀疑伤员有脊柱骨折,搬动要十分小心,防止脊柱弯曲和扭转。

④溺水。立即清除伤员口鼻内的淤泥、杂草、呕吐物等,如有活动性义齿应取出,以免坠入气管。若伤员呼吸心跳停止,应立即实施口对口人工呼吸并同时配合胸外心脏按压。

任何类型的灾害,在现场救护时首要是保持伤员呼吸道通畅,防止窒息。若发现伤员呼吸困难、唇甲紫绀,应立即解开伤员的衣领和腰带,使其平卧、头后仰,托起下颌,迅速清除气道分泌物和呕吐物。舌根后坠者应用拉舌钳将舌牵出口外,同时给予吸氧,必要时进行气管插管,以保持气道通畅。

(2)早期应急护理:社区卫生服务机构应设立临时设施和机构,对经现场急救小组处理或未经急救直接送来的伤员进行登记和预检分诊,及时填写伤员伤情卡和病历并实行紧急救护,然后将需要专科治疗或需长时间恢复的伤员转运到指定医院。

(3)专科治疗和护理:将伤员转运到指定医院,以及时接受治疗,直至伤员痊愈出院。

（四）心理问题与预检分诊

据统计,在自然灾害发生时,只有12%～25%的人能够采取果断自救行动,75%左右的人会出现不同程度的精神心理障碍。对受灾人员进行精神损伤的预检分诊有助于尽早进行心理干预,防止心理障碍的发生。

1. 正常反应　受灾人员表现为不安、寒战、恶心、呕吐,可执行简单指令。
2. 外伤性忧郁　受灾人员出现发呆等情况,可参与简单的救助活动。
3. 惊吓　受灾人员丧失判断能力,对人群可能会有恐惧感。
4. 过度反应　受灾人员出现讲恐吓性故事、到处乱窜等过度反应。

对于惊吓和过度反应的受灾人员,应尽快与现场隔离,进行护理。

三、封闭空间与健康管理

在城市发生的灾害中,常有伤员被困在倒塌的建筑物中或身体的一部分被压在建筑物下边,经过长时间才能获救的情况。在这种封闭空间中的伤员,健康状况与一般外伤有所区别。

(一)一般健康问题

1. 骨折及多处外伤　多见一处或多处骨折、擦伤、创伤、烧伤等。
2. 闭合性头部损伤　颅内出血引起颅内压增高以及潜在的意识障碍。
3. 低体温症　在制动状态下,产热少于耗热可致低体温症。
4. 脱水　脱水可导致少尿、急性肾功能不全等现象。
5. 挤压综合征　挤压综合征与挤压引起的肌肉损伤有关。
6. 呼吸道损伤　吸入建筑物倒塌时产生的灰尘以及防火用石棉等,可引起呼吸道损伤。

(二)封闭空间中的健康管理

在封闭空间内发现幸存者时,救助者应密切观察幸存者的呼吸和脉搏,采取如下措施:

1. 生命体征　稳定生命体征并供氧。
2. 骨折部位的固定　医务人员应注意处置骨折部位。
3. 疼痛管理　医务人员应对疼痛作恰当处理。
4. 及时施救　伤员应被及时转运到能得到及时救治的临近医院。

(三)封闭空间遇难者的对症处理

救出封闭空间遇难者后,需要对其进行对症护理,措施如下:

1. 呼吸障碍　对于呼吸道梗阻、感染或换气障碍者,应给予吸痰、气管插管、吸氧等护理措施。
2. 体液不足　对于呕吐、出血、低体温、烧伤者,应立即开放静脉通道。
3. 低体温症　当伤员出现寒战、心律不齐、低血压、昏睡、呼吸减弱等症状,应立即脱去湿衣物,给伤员保温并输入温热液体。
4. 挤压综合征　挤压引起的广泛性肌肉损伤可导致严重的全身症状,医务人员应及时对症处理。

四、转运工作

现场救护的主要目的是抢救生命、防止伤员病情恶化、预防感染等并发症的发生。一旦病情允许,应将伤员尽快转运至医院接受继续治疗。

(一)基本原则

1. 帮助伤员解除致伤因素,安全脱离险境,把伤员安全送至救护车内　救护人员应充分利用车上设备对伤员实施生命支持与心电监护,观察病情变化,及时报告医生;临时组织救护小组,统一指挥,避免慌乱。同时,受灾群众可开展自救互救工作,做好检伤分类,以便伤员能得到及时救护。

2. 保持呼吸道通畅,防止窒息,并给予吸氧。

(1)清理呼吸道:保持伤员呼吸道通畅,及时清除口腔内分泌物。

(2)吸氧:及时给氧,自主呼吸无效或呼吸已停止的伤员,应在转运前或转运途中迅速进行气管插管,并妥善固定插管,使用机械通气。在给伤员实施氧疗时,社区护士应严密观察呼吸频率、深度和节律的改变,末梢循环是否良好以及有无发绀,注意神志、血压、脉搏和皮肤温度的变化,做好记录。

3. 建立和维持有效静脉通路　选择前臂或肘正中静脉,应用静脉留置针为伤员建立静脉通路,在转运的途中确保静脉通路的通畅,防止创伤出血、休克等危重伤员出现体液不足的情况,维持每小时尿量在60~80mL,保证有效循环血量,避免肾功能的损伤。

4. 做好创伤出血的现场处理　救护人员应判断伤员出血的情况,采取紧急止血措施,防止休克的发生:动脉出血呈鲜红色喷射状;静脉出血呈暗红色涌流状;毛细血管出血为片状渗血。可采取手压法、加压包扎法和止血带法止血。

5. 保持合理的体位　救援人员应协助伤员保持舒适安全的体位,取平卧头偏向一侧(疑有颈椎骨折者,应使头、颈、躯干保持平直卧位,防止身体扭曲)或取屈膝侧卧位,使伤员最大限度地放松,保持呼吸道通畅,防止发生误吸。

(二)伤员的转运方法

经过基本处理后,应将伤员迅速转运到就近医院,以便得到正规及时的治疗。转运人员在转运伤员时应随时调整伤员的体位,保证伤员的安全,注意观察伤员的生命体征和全身情况。诊断尚不清楚的伤员和转运途中可能发生病情恶化的伤员应有专职救护人员培护,以便及时处理病情变化。具体处理措施如下:

1. 避免脊髓损伤

(1)重伤员从车内搬动、移出前,应放置颈托或行颈部固定,以防止颈椎错位,损伤脊髓,发生高位截瘫。无颈托时可就地取材,用硬纸板、矿泉水瓶、厚报纸等,仿照颈托剪成前后两片,用布条包扎固定。

(2)对昏倒在座椅的伤员,使用颈托后,可以将其颈及躯干同时固定在靠背上,然后拆卸座椅,与伤员一同搬出。

(3)对抛离座位的昏迷伤员,应原地放置颈托,包扎伤口,按脊柱损伤的原则搬运伤员,动作轻柔,搬运者用力整齐一致,将伤员平放在木板或担架上。若伤员有脊柱损伤,应保持脊柱伸直下垫硬板,颈部两侧用沙袋或异物固定,严防颈部和躯干前驱或扭转。

2. 搬运时注意体位　伤员取平卧位,妥善固定在急救担架上,运送工具的速度要平稳,避免途中突然加速或减速以及颠簸。用担架转运伤员行走时,应使伤员的头在后、足在前。下楼梯时转运人员在担架前面者,应将担架高举,保持担架平稳;将伤员抬入救护车时,应使伤员头在前、足在后。

(1)腹部内脏脱出的伤员:取仰卧位,腹肌放松,防止内脏继续脱出,注意保暖。

(2)昏迷伤员:转运时使伤员取侧卧位或俯卧位,头偏向一侧,保持呼吸道通畅。

(3)骨盆损伤:转运时让伤员侧卧于门板或硬质担架上,膝微曲。

(4)身体带有刺入物的伤员:转运时应避免挤压、碰撞,严禁振动,以防止刺入物脱出或深入。

现场急救后,根据伤员的轻重缓急由急救车运送,避免在缺乏专业护理指导的情况下采用不正确体位而加重伤员的伤势,甚至使伤员死于途中。

第三节 社区灾害重建期的健康管理

一、灾害重建期的健康管理内容

1. 给遇难者提供免费治疗服务 为了做好遇难者的疾病管理工作,给偏僻的社区或行动不便的伤员提供移动巡回服务和家庭访问服务,临时诊所应24小时开放。

2. 卫生管理 建立有效的防疫体系,暴雨、洪水地区的防疫消毒工作根据情况以2次/周为准,灾害地区的下水道、卫生间和垃圾场等害虫易繁殖的地方随时进行消毒。

3. 传染性疾病的管理 发现可疑的伤员应立即报告,对受灾居民收容所的墙面、地面、卫生间采取集中消毒措施。

4. 预防接种 对受灾居民收容所中的小儿应追加接种麻疹疫苗或洪水淹没地区传染病的预防接种。

二、灾害修复期居民的健康管理

经历过灾害的当事人可能留下心理创伤,如果一个人没有灾害意识或灾害意识较弱、心理素质较差、应急能力低下、适应能力缺陷,可能丧失生存的勇气和信心,难以自救或互救,产生消极等待情绪或各种心理障碍。

(一)灾害引起的心理变化

遭遇灾害时,常见的心理反应有恐惧、无助、绝望、焦虑、紧张、愤怒或罪恶感。儿童也可能出现退行性行为或言语减少等反常的成熟表现。从灾害发生至修复期,服务对象经历着休克期、反应期和修复期3个阶段。

1. 休克期 休克期出现在灾害发生48小时内。受灾者常见的表现为否认、恐慌、回避、害怕、自制力丧失、怀疑等。

2. 反应期 灾害发生48小时至2周内为反应期。受灾者表现为失意、软弱、烦忧、抑郁,因未能预防灾害而感到负罪、内疚、自责、怀疑、绝望、易怒,出现消化不良、失眠、家庭暴力等。

3. 修复期 灾害发生 2 周至 6 个月内为修复期。此期个人的自制力得到恢复，开始新的生活。社区恢复以往的功能。

(二)灾害应激障碍

灾害发生后出现的心理变化与服务对象的收入、学历等有密切的关系，与个人的灾害经历、健康状态、受灾程度和社会支持程度等有关。在灾害初期，人们经历的危机状况压力又称"急性应激障碍"，如在遭遇精神创伤后若干分钟或若干小时内发病的称"急性应激反应"或"急性心因性反应"，表现为睡眠障碍、焦虑、无能为力、腹痛等，在得到相应的处理后可缓解，如灾害恢复期延长，可发展为创伤后应激障碍。

1. 危机状况压力 即正常人经历非正常状况后所产生的各种情绪，可见于受灾者及其家属、邻近居民、救援人员以及志愿者等。病人常表现为感到疲劳、胸痛、消化不良、食欲改变和睡眠障碍，出现混乱、否定、抑郁、丧失记忆、噩梦、绝望等情绪反应。

2. 创伤后应激障碍 灾害可造成社区居民的巨大心理创伤，许多人会出现心理创伤后应激障碍(Post-traumatic Stress Disorder，PTSD)等心理疾病，如能给予及时、妥善的心理健康护理，可减少灾害对心理的影响。PTSD 是指当个人经历超出正常范围的、对所有人都会带来明显痛苦的、严重威胁生命或躯体完整的事件后所发生的精神障碍。当人们经历了自己完全不可预料、个人主观意志完全不可控制的突发事故之后，有可能发生 PTSD，症状有：

(1)反复重现创伤性的体验：病人不自觉反复回忆当时的痛苦体验或反复发生幻觉、错觉、幻想形成的创伤事件重演的生动体验。如在震后幸存的人，对经过住宅门前的大型运货卡车所造成的震动都会产生类似遇见地震的恐惧感。

(2)回避与创伤事件有关的活动：病人容易产生与外界疏远、与亲人的感情变得淡漠，对未来失去憧憬或觉得活着没有意思等一系列退缩症状。

(3)警觉性持续增高：病人对细小的事情过分敏感，出现注意力不集中、失眠或易惊醒、焦虑、抑郁、有自杀倾向等表现，严重者出现人格障碍。

在发生灾害时，从事救护工作的救援队成员、志愿工作者甚至指导救援工作的专家也都可能会发生 PTSD。PTSD 一般在人有事故、灾害等外伤体验后 1~6 个月发病。因此，在配备救援队成员时，要选用有经验的年长者或将年轻人与年长者交叉安排，增加救援队员的心理承受能力，并定期组织有 PTSD 专家参加的心理座谈与讨论会。

(三)心理支持

1. 受灾人员的心理支持 受灾后各个阶段需要提供的心理支持内容有所不同。

(1)48 小时之内：此期以个人支持为宜，包括让受灾人员说出自身感受，宣泄抑郁，帮助他们面对现实。应注意其心理变化，特别是儿童当事者的心理变化，如性格开朗的儿童突然变得语言减少，是一种心里不安的表现。

(2)48 小时至 2 周：此期以群众支持为多。将年龄、经历相仿的人员组成小组，以每组 10~12 人为宜，交流各自的经历和体验、压力，从别人的经历中得到安慰。注意儿童或老年人等脆弱群体的表现，一般儿童很难接受眼前发生的灾害事实，易出现尿床、过分亲近父母、恐惧、不愿意入睡或噩梦、啼哭或尖叫、不愿意上学、在学校注意力不集中等情况。为了促进儿童群体的心理健康,可通过皮肤接触、交谈等帮助儿童表达情感变化。老年人适应力弱,特别是独居老人,急需得到社区护士的帮助和健康服务。

2.救援人员的心理支持

(1)相互交流,减轻压力反应:长期的大型救灾工作使救灾人员深感疲劳和紧张,救助人员也有心理压力,但大部分人隐藏自己的压力,特别是救助人员有英雄感,不会向别人透露自己的压力和心理感受。开设一个可以相互交流的场所,让经历相同的救援人员在回家前或上岗前交流当时的感受、身体状况。这不仅可以减轻工作人员自身的压力,还可避免他们把不良情绪带到家庭中。

(2)缓解压力:在救灾过程中应间断休息,如工作1小时休息5分钟或与其他救灾人员替换等,以减轻紧张和疲劳。具体措施如下:

①应建立在实地调查、慎重分析的基础上,了解事件、事故现场情况。如果通过直接询问当事人(PTSD病人)来掌握实际情况的话,将会使当事人(PTSD病人)陷入对刺激的创伤"再体验"之中,导致病情恶化。

②尽量设法使病人从灾害和事故后的情感压力中解脱出来。PTSD具有长期性的特点,如对病人的治疗期待过高,反而会增加病人的心理负担。应努力给病人营造一种包容、关怀和理解的氛围,让他们有自由的空间。

③帮助病人重建"新的世界"。PTSD病人在经历创伤之后,常会变得意志消沉,对生活失去信心。因此,要帮助他们重新建立生活的信心,明确生活的目标,恢复对未来生活的美好憧憬,还要准确把握病人的身心状态,有效地从生理、心理、社会、环境等方面进行护理。由于PTSD具有迁延性和治愈难的特点,所以社区护士应立足于长期性的工作,与各个领域的专家、临床心理工作者、精神科医生、专业护士、保健人员、执法人员、行政管理人员以及病人的家属、亲友等联合起来,共同开展支持工作。

本章小结

灾害是一种自然或人为的状况或事件,与社区人群的生存问题密切相关,可使人们受到死亡威胁,影响到社区的环境。社区护士在防治灾害性事件的过程中承担着义不容辞的责任,包括从病人出事或发病开始到医院就诊之前的救护。社区护士应掌握急救预防措施,从而减少社区灾害事件的发生,降低灾害对人类健康的危害程度。

课后思考

1. 现场救护的原则有哪些?
2. 如何做好预检分诊工作?
3. 如何做好社区灾害的预防工作?
4. 转运工作的基本原则是什么?
5. 如何做好灾害修复期居民的健康管理工作?

(刘耀辉)

附 录

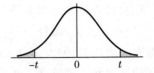

附录一　　t 界值表

自由度 ν	单侧	概率 P								
		0.25	0.1	0.05	0.025	0.01	0.005	0.0025	0.001	0.0005
	双侧	0.50	0.2	0.1	0.05	0.02	0.01	0.005	0.002	0.001
1		1.000	3.078	6.314	12.706	31.821	63.657	127.321	318.309	636.619
2		0.816	1.886	2.920	4.303	6.965	9.925	14.089	22.327	31.599
3		0.765	1.638	2.353	3.182	4.541	5.841	7.453	10.215	12.924
4		0.741	1.533	2.132	2.776	3.747	4.604	5.598	7.173	8.610
5		0.727	1.476	2.015	2.571	3.365	4.032	4.773	5.893	6.869
6		0.718	1.440	1.943	2.447	3.143	3.707	4.371	5.208	5.959
7		0.711	1.415	1.895	2.365	2.998	3.499	4.029	4.785	5.408
8		0.706	1.397	1.860	2.306	2.896	3.355	3.833	4.501	5.041
9		0.703	1.383	1.833	2.262	2.821	3.250	3.690	4.297	4.781
10		0.700	1.372	1.812	2.228	2.764	3.169	3.581	4.144	4.587
11		0.697	1.363	1.796	2.201	2.718	3.106	3.497	4.025	4.437
12		0.695	1.356	1.782	2.179	2.681	3.055	3.428	3.930	4.318
13		0.694	1.350	1.771	2.160	2.650	3.012	3.372	3.852	4.221
14		0.692	1.345	1.761	2.145	2.624	2.977	3.326	3.787	4.140
15		0.691	1.341	1.753	2.131	2.602	2.947	3.286	3.733	4.073
16		0.690	1.337	1.746	2.120	2.583	2.921	3.252	3.686	4.015
17		0.689	1.333	1.740	2.110	2.567	2.898	3.222	3.646	3.965
18		0.688	1.330	1.734	2.101	2.552	2.878	3.197	3.610	3.922
19		0.688	1.328	1.729	2.093	2.539	2.861	3.174	3.579	3.883
20		0.687	1.325	1.725	2.086	2.528	2.845	3.153	3.552	3.850
21		0.686	1.323	1.721	2.080	2.518	2.831	3.135	3.527	3.819
22		0.686	1.321	1.717	2.074	2.508	2.819	3.119	3.505	3.792
23		0.685	1.319	1.714	2.069	2.500	2.807	3.104	3.485	3.768

续表

自由度 v	单侧	概率 P								
		0.25	0.1	0.05	0.025	0.01	0.005	0.0025	0.001	0.0005
	双侧	0.50	0.2	0.1	0.05	0.02	0.01	0.005	0.002	0.001
24		0.685	1.318	1.711	2.064	2.492	2.797	3.091	3.467	3.745
25		0.684	1.316	1.708	2.060	2.485	2.787	3.078	3.450	3.725
26		0.684	1.315	1.706	2.056	2.479	2.779	3.067	3.435	3.707
27		0.684	1.314	1.703	2.052	2.473	2.771	3.057	3.421	3.690
28		0.683	1.313	1.701	2.048	2.467	2.763	3.047	3.408	3.674
29		0.683	1.311	1.699	2.045	2.462	2.756	3.038	3.396	3.659
30		0.683	1.310	1.697	2.042	2.457	2.750	3.030	3.385	3.646
40		0.681	1.303	1.684	2.021	2.423	2.704	2.971	3.307	3.551
50		0.679	1.299	1.676	2.009	2.403	2.678	2.937	3.261	3.496
60		0.679	1.296	1.671	2.000	2.390	2.660	2.915	3.232	3.460
70		0.678	1.294	1.667	1.994	2.381	2.648	2.899	3.211	3.435
80		0.678	1.292	1.664	1.990	2.374	2.639	2.887	3.195	3.416
90		0.677	1.291	1.662	1.987	2.368	2.632	2.878	3.183	3.402
100		0.677	1.290	1.660	1.984	2.364	2.626	2.871	3.174	3.390
∞		0.6745	1.2816	1.6449	1.9600	2.3264	2.5758	2.8070	3.0902	3.2905

附录二 χ^2 界值表

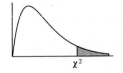

自由度 v	概率 P												
	0.995	0.990	0.975	0.950	0.900	0.750	0.500	0.250	0.100	0.050	0.025	0.010	0.005
1	—	—	—	—	0.02	0.10	0.45	1.32	2.71	3.84	5.02	6.63	7.88
2	0.01	0.02	0.05	0.10	0.21	0.58	1.39	2.77	4.61	5.99	7.38	9.21	10.60
3	0.07	0.11	0.22	0.35	0.58	1.21	2.37	4.11	6.25	7.81	9.35	11.34	12.84
4	0.21	0.30	0.48	0.71	1.06	1.92	3.36	5.39	7.78	9.49	11.14	13.28	14.86
5	0.41	0.55	0.83	1.15	1.61	2.67	4.35	6.63	9.24	11.07	12.83	15.09	16.75
6	0.68	0.87	1.24	1.64	2.20	3.45	5.35	7.84	10.64	12.59	14.45	16.81	18.55
7	0.99	1.24	1.69	2.17	2.83	4.25	6.35	9.04	12.02	14.07	16.01	18.48	20.28
8	1.34	1.65	2.18	2.73	3.40	5.07	7.34	10.22	13.36	15.51	17.53	20.09	21.96
9	1.73	2.09	2.70	3.33	4.17	5.90	8.34	11.39	14.68	16.92	19.02	21.67	23.59
10	2.16	2.56	3.25	3.94	4.87	6.74	9.34	12.55	15.99	18.31	20.48	23.21	25.19
11	2.60	3.05	3.82	4.57	5.58	7.58	10.34	13.70	17.28	19.68	21.92	24.72	26.76
12	3.07	3.57	4.40	5.23	6.30	8.44	11.34	14.85	18.55	21.03	23.34	26.22	28.30
13	3.57	4.11	5.01	5.89	7.04	9.30	12.34	15.98	19.81	22.36	24.74	27.69	29.82
14	4.07	4.66	5.63	6.57	7.79	10.17	13.34	17.12	21.06	23.68	26.12	29.14	31.32
15	4.60	5.23	6.27	7.26	8.55	11.04	14.34	18.25	22.31	25.00	27.49	30.58	32.80
16	5.14	5.81	6.91	7.96	9.31	11.91	15.34	19.37	23.54	26.30	28.85	32.00	34.27
17	5.70	6.41	7.56	8.67	10.09	12.79	16.34	20.49	24.77	27.59	30.19	33.41	35.72
18	6.26	7.01	8.23	9.39	10.86	13.68	17.34	21.60	25.99	28.87	31.53	34.81	37.16
19	6.84	7.63	8.91	10.12	11.65	14.56	18.34	22.72	27.20	30.14	32.85	36.19	38.58
20	7.43	8.26	9.59	10.85	12.44	15.45	19.34	23.83	28.41	31.41	34.17	37.57	40.00
21	8.03	8.90	10.28	11.59	13.24	16.34	20.34	24.93	29.62	32.67	35.48	38.93	41.40
22	8.64	9.54	10.98	12.34	14.04	17.24	21.34	26.04	30.81	33.92	36.78	40.29	42.80
23	9.26	10.20	11.69	13.09	14.85	18.14	22.34	27.14	32.01	35.17	38.08	41.64	44.18
24	9.89	10.86	12.40	13.85	15.66	19.04	23.34	28.24	33.20	36.42	39.36	42.98	45.56
25	10.52	11.52	13.12	14.61	16.47	19.94	24.34	29.34	34.38	37.65	40.65	44.31	46.93

续表

自由度 υ	概率 P												
	0.995	0.990	0.975	0.950	0.900	0.750	0.500	0.250	0.100	0.050	0.025	0.010	0.005
26	11.16	12.20	13.84	15.38	17.29	20.84	25.34	30.43	35.56	38.89	41.92	45.64	48.29
27	11.81	12.88	14.57	16.15	18.11	21.75	26.34	31.53	36.74	40.11	43.19	46.96	49.64
28	12.46	13.56	15.31	16.93	18.94	22.66	27.34	32.62	37.92	41.34	44.46	48.28	50.99
29	13.12	14.26	16.05	17.71	19.77	23.57	28.34	33.71	39.09	42.56	45.72	49.59	52.34
30	13.79	14.95	16.79	18.49	20.60	24.48	29.34	34.80	40.26	43.77	46.98	50.89	53.67
40	20.71	22.16	24.43	26.51	29.05	33.66	39.34	45.62	51.80	55.76	59.34	63.69	66.77
50	27.99	29.71	32.36	34.76	37.69	42.94	49.33	56.33	63.17	67.50	71.42	76.15	79.49
60	35.53	37.48	40.48	43.19	46.46	52.29	59.33	66.98	74.40	79.08	83.30	88.38	91.95
70	43.28	45.44	48.76	51.74	55.33	61.70	69.33	77.58	85.53	90.53	95.02	100.42	104.22
80	51.17	53.54	57.15	60.39	64.28	71.14	79.33	88.13	96.58	101.88	106.63	112.33	116.32
90	59.20	61.75	65.65	69.13	73.29	80.62	89.33	98.64	107.56	113.14	118.14	124.12	128.30
100	67.33	70.06	74.22	77.93	82.36	90.13	99.33	109.14	118.50	124.34	129.56	135.81	140.17

参考文献

[1] 姚应水,刘更新.预防医学[M].西安:第四军医大学出版社,2011.
[2] 郝晓鸣,鲍缇夕.预防医学[M].北京:北京大学医学出版社,2011.
[3] 华桂春.预防医学[M].北京:化学工业出版社,2013.
[4] 沈健,王利群.社区护理[M].郑州:郑州大学出版社,2011.
[5] 姚蕴伍.社区护理学[M].杭州:浙江大学出版社,2009.
[6] 何坪.社区护理(第2版)[M].北京:高等教育出版社,2010.
[7] 张先庚.社区护理学[M].北京:人民卫生出版社,2012.
[8] 冯正仪.社区护理[M].上海:复旦大学出版社,2010.
[9] 何路明,张爱红.社区护理[M].上海:同济大学出版社,2007.
[10] 董宣.社区护理[M].北京:高等教育出版社,2008.
[11] 吴莉莉.社区护理(第2版)[M].北京:高等教育出版社,2010.
[12] 谢日华,张琳琳.社区护理学[M].北京:北京大学医学出版社,2012.
[13] 徐国辉,周卓轸.社区护理[M].北京:科学出版社,2013.
[14] 雷良蓉,张金梅.社区护理学(第2版)[M].西安:第四军医大学出版社,2012.
[15] 李春玉.社区护理学(第3版)[M].北京:人民卫生出版社,2012.
[16] 周亚林.社区护理学(第2版)[M].北京:人民卫生出版社,2011.
[17] 蔺惠芳.社区护理(第3版)[M].北京:科学出版社,2012.
[18] 赵秋莉.社区护理学(第2版)[M].北京:人民卫生出版社,2006.
[19] 全国护士执业资格考试用书编写专家委员会.全国护士执业资格考试指导[M].北京:人民卫生出版社,2011.
[20] 邓翠珍,王化玲.社区护理技术[M].武汉:华中科技大学出版社,2014.
[21] 王永军,杨芳萍.社区护理(第2版)[M].北京:科学出版社,2013.
[22] 泮昱钦.社区护理[M].杭州:浙江大学出版社,2011.
[23] 李明子.社区护理学[M].北京:北京大学医学出版社,2008.
[24] 卫生部科技教育司.社区护士岗位培训教材[M].北京:中国协和医科大学出版社,2001.